KB177025

THIS IS
VOCA
VOCABULARY

THIS IS VOCABULARY 어원편

지은이 권기하
펴낸이 임상진
펴낸곳 (주)넥서스

출판신고 1992년 4월 3일 제311-2002-2호 [2-7]
10880 경기도 파주시 지목로 5
Tel (02)330-5500 Fax (02)330-5555

ISBN 979-11-6165-261-0 54740
　　　979-11-6165-203-0 （SET）

www.nexusbook.com

THIS IS
VOCA

VOCABULARY

권기하 지음

어원편

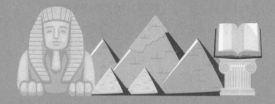

NEXUS Edu

Preface

영어에서 어휘는 듣기·말하기·읽기·쓰기의 기초를 이루는 핵심적인 요소입니다. 그리고 학습자들의 영어 실력이 높아질수록 어휘가 차지하는 비중이 높아집니다. 즉, 독해지문 읽기와 대화에서 발음이나 문법을 몰라서라기보다는 어휘의 정확한 의미나 쓰임을 알지 못해 문맥을 이해하는 데 어려움을 느끼거나 제대로 활용할 수 없는 경우가 많습니다. 더군다나 초등학교의 영어 노출 시기가 앞당겨지면서 중학교와 고등학교 과정에서 요구하는 어휘의 수준은 점점 높아지고 있습니다. 실제 각종 시험이나 수능에서 느끼는 체감 난이도도 평상시보다 높다는 것을 알 수 있습니다. 이것은 교과서나 한 권의 어휘 교재만으로는 해결할 수 없음을 의미합니다.

그렇다면 어떻게 어휘를 효과적으로 학습할 수 있을까요? 무조건 많은 양의 어휘를 기계적으로 외우기만 하면 될까요? 단순히 많은 양의 영단어를 암기하는 것도 어휘 학습의 한 방법이긴 합니다. 하지만 이러한 방법으로는 무수히 많은 어휘를 학습하기는 불가능하며, 암기하더라도 금방 잊어버리거나 외운 단어를 실제 생활이나 시험에서는 활용할 수 없게 됩니다. 따라서 단순히 어휘의 정의만이 아니라, 연어 또는 회화나 독해를 통해 문맥 속에서 어휘의 의미를 유추하고, 중심 개념, 어원의 이해 등을 통해 체계적으로 학습하는 것이 중요합니다.

〈This Is Vocabulary 최신개정판〉 시리즈는 어휘를 주제별로 정리해 의미의 연계성을 통해 학습자들이 각각의 어휘를 자연스럽게 학습하고 기억할 수 있도록 했습니다. 그리고 어휘 수준에 따라 초급, 중급, 고급, 어원편 등으로 구성, 다양한 어휘 활동을 추가하였으며, 학습 효과를 극대화하기 위해 빈도가 높은 연어, 파생어, 예문 등을 제시했습니다.

〈This Is Vocabulary 최신개정판〉 시리즈를 통해 언어의 기본 단위인 어휘를 효과적으로 학습하고 더 나아가 이 책의 다양한 어휘 학습 장치를 통해 영어의 4가지 skill을 모두 향상시킬 수 있었으면 합니다.

권기하

이것이 더 강력해진
"THIS IS VOCA" 시리즈다!

✎ 효과적인 주제별 어휘 학습

〈This Is Vocabulary 최신개정판〉 시리즈는 어휘를 주제별로 분류하여, 학습자들이 각각의 어휘를 연상 작용을 통해 효과적으로 암기하고 쉽게 기억할 수 있도록 구성하였습니다.

✎ 문맥을 통한 어휘 학습

어휘는 단독으로 사용되지 않으므로 예문이나 어구의 형태에서 확인하는 과정이 필요합니다. 따라서 단순히 주제와 관련된 어휘만을 나열한 것이 아니라, 연어, 파생어, 주제와 관련된 예문을 함께 제시하여 가능한 한 다양한 표현을 반영, 문맥을 통해 학습할 수 있도록 구성하였습니다.

✎ 입문부터 수능완성, 고급 단계까지의 연계성

어휘 학습이 체계적이고 단계적으로 이루어질 수 있도록 입문부터 초급, 중급, 수능 완성, 어원편, 고급, 그리고 뉴텝스까지 시리즈로 구성했습니다. 각 단계에 맞는 표제어를 선정하고 적절한 예문, 수능 기출 예문, 그리고 추가 어휘를 제시하여 보다 효과적으로 학습할 수 있도록 구성하였습니다.

✎ 다양한 학습 방법

레벨에 따라 Word Search, Word Bubbles, Crossword Puzzles, Word Mapping 등 다양한 활동을 추가함으로써 앞서 배운 어휘를 복습하는 과정을 자연스럽게 즐길 수 있도록 구성하였습니다. 또한 언제 어디서나 학습이 가능하도록 모바일로 영/미 발음을 확인하고, 모바일 VOCA TEST를 통해 자기주도학습을 할 수 있는 최적화된 학습 시스템을 제공합니다.

Features

제목만 확인해도 어휘 학습이 된다!

각 Day의 제목에는 어원과 함께 대표적인 표현을 제시하였다. 하나의 어원을 기억하는 것보다 하나의 예를 기억하면, 암기의 부담을 줄이면서도 많은 어휘를 암기하는 효과가 있다. 그래서 어원과 함께 대표적인 표현을 제목으로 제시하였다.

input ⓐ 입력하다 ⓑ 투입, 입력 ⓒ output
[ínput]
　[in 안에 + put 넣다 = 안에 넣다]
　manual **input** 수동 입력
　input data into the compute

involve ⓐ 1. 관련시키다 2. 열중시키다 　inv
[inválv]
　[in 안에 + volve 구르다 = 안으로 밀려들
　be **involved** in ~에 관련되다, ~에

어원 자체는 암기보다 연상이 효과적이다!

표제어에 언급된 어원은 굵은 글씨로 부각시켰으며, 다른 어원은 흐리게 표시하였다. 이것은 주 어원(main root)을 중심으로 연상하고 유추하라는 의미이며, 부수적인 어원(minor root)은 참고만 하라는 의도이다. 어휘 학습 방법의 패러다임(paradigm)을 어원 중심으로 바꿨지만, 전혀 부담감을 받지 않으면서도 학습 효과를 극대화할 수 있다.

ⓐ 1. 관련시키다 2. 열중시키다 　involvement ⓑ 관련
[in 안에 + volve 구르다 = 안으로 밀려들게 하다]
be involved in ~에 관련되다, ~에 열중하다
　　　revolve [riválv] ⓒ 회전하다, 순환하다 　revolution ⓑ 회

ⓐ 1. 기울다 2. 마음 내키게 하다 　inclination ⓑ 기울기, 성향, 좋아함
[in 안에 + cline 기울다 = 안으로 기울다]
be [feel] inclined to sleep 잠자고 싶어지다

예문 대신 연어(collocation)를 참고한다!

모든 어휘에는 예문 대신에 연어를 제시하였다. 연어의 선정 기준은 가장 친근하면서 자주 등장하는 표현을 우선으로 하였다. 이러한 연어는 빠르고 쉽게 확인할 수 있으며, 쓰기나 읽기에서 중요한 표현으로 등장하므로 권장하는 학습 방법이다. 형태나 철자 때문에 혼동하기 쉬운 어휘도 별도로 제시하였다.

EXERCISE

A 영어는 우리말로, 우리말은 영어로 옮기시오.

1	intake	8	본능
2	interval	9	감염
3	inclusion	10	관련시켜
4	inhabitant	11	기울기,
5	invade	12	내부의

연습 문제는 워크북으로, 예문은 별도의 파일로 제공한다!

연습 문제에 등장하는 예문은 본문에 등장하는 어휘와 연어 표현이 포함되어 있다. 또한 모든 어휘의 예문은 별도로 제공한다. 표제어별 예문은 해석과 함께 홈페이지에서 내려 받을 수 있다. www.nexusbook.com

언제 어디서든 THIS IS VOCA를 모바일로 학습하자!

MP3 듣기
VOCA TEST

MP3를 들으며 공부하기

모바일 VOCA TEST로 재미있게 복습하기

단어장 1, 2 다운로드

추가 제공 자료

www.nexusbook.com

❶ 어휘 리스트/테스트
❷ 테스트 도우미
❸ 전체 예문 추가 제공
❹ 혼동 어휘 단어장 (1)
❺ 핵심 접두사 단어장 (2)

Contents

Part 4 EBS 빈출·수능 빈출

PART

01

접두사를 보면
어휘가 보인다

in- 안

income & outgo 수입과 지출

DINK (Double Income, No Kids) 족(族)! 수입은 두 배, 아이는 NO! 그래도 아이를 낳아야 하는데!
수입(income)은 글자 그대로 안으로 들어오는 것, 지출(outgo)은 밖으로 나가는 돈을 의미하므로
안(in-, im-)은 밖(out-, ex-)과 대조를 이루는 어원임을 알 수 있다. in-으로 시작하는 어휘가 수없이
많이 있으며, 대부분 '안(內)'을 의미하거나 부정(not)을 의미하는 것이다. 즉, 부정 접두사가 아니라면
'안(內)'을 의미하는 접두사이다.

Basic Words		
☐ **in**come [ínkʌm] 명 수입, 소득		
☐ **in**ternal [intɔ́ːrnəl] 형 내부의, 안의		
☐ **in**clude [inklúːd] 동 포함하다	inclusion 명 포함	
☐ **in**take [ínteik] 명 (물, 공기 등의) 흡입, 섭취		
☐ **in**habit [inhǽbit] 동 ～에 살다, 거주하다	inhabitant 명 거주민	

---

input
[ínput]

동 입력하다 명 투입, 입력 ⟷ output 생산, 출력
[in 안에 + put 넣다 = 안에 넣다]
manual **input** 수동 입력
input data into the computer 컴퓨터에 자료를 입력하다

involve
[inválv]

동 1. 관련시키다 2. 열중시키다 involvement 명 관련
[in 안에 + volve 구르다 = 안으로 밀려들게 하다]
be **involved** in ～에 관련되다, ～에 열중하다

> **revolve** [riválv] 동 회전하다, 순환하다 revolution 명 회전, 혁명

incline
[inkláin]

동 1. 기울다 2. 마음 내키게 하다 inclination 명 기울기, 성향, 좋아함
[in 안에 + cline 기울다 = 안으로 기울다]
be [feel] **inclined** to sleep 잠자고 싶어지다

insert
[insɔ́ːrt]

동 끼워 넣다, 삽입하다 insertion 명 삽입
[in 안에 + sert 넣다 = 안에 집어넣다]
insert a key in a lock 자물쇠에 열쇠를 꽂다

investigate
[invéstəgeit]

동 수사하다, 조사하다 = examine investigation 명 조사
[in 안에 + vestigate 흔적을 더듬다 = 흔적을 더듬어 조사하다]
investigate a crime 범죄를 조사하다

invade
[invéid]

동 침입하다, 침해하다   invasion 명 침입

[in 안에＋vade 가다＝안으로 들어가다]

invade my privacy 내 사생활을 침해하다
invasion of a virus 병균의 침입

initiate
[iníʃieit]

동 시작하다, 입문시키다   initial 형 시작의 명 머리글자
initiation 명 시작   initiative 명 창시, 주도

[in 안에＋it 가다＋(i)ate 동사＝안으로 들어가다–시작하다]

initiate a business 사업을 시작하다
an **initiation** fee 입회금, 가입금

inherent
[inhíərənt]

형 본래부터 가지고 있는, 타고난   inhere 동 본래부터 타고나다

[in 안에＋here 달라붙다＋nt 형용사＝원래 안에 있는]

one's **inherent** genius 타고난 천재성[소질]

infect
[infékt]

동 감염[오염]시키다   infection 명 감염

[in 안에＋fect 작동하다＋ion 명사＝안으로 작동하다–감염시키다]

infect animals 동물을 감염시키다

impact [ímpækt] 명 충돌(＝collision); 영향

innovate
[ínəvèit]

동 쇄신하다, 혁신하다; ~을 도입하다   innovation 명 혁신

[in 안에＋novate 새롭게 하다＝안으로 새롭게 하다]

innovate new products 신상품을 도입하다
management **innovation** 경영 혁신

instinct
[ínstiŋkt]

명 본능, 충동   instinctive 형 본능적인

[in 안에＋stinct 찌르다＝찔러서 부추기는 것–충동. 본능]

basic **instinct** 원초적 본능
instinctive sound 본능적인 소리

insight
[ínsait]

명 통찰력, 간파

[in 안에＋sight 시각, 시야＝안을 바라보는 시각]

keen **insight** 예리한 통찰력

intuition
[ìntjuːíʃən]

명 직감, 직관   intuitive 형 직관력이 있는

[in 안에＋tui 보다＋tion 명사＝마음속으로 보는 것]

know by **intuition** 직관으로 알다

inter- 사이

interchange (고속도로) 교차로

interchange는 진행 방향을 바꿀 수 있는 입체 교차로를 의미한다. 하지만, intersection은 도로의 교차로, 교차 지점을 의미한다. 두 표현에 공통적으로 등장하는 inter-는 '서로, 사이에'를 담고 있는 어원이다. inter-는 뒤에 동사와 명사를 붙여 쉽게 다른 어휘를 만들 수 있는 접두사이다. inter-는 한 자로 間(사이 간)!

Basic Words	
☐ **inter**change [íntərtʃèindʒ] 됨 서로서로 바꾸다 몡 (고속도로의) 입체교차로
☐ **inter**val [íntərvəl] 몡 간격, 틈
☐ **inter**act [ìntərǽkt] 됨 상호 작용을 하다
☐ **inter**lude [íntərlùːd] 몡 간주곡 *prelude 전주곡

---

interdependent
[ìntərdipéndənt]

몡 서로 의존하는, 서로 돕는 interdependence 몡 상호 의존
[inter 사이 + dependent 의지하는 = 서로 의지하는]
interdependence among members 구성원 간의 상호 의존

---

intercept
[ìntərsépt]

됨 중간에서 붙잡다, 가로채다 interception 몡 도중에 빼앗음, 방해
[inter 중간 + cept 집다(catch) = 중간에 잡아버리다]
intercept messages 메시지를 가로채다

---

interfere
[ìntərfíər]

됨 방해하다, 간섭하다 (with) ⊜ interrupt interference 몡 간섭
[inter 중간 + fere 치다(strike) = 중간에 치고 들어가다, 방해하다]
interfere with memory 기억을 방해하다
Don't **interfere**. 방해하지 마라.

---

interpret
[intə́ːrprit]

됨 설명하다, 해설하다 interpretation 몡 해석
[inter 사이 + pret 값 = 사이에서 값을 매기다 – 해설하다]
interpret a dream 꿈을 해몽하다
simultaneous **interpretation** 동시통역 *simultaneous 동시의

---

intervene
[ìntərvíːn]

됨 끼어들다, 개입하다, 간섭하다 intervention 몡 사이에 들어감, 조정, 간섭
[inter 중간 + vene 오다(come) = 중간에 끼어들다]
intervene in the elections 선거에 개입하다

DAY 02-1

ex-(e-) 밖으로(out)

Exit 비상구, 탈출구

건물의 계단이나 출구에 붙여둔 EXIT(출구, 비상구)에서, ex-는 '밖으로'를 의미하는 어원이다. interior-exterior(외부의), inhale-exhale(숨을 내쉬다), include-exclude(제외시키다), invade-evade(피하다) 등에서처럼 ex-는 in-과 상반되는 의미로 사용된다. 하지만, ex-가 반드시 밖(外)을 의미하는 것은 아니다. ex-friend, ex-teacher, ex-president…에서 ex-는 '이전의, 전(前)'이라는 의미이다.

Basic Words

☐ **ex**ternal [ikstə́:rnəl] 형 외부의, 피상적인

☐ **ex**terior [ikstíəriər] 형 외부의

☐ **ex**clude [iksklú:d] 동 제외하다, 방출하다　　exclusion 명 제외, 독점

☐ **ex**press [iksprés] 동 표현하다, 나타내다　　expression 명 표현

☐ **ex**plode [iksplóud] 동 폭발하다　explosion 명 폭발　explosive 형 폭발적인

---

extend
[iksténd]

동 넓히다, 연장하다

extension 명 연장　　extensive 형 광범위한, 넓은

[ex 밖 + tend 펴다 = 밖으로 펼치다 – 연장하다]

extend a deadline　기한을 연장하다

---

explore
[iksplɔ́:r]

동 탐험하다, 탐구하다

exploration 명 탐험　　explorer 명 탐험가

[ex 밖 + plore 소리치다(cry) = 밖으로 소리쳐 찾다 – 탐험하다]

explore caves　동굴을 탐험하다

---

exception
[iksépʃən]

명 예외, 제외　　except 동 제외하다　전 ～를 제외하고

[ex 밖 + cep 가져가다 + tion 명사 = 밖으로 제외시킴]

without **exception**　예외 없이, 모두

---

exploit
[iksplɔ́it]

동 개척하다, 이용하다, 착취하다　　exploitation 명 이용

[ex 밖 + ploit 펼치다 = 밖으로 펼쳐내다 – 개척하다]

exploit the wetlands　습지를 개척하다
exploit young workers　젊은 근로자를 착취하다

---

expand
[ikspǽnd]

동 넓어지다, 팽창하다　　expansion 명 팽창, 확장

[ex 밖 + pand 펴다 = 밖으로 펼치다 – 확장하다]

expand the territory　영역을 확장하다

15

exotic
[igzá:tik]

형 외국의, 외래의　　exoticism 명 이국적임

[ex밖 + otic 형용사 = 바깥의, 외국의]

exotic place 이국적인 장소
exotic foods 외국 음식

exhale
[ekshéil]

동 (공기 따위를) 내쉬다 ⟷ inhale 숨을 들이쉬다

[ex밖 + hale숨 쉬다 = 밖으로 숨을 내쉬다]

exhale smoke through his mouth 입으로 담배 연기를 내뿜다

extract
[ikstrǽkt]

동 뽑아내다, 추출하다, 발췌하다　　extraction 명 추출, 발췌

[ex밖 + tract 당기다 = 밖으로 당겨내다, 추출하다]

extract a tooth 이를 뽑다
extract oil 기름을 추출하다

evade
[ivéid]

동 피하다　　evasion 명 회피

[e밖 + vade 가다 = 밖으로 나가다 – 피하다]

evade one's responsibility 자신의 책임을 회피하다

> **invade** [invéid] 동 침입하다, 침공하다　 invasion 명 침입

evaporate
[ivǽpərèit]

동 증발하다　　evaporation 명 증발

[e밖 + vapor 수증기 + ate 동사 = 밖으로 증기가 새나가다, 증발하다]

evaporate water 물을 증발시키다
evaporate at 100 degrees C 섭씨 100도에서 증발하다

eccentric
[ikséntrik]

형 괴짜의 = queer

[e밖 + centric 중심 = 중심을 벗어난]

eccentric clothes 별난 옷
an **eccentric** person 별난 사람

emerge
[imə́:rdʒ]

동 (물 · 어둠 속에서) 나오다, 나타나다 ⟷ submerge 물속에 잠기게 하다

[e밖 + merge 가라앉다 = 밖으로 나타나다]

emerge from a tunnel 터널에서 나오다

> **immerse** [imə́:rs] 동 (물 따위에) 담그다

evoke
[ivóuk]

동 (기억, 감정을) 불러일으키다, 환기하다

[e밖으로 + voke 부르다(call) = 밖으로 불러내다–불러일으키다]

evoke laughter 웃음을 자아내다

16

ex-(extra-) 완전히, ~보다 더

Excellent 우수한, 수(秀)

수능 성적은 아홉 개 등급으로 나타내며, 성취 평가제에서는 ABCDE로 나타낸다. 학교 성적을 수-우-미-양-가로 표기하면 수(秀)는 Excellent, 우(優)는 Fine! Excellent는 동사인 excel(더 우수하다)에서 나온 표현이다. 엑설런트(Excellent '수(秀)')의 ex-는 '~보다 더'를 나타낸다. 그리고 extra-는 '~을 넘어서(beyond)'를 나타낸다.

Basic Words	☐ **ex**ceed [iksíːd] 통 초과하다; 보다 뛰어나다	excess 명 초과
	☐ **ex**cel [iksél] 통 (남을) 능가하다, ~보다 낫다	excellence 명 우수함, 탁월함
	☐ **ex**tinct [ikstíŋkt] 형 (불이) 꺼진; 멸종한	extinction 명 멸종

---

exhaust
[igzɔ́ːst]

통 1. 다 써 버리다 ⊜ use up 2. 지치게 하다 명 배기가스

[ex 완전히 + haust 흐르다(flow) = 완전히 흘러나오다–다 써 버리다]

exhaust the resources 자원을 다 써 버리다
an **exhausted** well 고갈된 우물

---

extinguish
[ikstíŋgwiʃ]

통 (불, 빛 등을) 끄다 ⊜ put out, quench   extinguisher 명 소화기

[ex 완전히 + tinguish 끄다 = 완전히 끄다]

extinguish a candle 촛불을 끄다

---

exaggerate
[igzǽdʒəreit]

통 과장하다, 허풍 떨다   exaggeration 명 과장

[ex 지나치게 + agger 쌓다 + ate 동사 = 크게 쌓아 올리다, 과장하다]

exaggerate the size 크기를 과장하다
Don't **exaggerate**. 허풍 떨지 마라.

---

expiration
[èkspəréiʃən]

명 만기   expire 통 (기간이) 끝나다. 만기가 되다

[ex 완전히 + (s)pire 호흡하다(spirit) + ation 명사 = 완전히 호흡이 끝남]

the **expiration** of a contract 계약 만기
expire this week 이번 주가 만기이다

---

extraordinary
[ikstrɔ́ːrdəneri]

형 대단한, 보통 아닌 ⊜ unusual

[extra ~보다 더 + ordinary 보통의 = 보통을 뛰어 넘는]

a man of **extraordinary** genius 비범한 재주를 가진 사람

out- 밖
outlet store 아웃렛, 할인점

아웃렛 스토어(Outlet Store)는 백화점이나 제조업체에서 판매하고 남은 재고 상품이나 비인기 상품, 하자 상품 등을 정상가보다 절반 이하의 싼 가격으로 판매하는 형태의 영업 방식을 말한다. 여기서 아웃렛은 out(밖)+let(허락하다)의 결합어로서 '밖으로 내보내다'는 의미와 '싸게 내보내다'는 의미를 지닌다. 심판이 경기 중 외치는 'Out!'이라는 표현은, '쫓아내다, 죽다'를 의미한다.

Basic Words	
☐ **out**look [áutlùk] 명 전망, 예측	
☐ **out**skirts [áutskə̀:rts] 명 교외, 변두리 suburbs 교외 지역	
☐ **out**spoken [àutspóukən] 형 솔직한, 거리낌 없는	
☐ **out**date [àutdéit] 동 시대에 뒤떨어지게 하다	
☐ **out**going [áutgòuiŋ] 형 사교적인, 외향적인	

output
[áutpùt]

명 1. 생산, 산출, 산출량 ⊜ production   2. (컴퓨터) 출력

[out 밖+put 놓다=밖으로 놓음]

agricultural **output** 농업 생산량
input and **output** 입력과 출력

outcome
[áutkʌ̀m]

명 결과 ⊜ result

[out 밖+come 나오다=밖으로 나온 결과]

the **outcome** of the election 선거의 결과

outstanding
[autstǽndiŋ]

형 눈에 띄는, 중요한, 돌출한   stand out 돌출하다, 눈에 띄다

[out 밖+standing 서 있는=밖에 서 있는]

his **outstanding** performance 그의 눈에 띄는 성적[연기]

outbreak
[áutbrèik]

명 발발, 폭동

[out 밖+break 깨지다=터져서 깨져 나오는 것]

the **outbreak** of war 전쟁의 발발

outlandish
[autlǽndiʃ]

형 1. 이국적인 ⊜ foreign, exotic   2. 기이한

[out 밖+land 땅+ish 형용사=나라[땅] 밖의]

outlandish behavior 이상한 행동
laugh at his **outlandish** idea 그의 특이한 생각을 비웃다

outburst
[áutbə̀:rst]

명 폭발, 파열

[out 밖+burst 터뜨리다=밖으로 터지는 것]

an **outburst** of laughter 폭소

DAY 03-2

out + 동사 ~보다 더

outlive his son 아들보다 더 오래 살다

outlive는 '더 오래 살다'를 의미하며, 'live longer than'보다 훨씬 간결한 표현이다. [out + 동사]에서 out은 '~보다 더'의 의미를 나타낸다. 외우려 하지 말고, 동사의 의미에 '~보다 더'를 붙여 의미를 유추하고 연상해야 한다. 단어를 무작정 외우기만 하는 것보다는 어원을 이해하고 뜻을 유추하면 자신의 실제 어휘력 이상의 능력을 발휘할 수 있다.

Basic Words	
☐ **out**run [àutrʌ́n] 🗟 ~보다 빨리 달려 앞지르다	
☐ **out**go [àutgóu] 🗟 ~보다 멀리 가다, 능가하다	
☐ **out**throw [àutθróu] 🗟 내던지다, ~보다 멀리 던지다	
☐ **out**reach [àutríːtʃ] 🗟 ~보다 멀리 미치다	

outdo
[àutdúː]

🗟 ~보다 낫다, 물리쳐 이기다
outdo a big business 큰 기업을 이기다
outdo him in everything 모든 면에서 그를 능가하다

outgrow
[àutgróu]

🗟 성장하다, ~보다 빨리 자라다
outgrow one's brother 자신의 형보다 빨리 자라다
outgrow one's clothes 자라서 자신의 옷을 못 입다

outlive
[àutlív]

🗟 ~보다 오래 살다 ➊ survive
outlive one's son 자신의 아들보다 오래 살다

outnumber
[àutnʌ́mbər]

🗟 ~보다 많다, 수에서 ~을 능가하다
outnumber females 여성들보다 더 많다

outweigh
[àutwéi]

🗟 ~보다 무겁다; ~보다 중요하다, ~보다 가치가 있다
outweigh its economic benefits 경제적 이득보다 더 중요하다

outspeak
[àutspíːk]

🗟 ~보다 말을 잘하다; 솔직하게 말하다   outspoken 🗟 솔직한
outspeak one's opponent 자신의 상대편보다 더 말을 잘하다

outperform
[àutpərfɔ́ːrm]

🗟 ~보다 성능이 우수하다; (사람이) ~보다 기량이 위다
outperform expectations 기대를 넘어서다
outperform their competitors 그들의 경쟁자들을 능가하다

sur-(super-) 위, 너머로, 초월의

surname and given name 성씨와 이름

"당신의 아이와 내 아이가 우리 아이를 괴롭히고 있어요." 재혼 가정이 많은 미국에서는 흔한 일이다. 하지만, 당신의 아이든, 내 아이든, 우리 아이든 모두 성씨(surname = last name = family name)는 같다. 우리는 뿌리인 성씨를 중시하지만, 영어권에서는 뿌리가 아닌 이름을 더 중시하여 이름(given name)이 앞에 오고 성씨가 뒤에 온다. 성씨를 surname으로 표현하는 것은 sur-가 '위', 즉 이름 위에 덧붙인다는 것을 의미하기 때문이다.

Basic Words

□ **sur**tax [sə́:rtæ̀ks] 명 부가세

□ **sur**mount [sərmáunt] 통 (산에) 오르다; 이겨내다

□ **sur**face [sə́:rfis] 명 표면, 외부

□ **sur**pass [sərpǽs] 통 ~보다 낫다, 앞지르다

□ **sur**plus [sə́:rplʌs] 명 나머지, 잔여, 흑자

---

survey
[sə:rvéi / sə́:rvei]

통 살펴보다, 조사하다 명 조사 = investigation

[sur 위 + vey 보다 = 위에서 보다]

conduct a **survey** 조사하다

---

surrender
[səréndər]

통 항복하다, 양보하다 = yield 명 항복

[sur 위로 + render 주다 = 모든 것을 내어주다 – 항복하다, 양보하다]

surrender to the enemy 적에게 항복하다

---

superficial
[sùːpərfíʃəl]

형 표면(상)의, 피상적인

[super 위에 + ficial 얼굴(face) = 얼굴 위의 – 표면의]

superficial knowledge of a subject 주제에 대한 피상적인 지식

---

supreme
[supríːm]

형 최고의, 최상의

[supr 위에(super) + eme 최상급 접미사 = 최고의]

the **Supreme** Court 대법원

---

superior
[suːpíriər]

형 ~보다 높은, 상급의 superiority 명 우월, 우위

[super 초월 + ior 비교급 = 더 초월하는, 더 위의]

one's **superior** officer 자신의 상관

---

superstition
[sùːpərstíʃən]

명 미신 superstitious 형 미신적인

[super 위에 + sti 서다(stand) + tion 명사 = 사물의 실제 모습에서 벗어난 것]

widespread **superstitions** 널리 퍼진 미신

down- 1. 아래쪽으로 2. 내려와서

downtown 도심지, 중심가, 상가

중세의 지배자는 성 안에 기거하였으며, 백성들과 상인들은 성 밖에 모여 살았다. 자연스럽게 성 밖은 상업이 성행하고 주거지로 정착되면서 하나의 도시(town)로 성장한다. 지배자가 볼 때 이곳은 성 밖의 아래 지역으로 보였으며, 명칭도 downtown으로 불렸다. 하지만, 이곳은 도심지, 중심가, 상가의 개념으로 변하게 되었다. '저 아래 지역'이 도시의 중심지가 되었지만 이름은 그대로이다.

Basic Words
☐ **down**size [dàunsáiz] 통 축소하다, 소형화하다
☐ **down**fall [dáunfɔ̀:l] 명 낙하, 호우, 몰락
☐ **down**stairs [dáunstɛ́ərz] 부 아래층에 명 아래층

downcycle
[dáunsàikl]
명 (경기 순환의) 하강기
an economic **downcycle** 경제의 하강기

downhearted
[dáunhà:rtid]
형 낙담한
inspire the **downhearted** 낙담한 사람을 격려하다

downpour
[dáunpɔ̀:r]
명 억수, 호우   pour 명 유출; 억수, 호우
seasonal **downpours** 계절적 호우[장맛비]

downtrend
[dáuntrènd]
명 하락세, 하향세   trend 명 방향, 경향, 추세
downtrend since 1980 1980년 이래의 하락세

downturn
[dáuntə̀:rn]
명 하강, 침체 ⇔ upturn 상승
a sharp **downturn** 급격한 하강
the continuing economic **downturn** 계속되는 경기 침체

downtown
[dàuntáun]
명 도심지, 중심가, 상가
within the **downtown** area 도심지역 안에서

down과 up
downwards 아래로 향하여 ⇔ **upwards** 위로 향하여
downstream 하류로 향하는 ⇔ **upstream** 상류로 향하는
downhill 내리막의, 내려가는 ⇔ **uphill** 오르막의, 올라가는

on- 1. 위에, 붙여 2. ~하는 도중에

onlooker 구경꾼, 방관자

There is a fly on the ceiling. 직역하면, 파리는 천장 아래에 앉은 것이 아니라, 천장 위에 앉아 있다고 말한다. on은 주어 입장에서 방향과 관계없이 접촉하여 붙어 있음을 나타낸다. on은 시간, 공간, 동작의 경우 '계속 붙어 있는 상태'를 나타낸다.

Basic Words
- □ **on-off** 형 (스위치가) 온오프식 동작의
- □ **online** [ánlain] 형 (컴퓨터) 온라인의
- □ **onshore** [ànʃɔ́ːr] 형 육지의, 육상의

---

onboard
[ánbɔ̀ːrd]

형 (기내, 차내에) 탑재한, 내장한
Welcome **onboard**. = Welcome **aboard**. 승선을 환영합니다.

oncoming
[ánkʌ̀miŋ]

형 접근하는, 다가오는
the **oncoming** generation 다음 세대를 짊어질 사람들[차세대]
the **oncoming** car 다가오는 자동차

ongoing
[ángòuiŋ]

형 전진하는, 진행하는
ongoing development 계속 진행되는 발전

onlooker
[ánlùkər]

명 구경꾼, 방관자 ⊜ bystander   onlooking 형 방관하는
the **onlookers** of the fight 싸움의 구경꾼

onrushing
[ánrʌ̀ʃiŋ]

형 돌진하는, 무턱대고 달리는   onrush 명 돌진, 돌격
the **onrushing** tide 밀려오는 조류

onset
[ánsèt]

명 1. 개시, 시작 2. 공격 ⊜ attack
the **onset** of spring 봄의 시작
the **onset** of the enemy 적의 공격

on the run

분주한, 도주 중인
be **on the run** 분주하다, 도주 중이다

on-the-spot

형 즉석의, 현장(現場)에서의
on-the-spot inspections 현장 검증

off- 저 멀리, 떨어져

off the record 언론에 발표하지 않기로 하는 기자 회견

off the record는 기자 회견이나 인터뷰의 경우, 언론에 발표를 하지 않는다는 조건을 붙이는 경우이다. 여기서 off는 '떨어져, 떼어 내어'의 의미로서 보도하지 않음을 나타낸다. off는 off-line, on-off, take off, keep off, far off 등의 경우처럼 '저 멀리 떨어져 나가는'의 의미를 갖고 있다. keep off는 '떨어져 있어! 만지지 마!'의 의미이며, keep away는 '거리를 두고 접근하지 않음'의 의미이다.

Basic Words
- [ ] **off**-price ❸ 할인의
- [ ] **off**stage [ɔ(:)fstéidʒ] ❸ 무대 뒤의
- [ ] **off**-center ❸ 중심을 벗어난, 균형을 잃은, 불안정한

---

offshore
[ɔ(:)fʃɔ́:r]

❸ 앞바다의, 국외의
offshore fisheries 근해 어업

offspring
[ɔ(:)fsprìŋ]

❸ 자식, 자녀; 자손, 후예
produce **offspring** 아이를 낳다
the spouse and **offspring** 배우자와 자식

off-brand

❸ 유명 브랜드가 아닌, 싸구려 브랜드의
off-brand toys 싸구려 브랜드의 장난감

offload
[ɔ(:)flóud]

❸ 짐을 내리다 ● unload
offload their cargo 화물을 하역하다

off-road ❸ 일반 도로를 벗어난; 포장도로 밖에서 사용되는

off-duty

❸ 비번의, 휴식의 ⇔ on-duty 근무 중인
an **off-duty** cop 비번인 경찰관
while **on duty** 근무 중에

off-peak

❸ 절정을 지난, 출퇴근 시간이 지난
during **off-peak** hours 출퇴근 시간이 지난 시간에

off-the-job

❸ 업무 시간 이외의, 실직 중인
off-the-job training 직장 외에서의 훈련 (현장 밖에서 하는 교육)

off-the-record

❸ 기록해 두지 않은, 비공개의 ⇔ on-the-record 공개하는
off-the-record comments 비공식 논평

de- 1.아래로(down), 떨어져(away)
2.완전히(강조: intensive)

delete key 삭제 키

1929년 미국의 뉴딜 정책(New Deal Policy)을 낳게 한 경제 대공황(The Great Depression)을 기억한다. '아래로 누름'의 뜻을 가진 depression은 '불경기', '우울'을 의미한다. de-는 down(아래로)과 away(떨어져)를 의미한다. 사실 컴퓨터 자판의 delete(삭제하다)처럼 de-로 시작되는 어휘들이 긍정적인 의미를 가진 경우가 드물다.

Basic Words	
☐ **de**grade [digréid] ⑧ 하위로 낮추다	
☐ **de**scendant [diséndənt] ⑲ 자손, 후예	
☐ **de**spite [dispáit] ⑳ ~에도 불구하고	
☐ **de**stroy [distrɔ́i] ⑧ 파괴하다	destruction ⑲ 파괴

---

detect
[ditékt]

⑧ 발견하다, 간파하다　detection ⑲ 탐지　detective ⑲ 탐정

[de 아래로, 떼어 내어 + tect 덮다 = 덮개가 떨어지다]

lie-detecting machine 거짓말 탐지기(= lie detector)

declare
[diklέər]

⑧ 선언하다, 선포하다　declaration ⑲ 선언

[de 완전히(강조) + clare 분명한 = 완전히 분명하게 하다 – 선언하다]

declare independence 독립을 선포하다

> '선언하다, 선포하다'라는 의미의 동사
> **declare** 상대방의 반대를 무릅쓰고 하는 자기주장
> **announce** 공식적으로 일을 발표하여 전함
> **proclaim** announce에 비해 한층 권위 있는 공식적인 발표

deny
[dinái]

⑧ 부정하다; 허락하지 않다, 거절하다　denial ⑲ 부정; 거절

[de 완전히(강조) + ny 부정하다 = 완전히 부정하다]

deny a request 부탁을 들어주지 않다

deliver
[dilívər]

⑧ 1. 배달하다　2. 분만시키다; 분만하다　delivery ⑲ 배달; 분만

[de 떨어져 + liver 자유롭게 하다 = 떨어져서 자유롭게 하다–분만하다]

deliver a package 소포를 배달하다
a **delivery** room (병원의) 분만실

> **deliberate** [dilíbərèit] ⑧ 잘 생각하다, 숙고하다

decay
[dikéi]

⑧ 썩다, 부패하다　⑲ 부패

[de 아래로 + cay 떨어지다 = 아래로 떨어지다 – 썩다]

his **decayed** tooth 그의 충치

decline
[dikláin]

동 (정중히) 거절하다; 기울다, 쇠퇴하다   명 경사; 쇠퇴

[de 아래로 + cline 방향을 바꾸다 = 아래로 방향을 바꾸다 – 기울다]

sharp decline 급락, 대폭 하락
steady decline 꾸준한 하락

deposit
[dipázit]

동 맡기다, 쌓아두다, 예금하다   명 침전물, 매장물

[de 아래로 + posit 놓다 = 아래에 놓아두다, 쌓아두다]

deposit money in the bank 돈을 은행에 맡기다[예금하다]
oil deposits 석유 매장량

despise
[dispáiz]

동 경멸하다, 멸시하다   = look down on

[de 아래로 + spise 보다 = 아래로 보다 – 얕보다, 경멸하다]

despise liars 거짓말쟁이를 경멸하다
despise one's job ~의 일을 싫어하다

defer
[difə́:r]

동 늦추다, 연기하다   = postpone

[de 떨어져 + fer 옮기다(carry) = 떨어진 곳으로 옮기다 – 연기하다]

defer departure to a later date 나중으로 출발을 연기하다

delay
[diléi]

동 지체하다, 연기하다   = defer, postpone   명 지연, 지체

[de 아래로 + lay 놓다 = 하던 일을 놓아 버리다–연기하다, 지체하다]

without delay 지체 없이, 곧
after an 8-second delay 8초 지연된 뒤에
delay payment of salaries 급여의 지급을 연기하다

delude
[dilú:d]

동 기만하다, 속이다   delusion 명 현혹, 기만

[de 아래로 + lude 놀다(play) = 속임수를 펼치다]

delude oneself 착각하다, 망상하다

allude [əlú:d] 동 (넌지시) 비추다, 암시하다   allusion 명 암시

depreciate
[diprí:ʃieit]

동 (화폐를) 평가 절하하다; (물품의) 가치를 떨어뜨리다

[de 아래로 + preciate 가격, 가치 = 가격을 떨어지게 하다]

depreciate one's ability ~의 능력을 얕보다

desolate
[désəlit / désəlèit]

형 황폐한, 쓸쓸한   동 황폐화하다

[de 완전히(강조) + sol 혼자 + ate 형용사 = 완전히 혼자 떨어져 있는–황폐한]

desolate land 황폐한 토지

depress
[diprés]

동 1. 우울하게 하다   2. 불경기로 만들다   depression 명 우울; 불경기

[de 아래로 + press 누르다 = 마음이나 경제를 아래로 누르다]

depress economy 경제를 불황으로 만들다

deficient
[difíʃənt]

(형) 모자라는, 불충분한　deficiency (명) 결핍, 부족

[de 아래로 + ficient 수행하다 = 수행력이 모자라는]

be **deficient** in vitamin D　비타민 D가 부족하다

deject
[didʒékt]

(동) 기를 꺾다, 낙담시키다　(=) frustrate, discourage

dejection (명) 낙담, 실의

[de 아래로 + ject 던지다 = 아래로 던지다-낙담시키다]

feel **dejected**　낙담하다

deter
[ditə́:r]

(동) 단념시키다　deterrence [ditə́:rəns] (명) 억제

*detergent [ditə́:rdʒənt] (명) 세제

[de 떨어져 + ter 위협하다 = 위협하여 떨어뜨리다 – 단념시키다]

deter us from playing golf　우리가 골프를 못 치도록 단념시키다
synthetic **detergent**　합성세제　*synthetic [sinθétik] 합성의

*세제(detergent)의 원리는 때와 옷감을 분리시킨다는 것이다. 바로 세제를 영어로 표현하면 '떼어 내는 약, 분리하는 도구'를 의미한다.

denounce
[dináuns]

(동) 비난하다, 고발하다　(=) censure, condemn　denouncement (명) 비난

[de 아래로 + nounce 발표하다 = 아래로 얕보고 발표하다]

denounce terrorists　테러리스트를 비난하다

depict
[dipíkt]

(동) 그리다; (말로) 묘사하다　depiction (명) 묘사

[de 아래로 + pict(paint) = 그려서 기록하다]

depict a scene　경치를 묘사하다

detest
[ditést]

(동) 몹시 싫어하다, 혐오하다　(=) abhor

[de 아래로 + test(목격하다) = 나쁘게 바라보다]

detest dishonest people　부정직한 사람을 몹시 싫어하다

deduce
[didú:s]

(동) (결론, 진리를) 연역(演繹)하다, 추론하다　deduction (명) 추론, 공제

[de 아래로 + duce 이끌다(lead) = 진리를 이끌어 내다]

deduce a conclusion　결론을 이끌어 내다

decompose
[dì:kəmpóuz]

(동) (요소로) 분해시키다, 썩게 하다　decomposition (명) 분해, 부패

[de 아래로 + compose 조립하다, 구성하다 = 조립한 것을 무너뜨리다]

decompose organic matter　유기 물질을 분해하다

DAY 06-1

under- 속, 아래, 미달된

undergraduate 대학 재학생

대학을 졸업하면 학사 학위를 받고, 대학원에 진학하면 석사, 박사 과정을 이수한다. 요즈음은 대학원 중심의 전문 대학원(약학, 건축, 법학, 의학…) 학문 체계가 자리 잡고 있다. 대학원은 대학을 졸업하고 진학을 하므로 graduate school, 즉 '졸업생이 진학하는 학교'로 부른다. 학부의 대학생은 졸업을 하지 않은 단계이므로 undergraduate student라고 한다. under-는 '아래, 속'을 의미하는 것이다.

Basic Words
- ☐ **under**belly [ʌ́ndərbèli] 명 하복부, 아랫배   belly 명 복부, 배
- ☐ **under**estimate [ʌ̀ndəréstəmeit] 동 과소평가하다
- ☐ **under**lie [ʌ̀ndərlái] 동 …의 밑에 있다, 기초가 되다

---

undergo
[ʌ̀ndərgóu]

동 1. 견디다 ⊜ endure   2. 겪다   *undergo-underwent-undergone
[under 아래 + go 가다 = 사건 아래로 가다]
undergo surgery 수술을 받다

underdeveloped
[ʌ̀ndərdivéləpt]

형 발육 부진의; 저개발의   underdevelopment 명 저개발
[under 아래 + developed 발달된 = 저개발의]
underdeveloped areas 저개발 지역
an **underdeveloped** country 저개발국, 후진국

undertake
[ʌ̀ndərtéik]

동 떠맡다, 착수하다 ⊜ attempt
[under 아래 + take 가지다 = 밑에서 (일을) 취하다]
undertake an experiment 실험에 착수하다
undertake a task 일을 맡다

underrate
[ʌ̀ndəréit]

동 얕보다, 낮게 평가하다 ⊜ undervalue
[under 아래 + rate 평가하다 = 낮게 평가하다]
underrate the abilities of ~의 능력을 얕보다

undergraduate
[ʌ̀ndərgrǽdʒuət]

명 대학 학부 재학생
[under 아래 + graduate 졸업생 = (졸업 전의) 재학생]
an **undergraduate** student 대학생

underpaid
[ʌ̀ndərpéid]

형 박봉의
[under 아래 + paid 급여를 받는 = 박봉의]
an **underpaid** employee 박봉의 직원

over- 위로, 지나치게

overeat 과식하다

일반적으로 over는 전치사와 부사로 쓰이는 전치사적 부사로서 higher, upper, outer, superior, extra의 뜻이다. 또한 형용사적 의미(overcoat)와 전치사적 의미(overboard, overflow)로도 쓰인다. 그리고 동사, 명사에 붙어 above, from above, beyond, in addition의 의미를 나타낸다. 그러나 정작 자주 쓰이는 overeat(오바이트)는 '과식하다'는 의미일 뿐, '토하다'는 의미는 없다.

Basic Words	
☐ **over**all [òuvərɔ́l] 혱 전체의, 종합적인	
☐ **over**dose [óuvərdòus] 몡 (약의) 지나친 투여, 과량 dose 몡 1회분, 복용량	
☐ **over**estimate [òuvəréstimeit] 통 과대평가하다	
☐ **over**look [òuvərlúk] 통 내려다보다, 간과하다	

overlap
[óuvərlæ̀p]

통 부분적으로 ~위에 겹치다

[over 위로 + lap 미끄러지다 = 위로 겹치다]

two **overlapping** scenes 둘로 겹치는 화면

overtake
[òuvərtéik]

통 따라잡다, 만회하다 ⊜ catch up with

[over 위로 + take 잡다 = 따라잡다]

overtake the train 열차를 따라잡다

undertake [ʌ̀ndərtéik] 통 떠맡다, 책임을 지다

overthrow
[òuvərθróu]

통 전복하다, 타도하다 ⊜ overturn, upset 몡 전복, 타도

[over 위로 + throw 던지다 = 뒤집어 던지다]

overthrow the government 정부를 전복하다

overcharge
[òuvərtʃáːrdʒ]

통 부당하게 요구하다, 과잉 청구하다 ⟺ undercharge 제값보다 싸게 청구하다

[over 위로 + charge 부과하다 = 지나치게 부과하다]

overcharge customers 손님에게 바가지를 씌우다

overwhelm
[òuvərhwélm]

통 1. 압도하다 ⊜ overpower 2. 뒤엎다   overwhelming 혱 압도적인

[over 위로 + whelm 뒤집어엎다 = 완전히 위로 뒤집어엎다]

be **overwhelmed** with ~에 압도되다, 완전히 지다

overdue
[òuvərdjúː]

혱 지급 기한이 지난

[over 위로 + due 지불 기일이 된, 마땅한 = 기일이 지난]

pay **overdue** interest 연체 이자를 물다 *interest 이자

DAY 06·3

up- 위
upgrade 한 단계 높이다

기분이 up되고, 물가가 up되고, 언어가 up되었다는 것은 한 단계 향상되었음을 의미한다. upgrade 라는 말은 이제 우리말이 되어 버렸다. 컴퓨터 없이 살 수 없듯이, 영어 표현 없이는 생활이 불편해질 지경이다. 이제 어원을 통해 어휘력을 upgrade시켜 볼까?

Basic Words	
☐ **up**keep [ʌ́pkìːp] 몡 유지	☐ **up**per [ʌ́pər] 혱 더 위의, (계급이) 높은
☐ **up**lift [ʌplíft] 통 높이다, 향상시키다	☐ **up**hill [ʌ́phil] 혱 오르막의

uphold
[ʌphóuld]

⊜ 올리다, 지탱하다, 지지하다 ⊜ support
[up 위로 + hold 잡다 = 지원하다, 떠받치다]
uphold the economy 경제를 지탱하다

uprising
[ʌ́praiziŋ]

⊜ 반란, 봉기 ⊜ revolt
[up 위로 + rising 일어남 = 위로 일어남]
civil **uprising** 시민 봉기

upsidedown

⊕ 뒤집어서 upside-down 혱 뒤집힌, 혼란스러운
[up 위로 + side 면 + down 아래로 = 윗면이 아래로 향한]
turn the box **upsidedown** 상자를 뒤집다

upset
[ʌpsét]

⊜ 1. 뒤엎다, 전복시키다 ⊜ turn over 2. 화나게 하다 *upset-upset-upset
[up 위로 + set 놓다 = 아래 부분이 위로 가게 놓다]
upset the balance 균형을 깨다

upright
[ʌ́prait]

⊜ 1. 직립한 ⊜ erect 2. 똑바른 3. 정직한
[up 위로 + right 올바른 = 위로 똑바로 선]
an **upright** position 똑바로 선 자세

uproot
[ʌprúːt]

⊜ 뿌리 뽑다, 근절하다 ⊜ eradicate
[up 위로 + root 뿌리 = 뿌리를 위로 하다→뽑다]
uproot trees 나무를 뿌리째 뽑다

upbringing
[ʌ́pbrìŋiŋ]

⊜ (유년기의) 양육, 교육, 가정 교육 bring up ⊜ 기르다, 양육하다
[up 위로 + bring 데려오다, 기르다 + ing = 데려와 기르는 것]
a good **upbringing** 좋은 가정 교육, 잘 가르침

DAY 07-1

sub-(suc-) 속, 아래

subway 지하철

지하철을 영국에서는 tube(= underground: 튜브처럼 땅 속의 긴 통로), 프랑스에서는 métro(전철에서 나누어주는 공짜 신문 이름과 같다), 미국에서는 subway(땅 속으로 가는 길)라고 부른다. subway의 sub-는 '아래, 속'과 같은 의미를 갖는다. 하지만 지하철이라고 모두 땅 속으로만 달리는 것은 아니다. 호흡하기 위해 수면으로 나오는 고래처럼, 땅 위로 나왔다가 들어가기도 한다.

Basic Words	
	☐ **sub**soil [sʌ́bsɔ̀il] 몡 하층토(土), 속흙
	☐ **sub**way [sʌ́bwèi] 몡 지하철
	☐ **sub**marine [sʌ́bməri:n] 몡 잠수함 혱 바다 속의 marine 혱 바다의

---

subject
[sʌ́bdʒikt / səbdʒékt]

혱 종속된, 지배 받는   몡 1. 주제, 과목   2. 국민 / 동 복종시키다

subjective 혱 주관적인, 사적인

[sub 속, 아래 + ject 던지다 = 아래로 던져지는 사람 – 아랫사람, 백성]

be **subjected** to ~에 종속되어 있다. ~를 당하다
be **subject** to colds 감기에 걸리기 쉽다
required **subject** 필수 과목
the writer's **subjective** views 저자의 주관적인 견해

> **objective** [əbdʒéktiv] 혱 객관적인, 편견 없는   objectivity 몡 객관성

---

subconscious
[sʌ̀bkɑ́nʃəs]

혱 잠재의식의   subconsciousness 몡 잠재의식

[sub 속, 아래 + conscious 의식적인 = 마음속으로 의식하는]

subconscious desires 잠재적 욕망

> **unconscious** [ʌnkɑ́nʃəs] 혱 의식이 없는, 기절한; 무의식의

---

subsequent
[sʌ́bsikwənt]

혱 차후의, 연속적인   subsequence 몡 연속, 이어서 일어나는 것

[sub 속, 아래 + sequent 따르다 = 아래에 따르는–연속적인]

the **subsequent** chapter 뒤이어 바로 다음 장

---

subscribe
[səbskráib]

동 1. 정기 구독하다   2. 기부하다   subscription 몡 정기 구독; 기부

[sub 속, 아래 + scribe 쓰다(write) = 양식 안에 적어 두다]

subscribe to a magazine 잡지를 구독하다
subscribe a large sum to charities 자선 사업에 큰 금액을 기부하다

> **prescribe** [priskráib] 동 지시하다, (약을) 처방하다
> **inscribe** [inskráib] 동 새기다, (마음속에) 명심하다

submerge
[səbmə́ːrdʒ]

동 물속에 가라앉히다; ~에 가라앉히다

[sub 속, 아래 + merge 빠지다 = 속에 풍덩 빠지다]

submerge into the lake 호수에 잠기다

emerge [imə́ːrdʒ] 동 (물속, 어둠 속에서) 나오다, 나타나다
immerse [imə́ːrs] 동 (물 따위에) 가라앉히다

subside
[səbsáid]

동 내려앉다, (폭풍, 파도 등이) 잠잠해지다 동 settle down

[sub 속, 아래 + side 앉다 = 속으로 가라앉다]

subside into a hole 구멍 속으로 가라앉다

subtraction
[səbtrǽkʃən]

명 빼기, 공제 (from) subtract 동 빼다

[sub 속, 아래 + tract 당기다 = 아래로 당기다]

addition and **subtraction** 덧셈과 뺄셈

substance
[sʌ́bstəns]

명 물질(material), 실질, 내용 substantial 형 실질적인

[sub 속, 아래 + stance 서다(stand) = 속에 있는 물질]

poisonous **substances** 독성 물질
a **substantial** victory 실질적인 승리

substitute
[sʌ́bstitjùːt]

동 대용(代用)하다, 대체하다 명 대리(인), 대체물 substitution 명 대체

[sub 속, 아래 + stitute 설치하다(set up) = 속에 설치하다]

substitute fresh water 생수를 대체 사용하다
a **substitute** food 대용식
a good **substitute** for parents 부모를 대신할 만한 사람

suspend
[səspénd]

동 매달다; (일시) 중지하다 suspension 명 매달기; 일시 중지

[sus 속, 아래(sub) + pend 매달다(hang) = 그만두고 매달아두다]

suspend payment 지급을 중지하다
a **suspended** game 일시 중지된 게임

succeed
[səksíːd]

동 1. 성공하다 success 명 성공 successful 형 성공적인
    2. 물려받다, 상속하다 succession 명 상속 successive 형 연속적인, 상속의

[suc 속, 아래(sub) + ceed 가다 = (부모님에게서) 후손으로 내려가다]

succeed to the throne 왕위를 계승하다
for three **successive** days 3일간 연속으로

subsidy
[sʌ́bsidi]

명 (국가의 민간에 대한) 보조금, 장려금

[sub 속, 아래 + sidy 앉다 = 아래로 내려 주는 것]

a government **subsidy** 정부 보조금, 국가 보조금

fore- 앞(before)

forehead 이마

'선조'라는 표현으로 forefather 외에 ancestor, forebear를 예로 들 수 있다. 공통적으로 앞(fore-, ance-)을 나타내는 접두사를 갖고 있다. forefather는 앞서간 사람들을 의미하기 위해 '앞'을 나타내는 fore-를 사용한다. 후손이라는 표현으로는 descendant와 posterity가 있는데, 여기서는 '뒤'를 의미하는 de-, post-를 사용한다.

Basic Words
- ☐ **fore**head [fɔ́:rhed] 명 이마; 물건의 전면
- ☐ **fore**finger [fɔ́:rfiŋɡər] 명 집게손가락
- ☐ **fore**arm [fɔ́:rɑ̀:rm] 동 미리 무장하다, 대비하다
- ☐ **fore**front [fɔ́:rfrʌ̀nt] 명 최전방, 선봉

---

foretell
[fɔ:rtél]

동 예언하다, 예견하다 = foresee, prophesy   foreteller 명 예언자
[fore 앞 + tell 말하다 = 먼저 말하다]
foretell the future 앞일을 예언하다

foresight
[fɔ́:rsàit]

명 선견지명, 선견   foresighted 형 선견지명이 있는
[fore 앞 + sight 시각 = 앞을 보는 시각]
a man of **foresight** 앞을 내다보는 사람

foremost
[fɔ́:rmòust]

형 최초의, 최고의
[fore 앞 + most 최상급 = 가장 먼저의]
the **foremost** task 우선 업무

forefather
[fɔ́:rfɑ̀:ðər]

명 선조 = ancestor ↔ descendant, offspring 후손
[fore 앞 + father = 먼저 사셨던 아버지 – 선조]
the **forefathers** of the Armenian people 아르메니아인의 선조

forecast
[fɔ́:rkæst]

명 예보 동 예상하다, 예보하다 *forecast-forecast-forecast
[fore 앞 + cast 던지다 = 먼저 말을 던지다]
a weather **forecast** 일기 예보
economic **forecasts** 경제 전망

forewarn
[fɔ:rwɔ́:rn]

동 미리 경고하다
[fore 앞 + warn 경고하다 = 미리 경고하다]
forewarn A of B A에게 B를 사전 경고하다

DAY 08-1

pre- 앞(前)(before)

preposition 전치사

전치사(pre(前)+position위치)는 '앞에 위치하는 놈!'의 의미이다. 전치사(前置詞)는 말 그대로 명사의 앞에 위치해야 한다는 운명을 타고났다. 前(전pre-)+置(위치 position)라는 이름에 신분이 잘 드러나 있는 것이다. 동사를 v(verb), 명사를 n(noun), 형용사를 a(adjective), 부사를 ad(adverb)라고 부르듯이, 전치사는 prep이라고 표현한다.

Basic Words
- ☐ **pre**caution [prikɔ́:ʃən] 명 조심, 예방책
- ☐ **pre**schooler [prìːskúːlər] 명 미취학 아동
- ☐ **pre**historic [prìːhistɔ́(ː)rik] 형 선사 시대의
- ☐ **pre**paration [prèpəréiʃən] 명 (사전) 준비, 대비
- ☐ **pre**view [príːvjuː] 명 예비 검사, (영화 등의) 시사(試寫)

---

preface
[préfəs]

명 서문, 머리말 ● prologue

[pre 전+face 말하다(speak)=미리 먼저 말하는 것]

a preface of the book 책의 서문

prefer
[prifə́ːr]

동 ~을 더 좋아하다

preference 명 선호　preferable 형 더 바람직한, 더 나은

[pre 전+fer 옮기다, 두다=앞으로 옮겨 두다]

prefer beer to wine 포도주보다 맥주를 좋아하다
prefer to stay at home 집에 있기를 택하다

preserve
[prizə́ːrv]

동 유지하다, 보존하다　preservation 명 보존

[pre 전+serve 보존하다(keep)=사전에 미리 지키다]

preserve order 질서를 유지하다
preserve the environment 환경을 보존하다

persevere [pə̀ːrsəvíər] 동 참다, 견디다　perseverance 명 인내

prejudice
[prédʒudis]

명 선입관, 편견 ● bias

[pre 전+judice 판단(judge)=사전에 미리 판단함]

racial prejudice 인종적 편견

prescription
[priskrípʃən]

명 명령, 규정; 〖의학〗 처방　prescribe 동 처방하다

[pre 전+scrip 쓰다(write)+tion 명사=사전에 미리 적어줌]

a doctor's prescription 의사의 처방전

preoccupy
[priːɑ́kjupài]

동 마음을 빼앗다, ~을 선취하다   preoccupied 형 선취된, 몰두하는

[pre 전 + occupy 점령하다 = 미리 선점하다]

be **preoccupied** with thoughts 생각에 전념하다

presume
[prizúːm]

동 가정하다, 추정하다   presumption 명 가정, 추정

[pre 전 + sume 갖다(take) = 미리 어슴푸레 생각하다]

presume innocence 무죄라고 가정하다

pretend
[priténd]

동 ~인 체하다, 속이다 = make believe

[pre 전 + tend 펴다 = 앞에 핑계를 펴다]

pretend to be ill 꾀병을 앓다
pretend ignorance 모르는 체하다

preliminary
[prilímənèri]

형 예비의, 시초의

[pre 전 + limin 입구 + ary 형용사 = 예비의]

a **preliminary** exam 예비 시험
a **preliminary** game 예선전

prevail
[privéil]

동 1. 우세하다   2. 널리 보급되다, 유행하다

prevalent 형 널리 유행하는   prevalence 명 널리 유행함

[pre 전 + vail 강한 = 남보다 앞서 강하다]

prevail in a struggle 투쟁에서 이기다
a **prevalent** belief 일반화된 믿음

premature
[prìːmətʃúər]

형 1. 너무 이른, 때 아닌 = untimely   2. 시기상조의

[pre 전 + mature 성숙한 = 미리 성숙한]

premature conclusions 성급한 결론
premature death 요절

prestigious
[prestídʒəs]

형 고급의, 일류의, 명성 있는   prestige 명 위신, 명성

[pre 전 + stig 묶다 + (i)ous 형용사 = 사전에 미리 정해 둔]

a **prestigious** award 권위 있는 상

prefix
[príːfiks]

명 [문법] 접두사

[pre 전 + fix 고정하다 = 앞에 고정하다]

add a **prefix** or a suffix 접두사나 접미사를 추가하다

suffix [sʌ́fiks] 명 접미사

prerequisite
[prì(ː)rékwizit]

형 미리 필요한, 필수의 (to)   명 선행 조건, 기초 필수과목

[pre 전 + requisite 필수품, 필요조건 = 미리 필요한 물건]

a necessary **prerequisite** 필수적인 선행 조건

DAY 08-2

ante-(anci-) 앞(前) / post- 뒤(後)

a.m.(ante meridiem) 오전 & p.m.(post meridiem) 오후

어느 나라 말이나 언어에서 줄임말은 하나의 표현으로 자리 잡는다. 그러한 영어 표현 중 하나가 a.m., p.m., A.D., B.C., 그리고 P.S. 같은 것들이다. 중학교 때 친구가, B.C.는 Before~이며 A.D.는 After~일 것이라고 우겼지만, 나는 반박 근거가 없어서 그런 줄로 알았다. 알고 보니 Before Christ, Anno Domini의 줄임말이며, a.m.은 ante meridiem, p.m.은 post meridiem의 줄임말이었다. 여기서 ante-는 前, post-는 後를 나타낸다.

Basic Words

☐ a.m. (**ante**(前) meridiem) 오전
☐ p.m. (**post**(後) meridiem) 오후
☐ p.s. (**post**(後) script) 추신

---

ancestor
[ǽnsestər]

명 선조, 조상 ⬌ descendant, posterity 후손

[anc 앞 + est 가다 + or 사람 = 앞서 간 사람–선조, 조상]

ancestor worship 조상 숭배

antique
[æntíːk]

형 고대의, 골동품의 명 골동품

[anti 앞 + que 형용사 = 이전의]

an **antique** shop 골동품점

anticipate
[æntísəpèit]

통 기대하다, 예상하다   anticipation 명 기대

[anti(=ante)앞 + cip 갖다 + ate 동사 = 앞서 미리 갖다(보다)]

anticipate a good vacation 멋진 휴가를 기대하다

postpone
[poustpóun]

통 연기[연장]하다 ⊜ defer, delay, put off

postponement 명 연기

[post 뒤 + pone 두다 = 뒤에 두다, 나중으로 미루다]

postpone a performance 공연을 연기하다

posterior
[pɑːstíəriər]

형 더 뒤의 ⬌ anterior 앞에 놓인, ~이전의

[post 뒤 + erior 비교급 = 더 뒤의]

the **posterior** part of the body 신체 뒷부분

postgraduate
[poustgrǽdʒuət]

형 대학 졸업 후의, 대학원의 명 대학원 학생

[post 뒤 + graduate 졸업생 = 졸업 뒤의]

a **postgraduate** student 대학원 학생 (=a graduate student)

CO-(com-, con-) 함께(with)

sports complex 종합 운동장

종합 운동장에는 올림픽 주경기장, 야구장, 수영장, 실내 체육관 등 대형 경기장과 그 외 넓은 체육공원 등을 모두 모아 두었다. 그래서 서울 지하철 2호선의 잠실종합운동장역의 명칭도 Sports Complex이다. complex는 '종합적인, 복합적인'을 의미하는데, 여기서 com-은 '함께'를 의미한다. 그리고 친구라는 표현에 co-, col-, com- 등의 접두사가 붙는 경우가 많다.

Basic Words	
□ **co**operate [kouápərèit] 통 협동하다	cooperation 명 협동
□ **co**-worker 명 동료(= fellow worker)	
□ **co**education [kòuedʒukéiʃən] 명 남녀 공학	
□ **co**exist [kòuigzíst] 통 공존하다	
□ **con**flict [kánflikt] 통 충돌하다, 다투다 명 갈등	
□ **com**munity [kəmjúːnəti] 명 지역 사회, 공동 사회	

coincidence
[kouínsidəns]

명 (우연의) 일치, 동시 발생   coincide 통 동시 발생하다

[co 함께+incide 안으로 떨어지다+ence 명사 = 함께 떨어짐–동시 발생, 일치]

What a coincidence! 참으로 우연의 일치군!

cohere
[kouhíər]

통 밀착하다, 일관성 있다

coherent 형 일관성 있는   coherence 명 일관성

[co 함께+here 붙다 = 함께 붙다–밀착하다, 결합하다]

cohere with each other 서로 일관성이 있다

complex
[kámpleks]

형 복잡한, 복합의   명 (심리학적으로) 콤플렉스; 복합단지

[com 함께+plex 엮다, 뜨다 = 함께 엮어둔]

an apartment **complex** 아파트 단지

compete
[kəmpíːt]

통 경쟁하다

competition 명 경쟁   competitive 형 경쟁적인

[com 함께+pet(e) 구하다, 얻다 = 함께 다투어 추구하다–경쟁하다]

compete against a rival company 경쟁 회사와 경쟁하다

composition
[kàmpəzíʃən]

명 1. 구성 2. 작문   compose 통 조립하다, 구성하다, 작문하다

[com 함께+pos(e) 두다+ition 명사 = 함께 모아두는 것–조립, 구성]

the **composition** of the soil 토양의 구성

commute
[kəmjúːt]

통 교환하다, 통근하다　commuter 명 통근자

[com 함께 + mute 바꾸다 = 함께 바꾸다–교환하다, 통근하다]

commute between Seoul and Daejeon　서울과 대전 간 출퇴근하다

commuter는 승용차나 대중교통을 이용하여 출퇴근하는 사람의 통칭이다.
이것은 다른 사람과 함께 출퇴근한다는 의미이다.

compound
[kámpaund]

명 합성물, 혼합물　형 복잡한, 복합의　통 합성하다

[com 함께 + pound 두다 = 함께 섞어 두다 – 합성하다]

compound substance　합성물, 혼합물

commerce
[káməːrs]

명 상업, 무역, 거래　commercial 형 상업적인, 무역의

[com 함께 + merce 상품 = 상품을 서로 서로 매매하기]

the Department of **Commerce**　(미) 상무부

combat
[kámbæt]

통 다투다, 싸우다　명 싸움, 전투　= battle, fight

[com 함께 + bat 치다 = 서로 치다]

combat terrorism　테러와 싸우다

compromise
[kámprəmàiz]

통 1. 타협하다, 화해하다　2. 양보하다　명 타협, 화해, 양보

[com 함께 + promise 약속하다 = 함께 약속하다]

reach a **compromise**　타협에 이르다
make a **compromise** with　~와 타협하다

contribute
[kəntríbjuːt]

통 1. 공헌하다, 기증하다 (to, for)　2. (글, 기사를) 기고하다 (to)
contribution 명 기여, 기부, 기고

[con 함께 + tribute 나누어 주다 = 함께 나누어 주다]

contribute money to~　~에 돈을 기부하다
contribute to a newspaper　신문에 기고하다

concord
[kánkɔːrd]

명 일치, 조화, 화합

[con 함께 + cord 마음 = 함께 마음을 먹는 것–일치, 조화]

in **concord** with　~와 화합하여

discord [dískɔːrd] 명 불화, 불일치

confirm
[kənfɔ́ːrm]

통 확인하다, 승인하다　confirmation 명 확인

[con 함께 + firm 확실한 = 함께 확실한 것으로 만들다–확인하다]

confirm one's reservation　예약을 확인하다

concede
[kənsíːd]

통 양보하다, 인정하다 = admit　concession 명 양보, 인정

[con 함께 + cede 가다 = 함께 가다 – 양보하다, 인정하다]

concede defeat　패배를 인정하다

col-(cor-) 함께(with)

colleague 동료

친구, 동료를 나타내는 말(company, colleague, comrade, companion)이 '함께'를 의미하는
com-, col-로 시작되는 어휘가 많은 것은 당연하다. 함께 시간을 보내지 않는다면 친구가 될 수 없다.
'함께'를 의미하는 접두사는, l-로 시작하는 어휘 앞에 col-, r-로 시작하는 어휘 앞에 cor-가 붙는다.

Basic Words
- [ ] **collection** [kəlékʃən] 명 수집, 채집, 모금 stamp collection 우표 수집
- [ ] **colleague** [káliːg] 명 직업상의 동료, 동업자 a close colleague 친한 동료

---

correspond
[kɔ̀(:)rispánd]

동 서신을 교환하다; 일치하다 correspondent 명 특파원

[cor 함께＋respond 반응하다＝서로 응답하다, 서로 일치하다]

correspond to ～에 일치하다
correspond with ～와 서신을 교환하다

---

correct
[kərékt]

형 옳은, 정확한 동 바로잡다, 정정하다

[cor 함께＋rect 이끌다＝함께 바로 이끌다]

correct errors 틀린 데를 고치다

---

correlation
[kɔ̀(:)rəléiʃən]

명 상호관계, 상관(성) correlate 동 서로 관련시키다

[cor 함께＋relation 관계＝함께 맺은 관계]

correlation between climate and crops 기후와 농작물 사이의 상관관계

---

collide
[kəláid]

동 충돌하다 collision 명 충돌

[col 함께＋lide 치다＝함께 서로 치다]

collide with another ship 다른 배와 충돌하다

crash [kræʃ] 동 깨지다, 충돌하다, (비행기가) 추락하다

---

collaborate
[kəlǽbərèit]

동 공동으로 일하다, 협력하다 collaboration 명 협동

[col 함께＋labor 노동＋ate 동사＝함께 노동하다]

collaborate with the government 정부와 협력하다

---

collapse
[kəlǽps]

동 무너지다, 붕괴하다 명 붕괴

[col 함께＋lapse 넘어지다＝함께 넘어지다]

economic collapse 경제적 붕괴

DAY 10-1

re- 다시(again)

resume 다시 시작하다

recipe(조리법)와 résumé(이력서)는 프랑스어에서 온 어휘로서 re-가 '다시'를 나타내지는 않는다. 하지만, resume(다시 시작하다)은 영어에서 re-(다시)의 어원을 지닌 동사로 사용되기도 한다. re-는 '다시'라는 의미로서 repeat, revive, remind, replay 등 많은 어휘를 만드는 어휘 제조기 역할을 한다.

Basic Words

☐ **re**pent [ripént] 동 후회하다

☐ **re**collect [rèkəlékt] 동 회상하다(recall)   recollection 명 회상

☐ **re**sume [rizú:m] 동 다시 시작하다; 되찾다

☐ **re**mind [rimáind] 동 상기시키다

☐ **re**produce [rì:prədjú:s] 동 재생하다; 번식하다   reproduction 명 번식

---

renovate
[rénəvèit]

동 새롭게 하다, 혁신하다   renovation 명 쇄신, 혁신
[re 다시 + novate 새롭게 하다 = 다시 새롭게 하다]
renovate my old house 나의 낡은 집을 개조하다

recruit
[rikrú:t]

동 신병을 모집하다, 신병으로 보충하다; (직원을) 채용하다
[re 다시 + cruit 성장하다, 키우다 = 새로운 인원을 키우다]
recruit volunteers 자원봉사자를 모집하다

recommend
[rèkəménd]

동 추천하다, 권고하다   recommendation 명 추천, 추천장
[re 다시 + commend 추천하다, 칭찬하다 = 다시 칭찬하다]
recommend a good book 좋은 책을 추천하다

relieve
[rilí:v]

동 1. (고통을) 경감하다, 덜다   2. 안도케 하다, 구원하다   relief 명 구원, 안도
[re 다시 + lieve 들어 올리다(raise) = 다시 들어 올리다]
relieve one's pain 고통을 완화시키다

release
[rilí:s]

동 석방시키다, 놓아주다 = set free   명 석방, 해방
[re 다시 + lease 늦추다 = 다시 늦추다]
release one's hand 잡았던 손을 놓다

remedy
[rémədi]

동 고치다 = cure   명 치료약, 의료
[re 다시 + medy 고치다 = 다시 고치다]
an effective **remedy** for the flu 독감에 잘 듣는 약

re- 뒤로, 되(back)

action and **re**action 작용과 반작용

작용과 반작용의 법칙은 쉽게 말해 '때리면 나중에 맞는다'는 의미이다. 바로, 뉴턴의 제3법칙인 작용과 반작용의 법칙은, '한 물체 a가 다른 물체 b에 가하는 힘은, 물체 b가 물체 a에 가하는 힘과 크기가 같고 방향이 반대'라는 것이다. 따라서 반작용을 나타내는 reaction의 re-는 '반대, 역, 거꾸로'를 나타내는 표현임을 알게 된다. 물론, re-에는 동사 또는 그 파생어에 붙어 '다시, 새로이, 되풀이'의 뜻이 있음을 배웠다.

Basic Words

☐ **reject** [ridʒékt] 통 거절하다, 사절하다　　rejection 명 거절
☐ **resistant** [rizístənt] 형 저항하는, 반항하는, 견디는　resistance 명 저항
☐ **reduce** [ridjúːs] 통 줄이다, 격하시키다　　reduction 명 감소
☐ **register** [rédʒistər] 통 기록하다, 등록하다　명 기록부, 등록부

---

refund
[ríːfʌnd]

명 반환, 환불

[re 뒤로, 되+fund 자금, 기금 = 자금을 되돌려 주다]

demand a refund 환불을 요구하다

---

restrain
[ristréin]

통 억제하다, 삼가다 (from)　restraint 명 억제

[re 뒤로, 되+strain 묶다 = 뒤로 묶다]

restrain tears 눈물을 참다
restrain oneself from 자제하여 ~하지 않다

---

retail
[ríːteil]

형 소매의 ⟷ wholesale 도매의　retailer 명 소매상인

[re 뒤로, 되+tail 자르다(cut) = 잘라서 되팔다]

a retail dealer 소매상

---

reflection
[riflékʃən]

명 반영, 반사; 반성　reflect 통 반사하다, 반영하다

[re 뒤로, 되+flect 굽다(bend)+ion 명사 = 도로 굽어버림]

his reflection in the mirror 거울 속에 비친 그의 모습
reflect his thoughts 그의 생각을 반영하다
reflect on one's actions 자신의 행동을 반성하다

---

respond
[rispánd]

통 응답하다, 대답하다 (to), 반응하다 (to)　response 명 답변, 반응

[re 뒤로, 되+spond 서약하다 = 다시 약속하다]

respond to the news 뉴스에 반응하다

regress
[rigrés]

통 되돌아가다, 역행하다 ↔ progress 전진하다

[re 뒤로, 되 + gress 가다 = 되돌아가다]

regress to old ways 옛 방식으로 되돌아가다

remit
[rimít]

통 (돈, 수표를) 보내다; ~을 면제해 주다; 원상태로 돌이키다

remission 명 용서, 사면, 감형

[re 뒤로, 되 + mit 보내다 = 되돌려 보내다]

remit funds 자금을 송금하다
remit one's anger 노여움을 풀다

renounce
[rináuns]

통 (권리 등을 정식으로) 포기하다, 단념하다

[re 뒤로, 되 + nounce 알리다 = 반대 의사를 밝히다]

renounce friendship 절교하다

denounce [dináuns] 통 비난하다
announce [ənáuns] 통 알리다, 발표하다

recess
[risés]

명 쉼, 휴식 시간

[re 뒤로, 되 + cess 가다 = 뒤로 가서 쉬다]

school lunch **recess** 학교 점심시간

revoke
[rivóuk]

통 (명령, 약속, 특권 따위를) 철회하다, 취소하다

[re 뒤로, 되 + voke 부르다(call) = 되불러 들이다]

revoke one's will 유언을 취소하다

rebuke [ribjúːk] 통 비난하다, 꾸짖다

recede
[risíːd]

통 물러나다, 퇴각하다, 철회하다　recession 명 퇴거, 후퇴

[re 뒤로, 되 + cede 가다 = 뒤로 물러가다]

recede into the background 뒤로 물러서다, 세력을 잃다

reconcile
[rékənsàil]

통 조정하다, 화해시키다　reconciliation 명 조정, 화해

[re 뒤로, 되 + concile 친절하게 만들다(make friendly) = 다시 친절하게 만들다]

reconcile disputes 논쟁을 조정하다

repulse
[ripʌ́ls]

통 물리치다; 불쾌하게 만들다 = repel

[re 뒤로, 되 + pulse 밀다 = 되밀어 버리다]

repulse an attack 공격을 물리치다
repulse pests 해충을 쫓아 버리다

pulse [pʌls] 명 맥박, 고동 통 맥박이 뛰다, 고동치다

reprimand
[réprəmænd]

통 징계하다, 호되게 꾸짖다　명 징계, 비난

[re 뒤로, 되 + primand 소환하다 = 되소환하다]

reprimand workers 일꾼들을 꾸짖다

syn-(sym-, sim-) 함께, 같이

syndrome 증후군

신드롬(syndrome)이란 '증후군(症候群)'이라는 의미로 '질병 및 증상'의 다른 이름이기도 하다. syndrome이란 표현은 Cinderella Syndrome(신데렐라 신드롬), Peter Pan Syndrome(피터 팬 신드롬), 공주병과 왕자병(Princess Syndrome, Prince Syndrome)에서도 만나게 된다. 이러한 경우, syn-(같은, 함께)의 의미에서 집단이나 무리가 함께 겪는 현상임을 알 수 있다. 고로, syn-과 sym-은 same을 의미한다.

Basic Words

- [ ] **sim**ple [símpl] 형 단일의, 단순한
- [ ] **sim**ilarity [sìməlǽrəti] 명 유사, 비슷함
- [ ] **sym**phony [símfəni] 명 교향곡, 음의 조화
- [ ] **sym**metry [símətri] 명 좌우 대칭, 균형

---

symbolize
[símbəlàiz]

동 상징하다, 나타내다　symbol 명 상징

[sym 함께 + bol 던지다 + ize 동사 = 함께 던지다 – 상징하다]

symbolize peace 평화를 상징하다

---

sympathy
[símpəθi]

명 동정심　sympathetic 형 동정적인

sympathize 동 공감하다, 동정하다 ⊜ feel for

[sym 함께 + pathy 감정 = 함께하는 감정]

a **sympathy** strike 동조 파업
express his **sympathy** 동정을 표현하다
sympathetic view on the issue 쟁점에 대해 공감하는 견해

---

simile
[síməli]

명 직유

[sim 같이 + ile 명사 = ~같은 것 – 직유]

simile and metaphor 직유와 은유법 *metaphor 은유

> 직유란 like, as 따위를 써서 직접 다른 것에 비유하는 것이다.
> a heart like a stone 돌같이 무정한 사람
> Like father, like son. [속담] 그 아버지에 그 아들, 부전자전
> as cunning as a fox 여우처럼 교활한

---

symptom
[símptəm]

명 징후, 조짐, 증상

[sym 함께 + ptom 떨어지다 = 함께 일어나고 있는 것]

allergic **symptoms** 알레르기 증상
a **symptom** of a cold 감기의 징후

simultaneously
[sàiməltéiniəsli]

🔹 동시에 🔹 at the same time simultaneous 🔹 동시의

[sim(ul)함께+tane+ously 부사 = 함께 지속하는 – 동시의]

be broadcast simultaneously 동시에 방송되다

spontaneously [spantéiniəsli] 🔹 자발적으로, 저절로

simulate
[símjulèit]

🔹 1. …인 체하다 2. 모의실험하다

simulation 🔹 1. ~인 체함 2. 모의실험

[sim(ul)같이+ate 동사 = 같게 하다]

simulate actual battle 실제 전투를 모의실험하다
simulate illness 꾀병을 부리다

stimulate [stímjulèit] 🔹 자극하다, 격려하다

as**sim**ilate
[əsíməlèit]

🔹 동화하다, 일치하다; 흡수하다 assimilation 🔹 동화, 일치

[as–으로+sim(il)닮은+ate 동사 = 닮아지다 – 동화하다]

assimilate immigrants 이주민을 동화시키다

syndrome
[síndroum]

🔹 증후군(症候群), (어떤 감정, 행동이 일어나는) 일련의 징후

[syn 함께+drome 달리기(running), 과정(course) = 함께 일어나는 과정]

jet lag **syndrome** 시차로 인해 일시적으로 멍해지는 현상
Acquired Immune Deficiency **Syndrome** (AIDS) 후천성 면역 결핍증

synonym
[sínənim]

🔹 동의어 🔹 antonym 반의어

[syn 같은+(o)nym 이름 = 같은 이름, 같은 말 – 동의어]

a **synonym** for "father" in English 영어로 '아버지'라는 단어의 동의어

synergy
[sínərdʒi]

🔹 1. 공동 작용 2. (근육 등의) 협력 작용, (약물의) 상승 작용

[syn 함께+ergy 일하기(working) = 함께 일하기]

a **synergy** effect 상승효과

시너지 효과(synergy effect): 성분 A, B를 따로 사용했을 때 각각 A와 B의 효과만을 얻지만, 함께 사용하면 C, D의 효과까지 얻을 때 시너지 효과라 한다.

synthetic
[sinθétik]

🔹 합성의 synthesis 🔹 통합, 합성물 synthesize 🔹 합성하다

[syn 함께+the 놓다+tic 형용사 = 함께 놓여 있는 = 통합한]

synthetic fiber 합성 섬유
avoid **synthetic** hormones 합성 호르몬을 피하다

synchronize
[síŋkrənàiz]

🔹 동시에 발생하다, 시간을 맞추다

[syn 같이+chron 시간+ize 동사 = 같은 시간에 발생하다]

synchronize music with action 음악과 동작을 일치시키다

en-(in-) ~ 안에 넣다, 되게 하다

Enjoy 기쁨을 만들다, 즐기다

속도 제한(Speed Limit), 양보(Yield), 정지(Stop)처럼 도로 표지판에는 영어와 우리말이 동시에 사용되기도 한다. 안전벨트를 매지 않거나 신호 위반을 한 사람은 Police Enforcement(경찰 검문)라는 도로 표지판을 보면 긴장을 한다. enforcement는 단속, 경찰 근무를 의미하는 [en(되게 하다)+force 힘, 강제＝강제로 시행하다]에서 온 것이다. 접두사 en-이 명사나 형용사를 만나면, 그것을 동사로 만드는 마력을 지닌다. enjoy도 마찬가지이다.

Basic Words	
☐ **en**danger [indéind₃ər] 통 위험에 빠뜨리다	endangered 형 멸종위기에 처한
☐ **en**tail [intéil] 통 일으키다, 수반하다	
☐ **en**force [infɔ́ːrs] 통 실시하다, 강요하다	enforcement 명 강제, 시행
☐ **rein**force [rìːinfɔ́ːrs] 통 강화하다, 보강하다	

entitle
[intáitl]

통 1. 제목을 붙이다   2. 권리를 주다
[en 되게 하다＋title 제목, 권리＝권리를 갖게 하다]
be entitled to vote 투표할 자격이 주어지다

engage
[ingéidʒ]

통 1. 약속하다 ⊜ promise   2. 고용하다   engagement 명 약속; 약혼; 고용
[en 되게 하다＋gage 맹세＝맹세하게 하다]
engage oneself in ~에 종사하다(= be engaged in)

enlighten
[inláitn]

통 계몽하다, 가르치다   enlightening 형 계몽적인
[en 되게 하다＋lighten 밝히다＝밝히다]
enlighten readers 독자를 계몽하다

ensure
[inʃúər]

통 보증하다, 확보하다
[en 되게 하다＋sure 확실한＝확실하게 하다 ─ 보증하다]
ensure a good job 좋은 직장을 확보하다

enhance
[inhǽns]

통 높이다, 늘리다   enhancement 명 증대, 증강, 향상
[en 되게 하다＋hance 높은＝높게 만들다]
enhance efficiency 효율성을 높이다

enroll
[inróul]

통 1. 등록하다 ⊜ register, enlist   2. 입회시키다   enrollment 명 등록
[en 되게 하다＋roll 구르다, 두루마리＝두루마리 종이에 기록하다─등록하다]
enroll children in schools 아이를 학교에 등록하다

anti-(ant-) 반대의

Antarctic 남극

연예인을 좋아하는 사람들을 fan이라고 하는데, 이 말은 fanatic(광적인)의 준말이다. 한마디로 미치거나 광적인 사람들이란 뜻이다. 반면, 좋아하지 않거나 반감을 갖는 연예인에게 비난을 하는 경우가 있는데, 이들을 안티(anti-)라고 부른다. anti-, ant-는 '반대' 의미의 어원인 것이다. 메신저 도청을 잡아주는 프로그램인 안티스파이(Antispy), 치아의 치석을 막아주는 안티프라그(Antiplaque), 전쟁에 반대하는 안티워(antiwar) 등도 눈에 익은 표현이다.

Basic Words	
☐ **anti**-pollution 웹 공해 방지의
☐ **anti**body [ǽntibàdi] 웹 항체, 면역체(= immune body)
☐ **anti**-nuclear 웹 원자력에 반대하는

---

antisocial
[æntisóuʃəl]

웹 반사회적인, 비사교적인

[anti 반대 + social 사회의 = 반사회적인]

antisocial acts 반사회적 행동

Antarctic
[æntá:rktik]

웹 남극 웹 남극의 ⟺ Arctic 북극의

[ant 반대 + arctic 북극 = 북극의 반대편에 있는–남극]

an Antarctic expedition 남극 탐험대

---

antonym
[ǽntənim]

웹 반의어 ⟺ synonym 동의어

[ant 반대 + (o)nym 말 = 반대의 말–반의어]

synonym or antonym 동의어나 반의어

---

antipathy
[æntípəθi]

웹 반감 ⟺ sympathy 공감, 동정심

[anti 반대 + pathy 느낌, 감정 = 반대 감정]

have antipathy to black dogs 검은 개에 반감을 갖다

---

antitoxin
[æntitáksin]

웹 항독소, 항독소 혈청

[anti 반대 + toxin 독소 = 독성 물질에 대항하는 물질]

develop an antitoxin 항독소를 개발하다

---

antibiotic
[æntibaiátik]

웹 항생 물질의 웹 항생제, 항생 물질

[anti 반대 + bio 생명 + tic 형용사 = 생명체에 저항하는–항생제]

overuse antibiotics 항생제를 과용하다

trans- 가로질러, 바꾸어, 넘어서

transgender 성전환자

남성(masculine gender)을 여성(feminine gender)으로 바꾸면 성전환자(transgender)가 된다. trans-는 '바꾸다'의 의미를 지니므로, 형태를 마음대로 바꾸는 transformer를 꿈꾸어도 된다. 자동차에서 로봇으로, 비행기로, 무기로 바꾸는 것이 얼마든지 가능하다. trans-는 '바꾸다'의 의미가 있으며, 가끔 '관통'의 의미로도 쓰인다.

Basic Words

- □ **trans**ship [trænsʃíp] 통 (화물을) 다른 배에 옮기다
- □ **trans**act [trænsǽkt] 통 거래하다, 집행하다
- □ **trans**port [trænspɔ́:rt] 통 수송하다, 운반하다   transportation 명 수송
- □ **trans**form [trænsfɔ́:rm] 통 변형시키다, 변압하다   transformation 명 변형, 변화

---

translate
[trænsléit]

통 해석하다, 번역하다 = interpret   translation 명 번역
[trans 가로질러, 바꾸어 + late 운반하다(carry) = 바뀌어서 운반하다 – 해석하다]
translate an English book into French 영어책을 프랑스어로 번역하다

---

transplant
[trænsplǽnt / trǽnsplæ̀nt]

통 1. (식물, 피부를) 이식하다   2. 이주시키다   명 이식
[trans 가로질러, 바꾸어 + plant 심다 = 바꾸어 심다, 이식하다]
heart **transplant** 심장 이식
transplant flowers 꽃을 옮겨 심다

---

transatlantic
[trænsətlǽntik]

형 대서양을 횡단하는
[trans 가로질러, 관통하여 + atlantic 대서양 = 대서양을 가로질러]
the first **transatlantic** balloon 첫 대서양 횡단 기구

---

transfuse
[trænsfjú:z]

통 1. 옮겨 따르다, 주입시키다   2. 수혈하다   transfusion 명 주입, 수혈
[trans 가로질러, 바꾸어 + fuse 붓다(pour) = 가로질러 붓다 – 주입하다]
transfuse blood into him 그에게 수혈하다
blood **transfusion** 수혈

---

transfigure
[trænsfígjər]

통 형상을 바꾸다, 모양을 바꾸다
[trans 가로질러, 바꾸어 + figure 모양 = 모양을 바꾸다]
transfigure the city 도시를 변모시키다

transcend
[trænsénd]

동 (경험, 이해력 등의 범위, 한계를) 넘다, 초월하다

[trans 가로질러, 넘어서 + scend 올라가다 = 넘어서 올라가다]

transcend the limits 한계를 초월하다

> **descend** [disénd] 동 내려가다
> **ascend** [əsénd] 동 올라가다, 기어오르다

transit
[trǽnsit]

동 횡단하다, 운송하다   명 통과, 횡단; 수송 수단

[trans 가로질러, 넘어서 + it 가다 = 넘어서 가다]

mass **transit** 대량 수송 수단[대중교통]
a **transit** passenger 통과 여객

transient
[trǽnʃənt]

형 1. 일시적인 ⊜ passing   2. 덧없는

[trans 가로질러, 넘어서 + ient 가다 = 가로질러 가는 – 일시적인]

transient life 덧없는 인생

transparent
[trænspɛ́ərənt]

형 투명한, 솔직한

[trans 관통하여 + parent 나타나다 = 통과하여 나타나는]

a **transparent** window 투명한 창문
transparent government 투명한 정부

transcribe
[trænskráib]

동 베끼다, 복사하다   transcription 명 복사, 글로 옮김

[trans 가로질러, 넘어서 + scribe 쓰다(write) = 베껴 쓰다]

transcribe a book 책을 베끼다

> **prescribe** [priskráib] 동 지시하다, (약을) 처방하다

transpose
[trænspóuz]

동 (위치, 순서를) 바꾸어 놓다, 바꾸어 말하다

[trans 가로질러, 넘어서 + pose 놓다(place) = 넘어서 놓다 – 바꾸어 놓다]

transpose an order 순서를 바꾸어 놓다

transmit
[trænsmít]

동 전도하다, 전달하다   transmission 명 송달, 전달

[trans 가로질러, 바꾸어 + mit 보내다(send) = 저쪽으로 보내다 – 전달하다]

transmit a parcel 소포를 부치다
transmit electricity 전기를 전도하다

transgress
[trænsgrés]

동 1. (법률, 계율 등을) 어기다   2. (한계 따위를) 넘다

transgression 명 위반

[trans 가로질러, 넘어서 + gress 가다(go) = 가로질러 가다]

transgress the limits 제한을 어기다, 한계를 넘다

pro- 앞으로 (forth)

propose 신청하다, 제안하다, 청혼하다

'청혼(proposal)'이라고 하면 꽃을 들고 무릎을 꿇고 있거나 서 있는 모습이 연상된다. propose 는 '계획, 의견, 또는 물건을 앞에 둔대[pro앞+pose놓다]'는 의미를 나타낸다. 여기서 pro-는 미래 를 나타내는 '앞으로(forth)'의 의미가 연상된다. 'pro-'는 앞으로의 약속(promise), 앞으로의 전망 (prospect), 앞으로의 계획(project) 등을 만들어 낸다.

Basic Words	
	☐ **pro**spect [práspekt] 📖 전망, 기대
	☐ **pro**vide [prəváid] 📖 1.공급하다 2.대비하다
	☐ **pro**ceed [prəsí:d] 📖 전진하다, 진행하다　　　　process 📖 진행 과정
	☐ **pro**pel [prəpél] 📖 추진하다, 몰아대다

---

procedure
[prəsí:dʒər]

📖 1. 진행, 발전 2. (진행) 절차, 소송 절차

[pro 앞으로 + ced 가다 + ure 명사 = 앞으로 나아가는 것]

a legal **procedure** 소송 절차
registration **procedures** 등록 절차 *registration 등록

---

profess
[prəfés]

📖 공언하다, 고백하다　　profession 📖 고백

[pro 앞으로 + fess 고백하다 = 대중 앞에서 말하다]

profess his love for Mary Mary에 대한 사랑을 고백하다

---

propaganda
[prὰpəgǽndə]

📖 선전

[pro 앞으로 + paganda 붙들어 매다 = 미래의 일을 설득하다]

a **propaganda** film 선전 영화
spread **propaganda** 선전을 하다

---

prophesy
[práfəsi]

📖 예언하다 🔵 foretell, predict　　prophet 📖 예언자

[pro 앞으로 + phesy 이야기하다 = 미리 이야기하다 – 예언하다]

prophesy the future 미래를 예언하다

---

prohibit
[prouhíbit]

📖 1. 금지하다 🔵 forbid 2. 방해하다　　prohibition 📖 금지

[pro 앞에 + hibit 유지하다 = 남의 앞에 있다 – 방해하다, 금지하다]

prohibit smoking 흡연을 금하다
a flight-**prohibited** area 비행 금지 구역

---

prominent
[prámənənt]

형 1. 돌출한, 두드러진 ⊜ conspicuous   2. 주요한, 유명한

[pro 앞에 + minent 튀어나오다 = 앞으로 튀어나온 – 저명한]

prominent eyes   돌출된 눈
a **prominent** artist   저명한 예술가

---

proficient
[prəfíʃənt]

형 숙달된, 능숙한   proficiency 명 능숙

[pro 앞에 + ficient 만들다 = 앞서가는, 뛰어난]

be **proficient** in English   영어에 능숙하다

---

pronounce
[prənáuns]

동 발음하다; 선언하다   pronunciation 명 발음

[pro 앞으로 + nounce 발표하다 = 앞으로 발표하다]

pronounce this word   이 단어를 발음하다

denounce [dináuns] 동 비난하다, 고발하다
announce [ənáuns] 동 발표하다, 공고하다

---

proclaim
[proukléim]

동 선언하다, 공포하다   proclamation 명 선언

[pro 앞으로 + claim 주장하다 = 앞으로 할 일을 주장하다]

proclaim one's innocence   ~의 결백을 주장하다
proclaim a state of emergency   비상사태를 선포하다

---

procrastinate
[proukrǽstənèit]

동 꾸물거리다, 질질 끌다   procrastination 명 지연, 지체

[pro 앞으로 + crastinate 내일(tomorrow) = 내일까지 가다]

procrastinate long   오래 질질 끌다

---

profound
[prəfáund]

형 깊은, 심오한 ⟷ superficial 피상적인

[pro 앞으로 + found 바닥(bottom) = 바닥 앞까지 가는]

profound depths   깊은 밑바닥
profound knowledge   해박한 지식

---

prolong
[prəlɔ́(:)ŋ]

동 1. 늘이다, 연장하다 ⊜ lengthen   2. 오래 끌다

[pro 앞에 + long 긴 = 길게 늘어뜨리다 – 연장하다, 질질 끌다]

prolong human life   인간의 수명을 연장하다

---

prompt
[prampt]

형 신속한, 즉석의

[pro 앞으로 + mpt 가져가다 = 자기 앞으로 가져가는]

a **prompt** reply   즉답

---

provoke
[prəvóuk]

동 유발시키다, 성나게 하다 ⊜ enrage   provocation 명 성나게 함

[pro 앞으로 + voke 부르다(call) = ~하도록 불러일으키다]

provoke pity   동정을 유발하다
provoke laughter   웃음이 나오게 하다

contra-(counter-) 반대

pros and con(tra)s 찬반양론

어떤 주제에 대해 토론할 때 찬반양론으로 나누어지는데, 찬성과 반대는 항상 붙어 다닌다. 찬반양론은 한자(漢子)로 贊反兩論, 영어로 pros and con(tra)s로 표현한다. 찬반양론 pros and con(tra)s를 기억할 때 contrast(대조)를 기억해 보자. on the contrary(그와는 반대로)에서처럼 contra-는 반대의 의미를 지닌다.

Basic Words	
	☐ **counter**part [káuntərpàːrt] 몡 상대편
	☐ **counter**attack [káuntərətæ̀k] 몡 반격, 역습
	☐ **counter**blow [káuntərblòu] 몡 반격(=counterpunch)

---

contrary
[kántreri]

몡 정반대, 모순
[contra 반대 + ry 명사 = 반대]
on the **contrary** 이에 반하여, 그와는 반대로

contrast
[kántræst]

몡 대조
[contra 반대 + st 서 있다(stand) = 반대 위치에 서는 것]
in **contrast** 대조적으로

> **contract** [kántrækt] 몡 계약 툉 [kəntrǽkt] 계약하다

contradict
[kàntrədíkt]

툉 반박하다   contradiction 몡 반대, 모순
[contra 반대 + dict 말하다(speak) = 반대로 말하다]
contradict the report 보고서에 반박하다

controversy
[kántrəvə̀ːrsi]

몡 논쟁, 논의   controversial 혱 논쟁의 여지가 있는
[contro 반대의 + versy 돌다 = 반대 입장으로 돌기 – 반론]
beyond **controversy** 논쟁의 여지없이

counterfeit
[káuntərfit]

툉 위조하다, 모조하다   혱 위조의, 모조의
[counter 반대 + feit 만들다 = 법을 어겨서 만드는]
circulate **counterfeit** money 위폐를 유통시키다

counteraction
[kàuntərǽkʃən]

몡 방해, 반작용
[counter 반대 + action 동작 = 반대 동작]
action and **counteraction** 작용과 반작용

DAY 14-1

per- 철저히, 완전히, 충분히

permanent wave 파마

파마를 하는 이유를 물었다. 1.아줌마가 되었으니까 2.머릿결을 보호하기 위해서 3.머리 손질이 따로 필요 없어서… 답은 3.머리를 오래 손질하지 않아도 머릿결이 손상되지 않고, 특별히 손질할 필요가 없어 편리하기 때문이다. 파마는 permanent(영구적인)의 의미가 잘 반영된 표현이라 할 수 있다. 파마의 정식 명칭은 permanent wave! per-는 '영구적인'을 의미하는 '완전히, 철저히, 충분히'이다.

Basic Words

☐ **per**form [pərfɔ́ːrm] 통 1. 실행하다 2. 연기하다, 연주하다

☐ **per**fect [pə́ːrfikt] 형 완전한, 정확한　　　　　perfection 명 완전

☐ **per**ceive [pərsíːv] 통 지각(知覺)하다, 감지하다

---

permanent
[pə́ːrmənənt]

형 1. 영구적인 ● perpetual 2. 내구성이 좋은 ● everlasting

[per 완전히 + man 남아 있다(remain) + ent 형용사 = 완전히 남아 있는]

a permanent tooth 영구치

---

persist
[pərsíst]

통 1. 고집하다, 주장하다 2. 지속되다

[per 완전히 + sist 견디다 = 완전히 끝까지 지속하다]

persist in one's belief 자기의 신념을 믿고 나아가다

---

permeate
[pə́ːrmièit]

통 스며들다, 침투하다

[per 완전히 + meate 통과하다 = 완전히 통과하다]

permeate the sand 모래에 스며들다

---

perish
[périʃ]

통 완전히 사멸하다, 사라지다 ● die out

[per 완전히 + ish 가다 = 완전히 가다, 無에 이르다]

perish from thirst 목말라 죽다

---

persecute
[pə́ːrsikjùːt]

통 박해하다, 귀찮게 굴다　persecution 명 박해

[per 완전히 + secute 따라가다 = 끈질기게 쫓다]

persecute a man with questions 질문을 퍼부어 사람을 괴롭히다

---

persevere
[pə̀ːrsəvíər]

통 참다, 견디다 ● bear, stand, endure　perseverance 명 인내

[per 완전히 + severe 엄한, 지독한 = 완전히 독하게 견디다]

persevere in working 일하는 것을 견뎌내다

ac-(as-, ad-) 가까이

adapter 어댑터

전기 기구에 따라서는 어댑터를 사용하는 경우가 있다. 이것은 전기 기구를 전원 규격에 맞추기 위함이다. 그래서 '적합하게 하는 것'이란 의미가 adapter이다. 즉, 동사 adapt는 '맞추다, 개작하다, 각색하다'의 의미로서, 어떤 상황에 맞게 고친다는 뜻이다. 앞으로는 아답터가 아니라 어댑터(adapter)임을 기억하자. 그리고 adopt(채택하다)와 혼동하지 말자.

Basic Words		
	□ **ad**apt [ədǽpt] 동 적응시키다	adaptation 명 적응, 적합
	□ **ad**opt [ədápt] 동 채택하다, 채용하다, 양자 삼다	adoption 명 채택, 입양
	□ **ap**prove [əprúːv] 동 찬성하다, 인정하다	approval 명 인정
	□ **ar**range [əréinʤ] 동 배열하다, 정돈하다	arrangement 명 배열, 정돈

accompany
[əkʌ́mpəni]

동 1. 동반하다, 따라가다   2. 반주를 하다

[ac ~로 + company 동반, 친구 = 동반하여 따라가다]

be **accompanied** by an interpreter 통역을 동반하다

accumulate
[əkjúːmjulèit]

동 (조금씩) 모으다, 축적하다   accumulation 명 축적

[ac ~로 + cumulate 쌓다 = 추가하여 쌓다]

accumulate a fortune 재산을 모으다

accuse
[əkjúːz]

동 고발하다, 비난하다   accuser 명 고소인, 고발인

[ac ~로 + cuse 이유(cause) = 이유를 듣기 위해 소환하다]

accuse A of B B에 대해 A를 고발하다   *be accused of ~로 고발되다

adhere
[ædhíər]

동 1. 부착하다 (to)   2. 고수하다 (to)

adhesion 명 고수   adhesive 명 접착제

[ad ~에 + here 들러붙다 = ~에 들러붙다]

adhere to his decision 결정을 고수하다

affect
[əfékt]

동 1. 영향을 주다   2. 감동시키다   3. ~인 체하다

affection 명 애정   affectation 명 가장, ~인 체함

[af ~에 + fect 하다 = ~에 영향을 미치다]

affect business 장사에 영향을 미치다

DAY 14-3

sect-(se-, seg-) 분리, 자르다

card section 카드 섹션

'꿈★은 이루어진다'는 색색의 글자가 월드컵 경기장에 펼쳐진 것은 관객의 의자에 미리 색종이를 붙인 카드를 배치해두고 신호에 따라 관객이 카드를 들어 올려서 만든 것이다. 이것을 카드 섹션(card section)이라고 한다. 여러 가지의 색을 그린 부분(section)들이 하나의 그림을 만드는 것을 의미한다. 여기서 section은 '부분, 절단'을 의미한다. -sect는 '부분, 자르다'의 의미!

Basic Words	
☐ **se**parate [sépərèit] 图 분리하다	separation 图 분리
☐ **se**cure [sikjúər] 图 확실한, 안전한	security 图 안전, 보안
☐ **se**lect [silékt] 图 선택하다, 고르다	selection 图 선발

section
[sékʃən]

图 1. 절단, 단면 2. 구획, 구간 ⊜ district
[sect 자르다+ion 명사=자르는 부분]
business section 상업 지구, 신문의 경제면

sector
[séktər]

图 분야, 영역
[sect 자르다+or 명사=잘라 놓은 부분]
the public sector 공공 부문

bi**sect**
[baisékt]

图 양분하다, 갈라지다
[bi 둘(two)+sect 분리, 자르다=분리하여 자르다]
bisect a line 선을 2등분하다

segment
[ségmənt]

图 단편, 조각, 부분   segmental 图 단편의, 조각의
[seg 자르다+ment 명사=자른 부분]
a segment of a pear 배 한 조각

secluded
[siklú:did]

图 격리된, 분리된
seclude 图 격리시키다   seclusion 图 격리, 은퇴
[se 분리(apart)+clude 닫다(shut)+d 과거분사=분리하여 닫아버린]
a secluded place 외진 곳

segregate
[ségrigèit]

图 갈라놓다, 격리하다
segregation 图 격리   segregationist 图 인종차별주의자
[se 분리(apart)+greg 무리+ate 동사=무리에서 떼어놓다]
segregate boys and girls 남자아이와 여자아이를 갈라놓다

congregate [káŋgrigèit] 图 모이다, 집합하다

mono-(uni-) 하나

monorail 모노레일 (단선 궤도)

단체나 나라의 이름에는 Uni-표현이 많이 등장한다. United Nations(UN), United States(미국), United Kingdom(영국), Union Jack(영국 국기), 그리고 Union of South Africa(남아프리카 연방)…. 여기서, uni-는 '하나'를 의미한다. 하나로 통합된 국가의 모습을 나타내고 있다. 모노레일 (mono+rail)은 궤도가 하나(mono-)임을 의미하며, homogeneous는 유전자(gene)가 하나로 동일함을 나타낸다. uni-, mono-, homo-는 '하나'의 의미로 사용된다.

Basic Words		
□ **mono**logue [mánəlɔ̀(:)g] 명 독백	dialogue 명 대화
□ **uni**te [ju:náit] 통 통일하다, 결합하다	unity 명 통일, 일관성, 조화
□ **reuni**on [ri:júːnjən] 명 재결합, 재회	
□ **uni**verse [júːnəvə̀ːrs] 명 우주, 전 세계	universal 형 우주의, 보편적인

unique
[juːníːk]

형 유일한, 독특한, 진기한 ⊜ extraordinary, odd

[uni 하나+que 형용사=하나의]

its **unique** design 그것의 독특한 디자인

unification
[jùːnəfəkéiʃən]

명 통일 unify 통 하나로 통일하다

[uni 하나+fica 만들다(make)+tion 명사=하나가 되게 만듦]

The Ministry of **Unification** 통일부

monoxide
[manáksaid]

명 일산화물

[mono 하나의+(o)xide 산화물=하나의 산화물]

carbon **monoxide** 일산화탄소

carbon dioxide 이산화탄소

monopoly
[mənápəli]

명 독점, 전매 monopolize 통 독점하다

[mono 하나+poly 팔다=혼자만 판매함]

a government **monopoly** 정부의 독점, 전매

monotonous
[mənátənəs]

형 단조로운 monotony 명 단조로움

[mono 하나+ton(e) 음+ous 형용사=음(톤)이 하나인]

speak in a **monotonous** voice 단조로운 목소리로 말하다

homogeneous
[hòumədʒíːniəs]

형 동종의, 동질의

[homo 하나와 같은(same)+gene 유전자+ous 형용사=유전자가 동일한]

a **homogeneous** nation 단일 민족 국가

penta- 5(five)
pentagon 오각형

1, 2, 3…을 하나, 둘, 셋…으로 부른다. 마찬가지 아라비아 숫자를 mono-, di-, tri-, tetra-, penta-…등으로 표현할 수 있다. 미국 국방성 건물은 하늘에서 보았을 때 정확히 5각형 모습이다. 그래서 Department of Defense(국방성)라는 정식 명칭을 제쳐 두고, 5각형을 의미하는 Pentagon이라고 부른다. 여기서 penta-는 5, -gon은 각(角)을 의미한다.

Basic Words		
1 **mono-**	**mono**rail 모노레일	6 **hexa-** **hexa**gon 6각형
2 **du, di-,** **bi-**	**bi**cycle 자전거	7 **hepta-** **hepta**chord 7현금, 7음계
3 **tri-**	**tri**ple 세 배의, 3중의	8 **octo-** **octo**pus 문어, 낙지
4 **tetra-**	**tetra**gon 4각형	9 **nona-,** **nano-** **nano**meter 나노미터(10억분의 1)
5 **penta-**	**penta**gon 5각형; (P-)미 국방성	10 **deca-** **deca**thlon 10종 경기

bimonthly
[baimʌ́nθli]

⑱ 월 2회의; 2개월마다의

[bi둘+monthly 월간의=월 2회의, 2개월마다의]

a **bimonthly** magazine 격월로 발행되는 잡지

dual
[dú:əl]

⑱ 2의, 이중의 ➡ double, twofold

[du둘+al 형용사=둘의]

dual citizenship 이중 국적

dual flying 동승 비행

duel [djú(:)əl] ⑲ 결투

duplicate
[djú:pləkət / djú:pləkèit]

⑱ 이중의, 중복된, 복제된 ⑧ 두 배로 하다, 복사하다

[du둘+plic접다+ate동사=두 개로 접다]

Don't **duplicate.** 복제하지 마시오.

trivial
[tríviəl]

⑱ 하찮은, 시시한 triviality ⑲ 하찮음, 평범

[tri셋+vial 길=3거리의, 사람들이 모여드는 평범한 곳의]

a **trivial** matter 사소한 문제

decade
[dékeid]

⑲ 10년

[deca(ten)+de=십 년]

in coming **decades** 앞으로 수십 년 동안

multi- 많다(多), 많은 수의

multimedia 다중 매체

온라인상에서 '멀티로드, 멀티게임, 멀티메일, 멀티부팅, 멀티세션, 멀티플레이, 멀티모드…'라는 말들을 거침없이 쏟아낸다. 도대체 멀티가 뭐기에! 멀티(multi-)는 '많음(多)'을 의미한다. 다중 매체(multi-media), 다목적(multipurpose), 곱하기(multiplication) 등등. 그렇군! 수(數)를 늘리는 방법은 곱하기(multi많은+plicate)를 하는 것이다.

Basic Words		
☐ **multi**purpose [mʌ̀ltipə́ːrpəs] 형 다목적의	multipurpose dam 다목적 댐
☐ **multi**media [mʌ̀ltimíːdiə] 명 다중 매체	multimedia devices 멀티미디어 장치
☐ **multi**national [mʌ̀ltinǽʃənəl] 형 다국적의	multinational corporation 다국적 기업

---

multitude
[mʌ́ltətùːd]

명 다수, 군중
[multi 여러 개+tude 상태=많은 수]
a **multitude** of girls 다수의 소녀들

multiply
[mʌ́ltəplài]

동 늘리다, 곱하다　　multiplication 명 증가, 곱셈
[multi 여러 개+ply 배수(times)=배로 증가시키다]
multiply A by B A와 B를 곱하다(= multiply A and B together)

subtract [səbtrǽkt] 동 빼다, 감하다　　subtraction 명 빼기

multiple
[mʌ́ltəpl]

형 다양한, 다방면의
[multi 여러 개+ple 접다=많은 수의]
a **multiple** choice question 객관식 문제

multilingual
[mʌ̀ltilíŋgwəl]

형 여러 나라 말을 하는
[multi 여러 개+lingual 언어=여러 언어를 말하는]
a **multilingual** person 여러 개 언어를 말하는 사람

centennial
[senténiəl]

형 100년마다의; 100세의
[cent 백(one hundred)+ennial 년, 해(year)=백 년의]
a **centennial** anniversary 100주년 기념의 해

polygamy
[pəlígəmi]

명 일부다처제, 일처다부제　　*monogamy 명 일부일처제
[poly 다수의+gamy 결혼=다수와의 결혼]
laws against **polygamy** 일부다처제 금지법

DAY 16-1

non- 부정어

fiction and nonfiction 소설과 실화

인도인의 정신적 영웅인 간디의 비폭력(non-violence) 무저항(non-resistance) 정신은 폭력에 반대하고 저항하지 않는다는 자세이다. non-은 명사 앞에 붙어서 반대어를 만든다. 픽션(fiction)이 아닌 실화를 nonfiction으로 표현하는 것도 한 예이다. 영어의 부정 접두사 non-은 형용사나 명사의 앞에 쓰여 부정이나 반대말을 만든다.

Basic Words	
	☐ **non**fiction [nɑnfíkʃən] 몡 (수기, 자서전, 기행문 등의) 실화
	☐ **non**sense [nɑ́nsèns] 몡 무의미, 허튼소리
	☐ **non**profit [nɑnprɑ́fit] 혱 비영리적인

non-violence
> 몡 비폭력, 비폭력주의 ⟷ violence 폭력
> **non-violence, non-resistance** 비폭력 무저항주의
> a **non-violence** movement 비폭력 운동

non-commercial
> 혱 비영리적인 ⟷ commercial 상업적인
> **non-commercial** advertising 비상업 광고

non-addictive
> 혱 비중독성의 ⟷ addictive 중독성의   addict 통 중독시키다
> a **non-addictive** drug 비중독성 약물

non-official
> 혱 비공식적인 ⟷ official 공식의
> **non-official** contact 비공식적 접촉
> a **non-official** meeting 비공식 회담

non-essential
> 몡 하찮은 것 혱 비본질적인, 하찮은 ⟷ essential 꼭 필요한
> **non-essential** information 하찮은 정보

non-attendance
> 몡 결석, 불참 ⟷ attendance 출석
> school **non-attendance** 학교 결석(= non-attendance at school)

non-resistance
> 몡 무저항 ⟷ resistance 저항
> a **non-resistance** campaign 무저항 운동

un- 부정어
Unidentified Flying Object (UFO: 미확인 비행 물체)

미확인 비행 물체인 UFO, 즉 Unidentified Flying Object란 이름은 '미확인(Unidentified) 비행 (flying) 물체(Object)'에서 나온 말이다. Unidentified에서 un-이 부정어 접두사이며, identify(확인 하다)의 과거분사형이 붙어서 '확인되지 않은'의 의미가 되었다. un-은 부정어를 만드는 접두사이다.

Basic Words	
☐ **un**employment [ʌ̀nimplɔ́imənt] 명 실직, 실업	
☐ **un**doubtedly [ʌndáutidli] 부 틀림없이(= certainly)	
☐ **un**aware [ʌ̀nəwɛ́ər] 형 알아차리지 못한	
☐ **un**fair [ʌnfɛ́ər] 형 부당한, 불공정한	
☐ **un**lock [ʌnlák] 동 열다, 드러내다	
☐ **un**tidy [ʌntáidi] 형 단정치 못한	

unavailable
[ʌ̀nəvéiləbl]

형 이용할 수 없는, 만날 수 없는 ↔ available 이용 가능한
unavailable resources 이용할 수 없는 자원

unavoidable
[ʌ̀nəvɔ́idəbl]

형 불가피한, 피할 수 없는 = inevitable ↔ avoidable 피할 수 있는
an unavoidable delay 불가피한 연기

unfit
[ʌnfít]

형 부적당한, 적임이 아닌 = unqualified ↔ fit 적당한
unfit for human consumption 인간이 소비하기에는 부적합한

unconscious
[ʌnkánʃəs]

형 의식이 없는, 무의식의 ↔ conscious 의식을 하는
unconsciousness 명 무의식, 의식이 없는 상태
be unconscious of ~를 알아채지 못하다
unconscious humor 무심코 한 유머

uneven
[ʌní:vən]

형 평탄하지 않은, 균형이 맞지 않는 ↔ even 평탄한, 짝수의
an uneven road 울퉁불퉁한 도로
uneven numbers 홀수

unfurnished
[ʌ̀nfə́:rniʃt]

형 가구가 비치되지 않은 ↔ furnished 가구가 설치된
an unfurnished apartment 가구가 비치되지 않은 아파트

unfold
[ʌnfóuld]

동 펼치다, 열리다 ↔ fold 접다
unfold a map 지도를 펴다

unload
[ʌnlóud]

동 짐을 부리다, 내리다 ⬌ load 싣다
unload goods from a truck 트럭에서 짐을 내리다

unwilling
[ʌnwíliŋ]

형 내키지 않는, 마지못해 하는 ⬌ willing 기꺼이 하는
willing or **unwilling** 좋든 싫든 간에

unjust
[ʌndʒʌ́st]

형 불공정한, 부당한 ⬌ just 공정한
an **unjust** world 불공정한 세상

> just는 단지(only), 방금, 공정한(fair)의 의미가 있다.
> 특히, '공정한(=impartial, unbiased)'의 용도는 주의해야 한다.

unintentional
[ʌninténʃənəl]

형 고의가 아닌 ⬌ intentional 의도적인
some **unintentional** error 의도하지 않은 실수

unreasonable
[ʌnríːzənəbl]

형 비합리적인 ⬌ reasonable 합리적인
an **unreasonable** demand 부당한 요구

unidentified
[ʌnaidéntifàid]

형 미확인의, 정체불명의 ⬌ identified 확인된
an **unidentified** flying object 미확인 비행 물체(UFO)

unconvertible
[ʌnkənvə́ːrtəbl]

형 바꿀 수 없는 ⬌ convertible 전환 가능한
unconvertible currency 전환 불가능한 화폐
a **convertible** car 컨버터블 자동차(오픈카)

unlikely
[ʌnláikli]

형 있음직하지 않은 ⬌ likely 있음직한, ~할 것 같은
an **unlikely** tale 수상쩍은 이야기

unusual
[ʌnjúːʒuəl]

형 유별난, 보통이 아닌 ⊜ extraordinary
an **unusual** hobby 유별난 취미

undue
[ʌndjúː]

형 1. 부당한 2. 기한이 되지 않은 ⬌ due 1. 마땅한 2. 기한이 된
undue use of power 권력의 부당한 행사

unceasing
[ʌnsíːsiŋ]

형 끊임없는 ⊜ continuous cease 동 중지하다
unceasing endeavor 끊임없는 노력

dis- 1. 부정어(not), 반대 2. 떨어져(away, apart)

Disbelief 불신(不信) / Dismiss! 해산!

우리나라 말을 배우는 외국인들은 반대어를 말할 때 모든 단어 앞에 '안'을 붙인다. '희망' 반대어
는 '안 희망', '쉬운'의 반대는 '안 쉬운'으로 표현하는 것을 종종 본다. dis-는 close↔disclose,
appear↔disappear, belief↔disbelief처럼 부정어(not)로 쓰인다.
또한 장교가 병사들에게 "Dismiss!"라고 하면 "해산!", 상급자가 "Dismissed!"라고 하면 "나가봐도
됩니다!", 사장님이 "Dismissed!"라고 하면 "당신은 해고입니다!"를 의미한다. "Dismissed!"는 'You
are dismissed."를 줄여서 표현한 것이다. 여기서 dis-는 '떨어져(away)'를 의미한다.

Basic Words	
☐ **dis**appear [dìsəpíər] 동 사라지다	
☐ **dis**order [disɔ́:rdər] 명 무질서, 혼란	
☐ **dis**agree [dìsəgríː] 동 의견이 다르다	
☐ **dis**arm [disά:rm] 동 무장 해제하다	
☐ **dis**close [disklóuz] 동 누출하다, 공개하다	
☐ **dis**trust [distrʌ́st] 동 믿지 않다, 의심하다 명 불신	
☐ **dis**burden [disbə́:rdn] 동 짐을 내리다	

---

disadvantage
[dìsədvǽntidʒ]

명 불이익, 이익에 반함 ⟺ advantage 이익

[dis 부정 + advantage 이점 = 이점이 아님]

at a disadvantage 불리한 입장에서

---

disable
[diséibl]

동 무력하게 하다   disabled 형 불구가 된

[dis 부정 + able 할 수 있는 = 할 수 없다]

disabled soldiers 상이군인

> 장애인을 the handicapped, the disabled로 지칭했지만, 요즘은 장애인을 배려하는 차원에서
> the physically challenged로 칭한다.

---

disapprove
[dìsəprúːv]

동 인가하지 않다, 찬성하지 않다 (of) ⟺ approve 인정하다 (of)

[dis 부정 + approve 찬성하다, 인정하다 = 인정하지 않다]

disapprove of my proposal 나의 제안에 반대하다

---

disgrace
[dìsgréis]

동 망신시키다 명 불명예, 창피 = dishonor, shame

[dis 부정 + grace 명예 = 명예가 떨어져 나감]

disgrace oneself 창피를 당하다

dishonor
[disánər]

명 불명예 ⊜ shame

[dis 부정 + honor 명예 = 명예가 없음]

a **dishonor** to one's school 학교의 불명예

discomfort
[diskʌ́mfərt]

동 불편하게 하다 명 불안, 불편 ⟷ comfort 편안함

[dis 부정 + comfort 안락함 = 안락하지 않게 하다]

discomfort index 불쾌지수 *index 색인, 찾아보기, 지수

discharge
[distʃɑ́:rdʒ]

동 방전하다, 면제하다, 해고하다

[dis 반대 + charge 충전하다, 책임 지우다 = 방전하다, 면제하다]

discharge from the hospital 퇴원하다

charge [tʃɑ:rdʒ]
1. 책임, 의무
2. 충전(하다); (총의) 장전(하다)
3. 청구 금액, 부과금

be in **charge** of ~를 책임지다
charge the battery 배터리를 충전하다
free of **charge** 공짜로

dismay
[disméi]

동 당황케 하다, 실망시키다 명 당황, 낙담

[dis 부정 + may 할 수 있다 = 할 수 없다, 힘이 없다]

in **dismay** 당황하여
to my **dismay** 실망스럽게도

disgust
[disgʌ́st]

동 혐오감을 일으키다, 메스껍게 하다 명 혐오, 구역질

disgusting 형 역겨운

[dis 반대 + gust 맛보다(taste) = 맛을 좋아하지 않다]

in **disgust** 싫증이 나서, 역겨워서
to one's **disgust** 유감스럽게도

discord
[dískɔ:rd]

명 불일치, 불화 ⟷ accord 일치; 일치하다

[dis 떨어져 + cord 마음(heart) = 마음이 떨어짐–불화]

discord with his boss 그의 상사와의 불화

distribute
[distríbju(:)t]

동 분배하다, 배포하다 distribution 명 분배

[dis 떨어져 + tribute 나누다 = 떨어뜨려 나누다–분배하다]

distribute mail 우편물을 분류하다

distinct
[distíŋkt]

형 1. 독특한, 별개의, 다른 ⊜ separate
  2. 명백한, 뚜렷한 ⊜ clear ⟷ vague 애매한 distinction 명 구별

[dis 떨어져 + tinct 찌르다 = 바늘로 찔러 표시한–독특한]

distinct difference 뚜렷한 차이
distinct progress 눈부신 발전

distinguish
[distíŋgwiʃ]

동 1. 구별하다, 분류하다 2. 눈에 띄게 하다, 두드러지게 하다

[dis 떨어져 + tingu 찌르다 + ish 동사 = 찔러서 자국을 내어 구분하다]

distinguish between good and evil 선악을 구별하다

distress
[distrés]

⑧ 괴롭히다, 고민하게 하다 ⑲ 1. 고민, 걱정 2. 고통

[dis 떨어져 + stress 긴장 = 긴장시켜 떨어지게 하다]

in **distress** 곤란에 처한
in **distress** for money 돈에 쪼들려

dispense
[dispéns]

⑧ 1. 분배하다, 나누어 주다 2. 면제해 주다

[dis 떨어져 + pense 무게를 재다 = 무게를 재서 떨어뜨리다 – 분배하다]

dispense with a car 차 없이도 살다

discriminate
[diskrímənèit]

⑧ 1. 구별하다, 판별하다 2. 차별하다

[dis 떨어져 + criminate 가려내다 = 가려서 떨어뜨리다]

discriminate against foreigners 외국인을 차별 대우하다

dissolve
[dizálv]

⑧ 1. 녹이다 2. (의회, 모임을) 해산시키다

[dis 떨어져 + solve 용해하다, 풀다 = 용해하여 풀다]

dissolve salt in water 소금을 물에 녹이다
dissolve parliament 의회를 해산시키다

disposable
[dispóuzəbl]

⑲ 처분할 수 있는, 1회용의 dispose of 처분하다

[dis 떨어져 + pose 놓다 + able = 떨어뜨려 놓을 수 있는]

disposable diaper 1회용 기저귀

distract
[distrǽkt]

⑧ 흩어지게 하다, (주의를) 딴 데로 돌리다 distraction ⑲ 주의 산만

[dis 떨어져 + tract 당기다 = 당기어 떨어뜨리다 – 흩어지게 하다]

distract the people's attention 국민의 관심을 다른 데로 돌리다

attract [ətrǽkt] ⑧ (주의, 흥미를) 끌다, 매혹하다

disperse
[dispə́:rs]

⑧ 흩어지게 하다, 해산하다, 분산하다

[dis 떨어져 + perse 분산하다 = 사방으로 떨어뜨리다 – 분산하다]

disperse the crowd 군중을 해산하다

dispatch
[dispǽtʃ]

⑧ (편지 · 사자를) 급송하다, 급파하다

[dis 떨어져 + patch 붙들어 매다 = 매지 않고 떨어뜨리다]

dispatch a messenger 사자를 급파하다
dispatch troops 파병하다

DAY 18-1

mis- 부정어, 잘못하여

mistake 실수

mistake는 '잘못(miss) 가져가다(take)'의 의미이다. mis-와 유사한 부정어 접두사로 un-, dis- 등 등이 있다. mis-는 각종 품사의 앞에 쓰여서 '잘못되어, 나쁘게, 불리하게'의 뜻을 만든다. mis-로 시작되는 어휘를 기억할 경우, '잘못 ~하는 것, 잘못하여 ~함'의 의미를 적용하면 쉬워진다.

Basic Words

- ☐ **mis**judge [misdʒʌ́dʒ] 동 오판하다, 오인하다
- ☐ **mis**take [mistéik] 명 실수
- ☐ **mis**fire [mìsfáiər] 동 불발되다
- ☐ **mis**lay [misléi] 동 (물건을 어딘가에) 두고 잊다

---

misbehavior
[mìsbihéivjər]

명 비행, 부정행위　misbehave 동 나쁜 짓을 하다　behavior 명 행동
[mis 부정어 + behavior 행위 = 잘못된 행위]
momentary **misbehavior** 순간적인 비행

mislead
[mìslí:d]

동 그릇 인도하다, 판단을 그르치게 하다
misleading 형 그르치기 쉬운　lead 동 이끌다
[mis 부정어 + lead 이끌다 = 잘못 이끌다]
mislead his own people 국민을 잘못 이끌다
be **misled** by appearance 외모에 속다

misfortune
[mìsfɔ́:rtʃən]

명 불행, 역경, 불우함 ⟷ fortune 행운, 부
[mis 부정어 + fortune 행운 = 잘못된 행운]
by repeated **misfortune** 계속된 불행으로 인해

misplace
[mìspléis]

동 잘못 두다　place 동 두다
[mis 부정어 + place 두다 = 잘못 두다]
misplace one's bags 가방에 어디에 두었는지 모르다

mispronounce
[mìsprənáuns]

동 잘못 발음하다　pronounce 동 발음하다
[mis 부정어 + pronounce 발음하다 = 잘못 발음하다]
mispronounce one's name ~의 이름을 잘못 발음하다

misapplication
[mìsæplikéiʃən]

명 오용, 남용, 악용　application 명 적용

[mis 부정어 + application 적용 = 잘못된 적용]

a **misapplication** of the rules　규칙의 오용

misconduct
[mìskándʌkt]

통 잘못하다, 오도하다　명 잘못된 행동, 비행; 직권 남용

conduct 명 행위, 행동

[mis 부정어 + conduct 행동(하다) = 잘못된 행동(을 하다)]

commit **misconduct**　비행을 저지르다, 직권을 남용하다

misdeed
[misdí:d]

명 잘못된 행동, 비행　deed 명 행위

[mis 부정어 + deed 행동 = 잘못된 행동]

hide his **misdeeds**　그의 비행을 감추다

mischief
[místʃif]

명 1. 손해　2. 장난　mischievous 형 해로운, 장난기 있는

[mis 부정어 + chief 발생하다 = 나쁜 일이 발생하다 – 손실, 손해]

keep him out of **mischief**　그가 장난치지 않도록 하다
a **mischievous** little devil as a boy　어릴 때 장난이 심한 악동

misconception
[mìskənsépʃən]

명 잘못된 생각, 오인　conception 명 개념, 생각

[mis 부정어 + conception 개념, 생각 = 잘못된 생각]

a common **misconception**　일반적으로 잘못된 인식

mistreat
[mistrí:t]

동 학대하다 = abuse　treat 통 다루다

[mis 부정어 + treat 다루다 = 잘못 다루다 – 학대하다]

mistreat patients　환자를 함부로 다루다

misinterpret
[mìsintə́ːrprit]

동 오해하다, 오역하다　interpret 통 번역하다

[mis 부정어 + interpret 해석하다, 번역하다 = 잘못 해석하다]

misinterpret my words　내 말을 오해하다

mishap
[míshæp]

명 재난, 불운　hap 명 우연, 운

[mis 부정어 + hap 우연, 운 = 잘못된 운 – 불운]

an unfortunate **mishap**　불운한 사고[재난]

DAY 18-2

a- 부정어, 無

atheism 무신론

유신론과 무신론을 표현해보자. 신학(theology)에 등장하는 the-는 신(神)을 의미한다. 신이 있다는 유신론(theism)에 無를 의미하는 a-를 붙이면 무신론(atheism)이 된다. 무신론, 무정부, 무감각, 무명씨 등처럼 무(無)가 들어가는 표현에 부정 접두사 a-를 붙이는 경우가 있다.

Basic Words	
☐ **asexual** [eisékʃuəl] 📕 무성(無性) 생식의	asexual reproduction 무성 생식
☐ **amoral** [eimɔ́(:)rəl] 📕 도덕과 관계없는	amoral creature 도덕관념이 없는 생명체
☐ **atonal** [eitóunəl] 📕 『음악』 무(음)조의	atonal music 무(음)조의 음악

---

atheism
[éiθiìzm]

📘 무신론　atheist 📘 무신론자

[a 없는(without) + the 신(god) + ism 생각 = 신이 없다고 생각함]

the argument about **atheism** 무신론에 대한 논쟁

anarchism
[ǽnərkìzm]

📘 무정부주의, 무질서　anarchy 📘 무정부

[a(n) 없는(without) + arch 지도자 + ism 상태 = 지도자가 없는 상태]

oppose **anarchism** 무정부주의에 반대하다

apathy
[ǽpəθi]

📘 무감동, 무관심

[a 없는(without) + pathy 감정 = 감정이 없음]

political **apathy** 정치적 무관심

apartheid [əpáːrtheit] 남아프리카 공화국의 인종차별 정책으로 약 16%의 백인이 나머지 흑인 등의 토착민을 차별한 정책이다.

anonym
[ǽnənim]

📘 가명, 작자 불명　anonymous 📕 익명의, 작자미상의

[a 없는(without) + nonym 이름 = 이름이 없음]

use an **anonym** 가명을 사용하다
an **anonymous** user 익명의 사용자

abortion [əbɔ́ːrʃən] 📘 낙태, 유산아
approve of abortion as birth control 산아제한으로서의 낙태를 인정하다
abort [əbɔ́ːrt] 📗 유산하다, 낙태하다
abort an unborn child 태아를 낙태하다

abolition [æbəlíʃən] 📘 (법률, 습관) 폐지
abolitionist [æbəlíʃənist] 📘 노예폐지론자
abolish [əbáliʃ] 📗 폐지하다

mal- 나쁜

malaria 말라리아

아프리카의 말라리아모기에 의한 질병인 말라리아(malaria)는 사실 '나쁜(mal-) 공기(aria)'라는 의미이다. 말라리아는 말라리아모기에 의해 걸리는 질병이지만, 과거에는 모기가 아니라 나쁜 공기에 의해 생긴 병으로 생각했기 때문이다. malaria(말라리아)의 mal-은 '나쁜'의 의미로 기억하면 된다. 그 반대로 '좋은'의 의미는 bene-를 사용한다. benefit(이익, 혜택)이 그 예이다.

Basic Words	
☐ **mal**function [mælfʌ́ŋkʃən] 명 (기계의) 기능 불량	function 명 역할, 기능
☐ **mal**odor [mælóudər] 명 악취	odor 명 냄새

---

malnutrition
[mælnjuːtríʃən]

명 영양실조　nutrition 명 영양, 영양 섭취
[mal 나쁜 + nutrition 영양 = 영양이 나쁜 상태]
die from **malnutrition** 영양실조로 죽다

---

malnourished
[mælnə́ːriʃt]

형 영양실조의, 영양 부족의　nourish 동 자양분을 주다, 기르다
[mal 나쁜 + nourished 자양분을 받은 = 영양분 상태가 나쁜]
a **malnourished** infant 영양실조에 걸린 아기

---

maltreat
[mæltríːt]

동 학대하다, 혹사하다　maltreatment 명 학대　treat 동 다루다; 치료하다
[mal 나쁜 + treat 다루다 = 학대하다]
the **maltreated** children 학대받는 아동
suffer **maltreatment** 학대받다

---

maladjusted
[mælədʒʌ́stid]

형 (환경이나 상황에) 적응하지 못하는　adjusted 형 조정된, 적응한
[mal 나쁜 + adjusted 적응한 = 적응이 잘 안 된]
a **maladjusted** student 부적응 학생

---

malice
[mǽlis]

명 적의, 악의　malicious 형 악의 있는
[mal(i) 나쁜 + ce 명사 = 나쁜 뜻]
malicious rumors 악의적인 소문

---

malediction
[mæ̀lədíkʃən]

명 악담, 저주　diction 명 말투, 발음, 어법
[mal(e) 나쁜 + diction 말씨, 용어의 선택 = 나쁜 말]
a vicious **malediction** 심술궂은 악담

benediction [bènədíkʃən] 명 감사 기도, 축복

im- 부정어

God is **im**mortal. 신은 죽지 않는다.

'mortal'이란 표현이 생소하다면 'Man is mortal, God is immortal.'을 기억해 보라. mortal(반드시 죽는)을 기억하는 가장 좋은 예문이며, 여기서 im-은 형용사 앞에 붙이는 부정어이다. p-로 시작하거나, m-으로 시작하는 형용사의 부정어를 만들 때 접두사 im-을 붙이는데, 이것은 발음구조상 가장 부드러운 조합을 이루기 때문이다.

Basic Words	
☐ **im**pure [impjúər] 형 불결한, 부도덕한
☐ **im**perfect [impə́:rfikt] 형 불완전한
☐ **im**polite [ìmpəláit] 형 무례한, 버릇없는

---

impracticable
[imprǽktikəbl]

형 (방법, 계획 따위가) 실행 불가능한 ⟷ practicable 실행 가능한
an **impracticable** scheme 실행 불가능한 계획

impartial
[impá:rʃəl]

형 공정한, 편견 없는 ⟷ partial 편파적인; 부분적인
impartial advice 공정한 충고
an **impartial** judgment 공정한 판단

improper
[imprápər]

형 부적당한, 타당치 않은 ⟷ proper 적당한
improper conduct 부적절한 행동
an **improper** way 부적절한 방법

impersonal
[impə́:rsənəl]

형 특정한 개인에 관계없는, 비인격적인 ⟷ personal 인격적인, 개인의
impersonal treatment 비인격적 대우

impatient
[impéiʃənt]

형 참지 못하는, 조급한 ⟷ patient 인내력 있는   impatience 명 조급함
impatient gesture 안절부절못하는 몸짓

immense
[iméns]

형 거대한, 광대한 ⊜ huge
[im 부정어 + mense 재다(measure) = 잴 수가 없는]
an **immense** desert 방대한 사막

imminent [ímənənt] 형 임박한, 일촉즉발의

immoral
[imɔ́:rəl]

형 부도덕한 ⇔ moral 도덕적인, 도덕에 관한
immoral behavior 부도덕한 행동

immortal
[imɔ́:rtəl]

형 죽지 않는 ⇔ mortal 필히 죽는
an **immortal** god 불멸의 신

immature
[imətʃúər]

형 미숙한, 미성숙한 ⇔ mature 성숙한
an **immature** plant 덜 자란 식물
immature stages 미성숙 단계

immemorial
[ìməmɔ́:riəl]

형 (기억할 수 없는) 먼 옛날의, 태고로부터의 ⇔ memorial 기억의; 기념의, 추도의
from time **immemorial** 아주 옛날부터

immeasurable
[iméʒərəbl]

형 헤아릴 수 없는, 끝없는 ⇔ measurable 잴 수 있는
cause **immeasurable** damage 헤아릴 수 없는 손해를 일으키다

immoderate
[imádərət]

형 무절제한, 절도 없는 ⇔ moderate 절제하는, 온건한 ⊜ temperate
immoderate drinking 무절제한 음주

> **modern** [mádərn] 형 현대의(=contemporary), 근대의

immodest
[imádist]

형 무례한; 거리낌 없는 ⇔ modest 겸손한
immodest behavior 무례한 행동

immovable
[imú:vəbl]

형 움직이지 않는, 부동의 ⇔ movable 움직이는
an **immovable** rock 움직이지 않는 바위

imperceptible
[ìmpərséptəbl]

형 눈에 보이지 않는, 알아챌 수 없는 ⇔ perceptible 인지할 수 있는
imperceptible movement 눈에 보이지 않는 움직임

imprudent
[imprú:dənt]

형 경솔한, 무분별한 ⇔ prudent 신중한
imprudent behavior 경솔한 행동

impermeable
[impə́:rmiəbl]

형 스며들지 않는　permeate 통 스며들다
layers of **impermeable** rock 물이 스며들지 않는 바위 층

in- 부정어(not) + 명사

inability 무능력

viability(생존 능력)를 어떻게 읽는지, 무슨 뜻인지 질문하는 학생에게, vital(생명의), vivid(생생한), vigor(생기)에 나오는 vi-와 ability(능력)이 결합된 것이라고 일러 주었다. inability도 마찬가지로 in-(부정어)와 ability가 결합한 것이다. 영어의 부정 접두사로 non-, dis-, mis-, un-이 대표적이지만, 형용사의 부정 접두사로서는 il-, im-, in-, ir- 등이 자주 등장한다. 이중에 in-은 명사와 결합하여 그 명사의 반의어를 만들기도 한다.

Basic Words
- ☐ **in**expert [inékspəːrt] 명 미숙련자 　　expert 명 전문가
- ☐ **in**action [inǽkʃøn] 명 활동하지 않음, 게으름, 정지 　　action 명 행동
- ☐ **in**security [ìnsikjú(ː)ərəti] 명 불안전, 불안정 　　security 명 안전

inability [ìnəbíləti]
명 무능(력) ↔ ability 능력
his **inability** to make decisions 결정을 내릴 능력이 없음

inconvenience [ìnkənvíːnjəns]
명 불편, 성가심 ↔ convenience 편의
bear minor **inconveniences** 사소한 불편을 참다

indifference [indífərəns]
명 무관심, 냉담　difference 명 차이
indifference to an opinion 의견에 대한 무관심

inequality [ìnikwáːləti]
명 같지 않음, 불평등 ↔ equality 평등
educational **inequality** 교육 기회의 불균등
regional **inequality** in China 중국의 지역적 격차

injustice [indʒʌ́stis]
명 (법적, 도의적인) 부정, 불의 ↔ justice 정의
fight **injustice** 불의와 맞서 싸우다

incapacity [ìnkəpǽsəti]
명 무력, 무능 ↔ capacity 능력, 용량
professional **incapacity** 직업상의 무능력

independence [ìndipéndəns]
명 독립, 자립 ↔ dependence 의지, 의존
a declaration of **independence** 독립 선언
Independence Day 독립기념일

in- 부정어(not) + 형용사

infamous 악명 높은

'유명한(famous)'의 부정 표현은 'infamous(악명 높은)'이다. 부정 접두사 im-은 p-와 m-으로 시작하는 형용사 앞에 사용되지만, in-은 그 외 대부분의 형용사와 명사를 부정의 의미로 바꾸는 접두사이다. 물론, l-로 시작되면 il-을, r-로 시작되면 ir-을 붙여서 부정어를 만들기도 한다.

Basic Words

- [ ] **in**complete [ìnkəmplíːt] 형 불완전한
- [ ] **in**humane [ìnhjuːméin] 형 비인간적인
- [ ] **in**effective [ìniféktiv] 형 무효의, 효과 없는
- [ ] **in**exact [ìnigzækt] 형 정확하지 않은, 부정확한

---

inevitable
[inévətəbl]

형 부득이한, 피할 수 없는 = unavoidable

[in 부정(not) + evitable 피할 수 있는 = 피할 수 없는]

an **inevitable** result 필연적인 결과

innocent
[ínəsənt]

형 무죄의, 순진한 ⟷ guilty 유죄의　innocence 명 무죄

[in 부정(not) + nocent 해로운, 다치게 하는 = 해롭지 않은, 순진한]

an **innocent** victim 무고한 희생자
an **innocent** young child 순진한 어린아이

incredible
[inkrédəbl]

형 믿을 수 없는, 믿을 수 없을 정도의

[in 부정(not) + credible 믿을 수 있는 = 믿을 수 없는]

an **incredible** story 믿을 수 없는 이야기
an **incredible** cost 엄청난 비용

> in-이 만드는 긍정적인 단어
> **innumerable** [injúːmərəbl] 형 셀 수 없는, 무수한
> **invaluable** [invæljuəbl] 형 값을 헤아릴 수 없는, 매우 귀중한

inanimate
[inǽnəmət]

형 생명 없는, 무생명의 ⟷ animate 살아 있는

[in 부정(not) + animate 살아 있는 = 생명이 없는]

an **inanimate** object 무생물체

insane
[inséin]

형 미친, 제정신이 아닌 ⟷ sane 제정신인

[in 부정(not) + sane 제정신인 = 제정신이 아닌]

an **insane** person 제정신이 아닌 사람

incessant
[insésənt]

ⓐ 끊임없는, 그칠 새 없는

　[in 부정(not) + cessant 중단하는(ceasing) = 중단 없는]

　an incessant noise 끊임없는 소음

infamous
[ínfəməs]

ⓐ 불명예스러운, 악명 높은　famous ⓐ 유명한

　an infamous dictator 평판이 나쁜 독재자

　infamous behavior 불명예스러운 행동

insufficient
[insəfíʃənt]

ⓐ 불충분한 ⟷ sufficient 충분한

　an insufficient supply of food 식량의 공급 부족

incomprehensible
[inkàmprihénsebl]

ⓐ 이해할 수 없는, 이해하기 어려운 ⟷ comprehensible 이해할 수 있는

　an incomprehensible language 이해할 수 없는 언어

incorrect
[ìnkərékt]

ⓐ 틀린, 부정확한 ⊜ inaccurate ⟷ correct 정확한

　incorrect data 정확하지 않은 자료

intolerable
[intálərəbl]

ⓐ 참을 수 없는 ⊜ unbearable ⟷ tolerable 참을 수 있는

　intolerable pain 참을 수 없는 고통

incompetent
[inkámpətənt]

ⓐ 무능한, 쓸모없는 ⟷ competent 유능한

　an incompetent worker 무능한 직원

inconsistent
[ìnkənsístənt]

ⓐ 일치하지 않는, 조화되지 않는 ⟷ consistent 일치하는, 일관된

　inconsistent behavior 일관성 없는 행동

inaccessible
[ìnəksésəbl]

ⓐ 접근하기 어려운 ⟷ accessible 접근 가능한

　the most inaccessible places 가장 접근하기 어려운 곳

indefinite
[indéfənit]

ⓐ 무기한의, 불명확한 ⟷ definite 뚜렷한, 명확한

　for an indefinite period 무기한의 기간 동안

infinite [ínfənit] ⓐ 무한한, 무수한

indispensable
[ìndispénsəbl]

ⓐ 불가결의, 없어서는 안 될 ⟷ dispensable 없어도 좋은

　indispensable nutrients 필수 영양소

il-(ir-) 부정어

illiteracy rate 문맹률

의외로 문맹률이 높은 나라가 중국과 미국이다. 미국 성인의 43%가 알파벳을 끝까지 쓰지 못한다고 한다. 미국이 의외로 글 모르는 사람이 많다는 것은 꽤 충격적이다. 그들이 배우기 쉬운 한글을 배워보면 어떨까! 우리말에서 盲(맹), 無(무), 不(불), 非(비)는 모두 부정어(부정어)이다. 영어에서 부정 접두사는 p-로 시작하는 형용사 앞에서 im-, l- 앞에서 il-, r- 앞에는 ir-을 사용한다.

Basic Words	
□ **ir**recoverable [ìrikʌ́vərəbl] 형 회복할 수 없는	recoverable 형 회복할 수 있는
□ **ir**regular [irégjulər] 형 불규칙한	regular 형 규칙적인
□ **ir**replaceable [ìripléisəbl] 형 대체할 수 없는	replaceable 형 대체 가능한

illegal
[ilí:gəl]

형 불법의 ⟷ legal 합법적인 명 불법 입국자
an **illegal** sale 불법 판매
an **illegal** act 불법 행위

illegible
[ilédʒəbl]

형 읽기 어려운, 불명료한 ⟷ legible 판독 가능한
one's **illegible** handwriting 읽기 어려운 필체

illogical
[ilɑ́dʒikəl]

형 비논리적인 ⟷ logical 논리적인
illogical thinking 비논리적인 사고
an **illogical** reply 엉뚱한 답변

illiterate
[ilítərət]

명 무식자 형 문맹의 ⟷ literate 글을 읽고 쓸 수 있는
an **illiterate** farm worker 문맹의 농장 근로자

illegitimate
[ìlidʒítəmət]

형 위법의, 부조리한 ⟷ legitimate 합법의
an **illegitimate** trade 불법 무역

illiberal
[ilíbərəl]

형 도량이 좁은, 자유를 제한하는 ⟷ liberal 관대한, 자유로운
an **illiberal** and undemocratic policy 반자유적이고 반민주적인 정책

irresponsible
[ìrispánsəbl]

⬭ 책임이 없는, 무책임한 ⬌ responsible 책임감 있는
irresponsible behavior 무책임한 행동

irrelevant
[irélévənt]

⬭ 관계없는, 관련 없는 ⬌ relevant 관련 있는
irrelevant remarks 관련이 없는 말

irresistible
[ìrizístəbl]

⬭ 매우 매력적인, 저항할 수 없는 ⬌ resistible 저항할 수 있는
irresistible force 저항할 수 없는 힘[불가항력]

irritable [írətəbl] ⬭ 성미 급한, 흥분하기 쉬운

irreversible
[ìrivə́ːrsəbl]

⬭ 뒤집을 수 없는, 거꾸로 할 수 없는 ⬌ reversible 거꾸로 할 수 있는
an **irreversible** error 돌이킬 수 없는 실수

irrational
[iráʃənəl]

⬭ 불합리한, 분별이 없는 ⊜ unreasonable ⬌ rational 합리적인
irrational beasts 이성을 갖지 않은 동물 *beast 야수, 짐승

irresolute
[irézəlùːt]

⬭ 결단력 없는, 우유부단한 ⬌ resolute 결단력 있는
an **irresolute** attitude 우유부단한 태도

irrecognizable
[irékəgnàizəbl]

⬭ 인식할 수 없는 ⊜ unrecognizable   recognizable ⬭ 인식할 수 있는
irrecognizable sound 인식할 수 없는 소리

irreconcilable
[irékənsàiləbl]

⬭ 화해할 수 없는, 융화하기 어려운   reconcile ⬭ 화해시키다
an **irreconcilable** difference 조화되지 않는 차이점

irrevocable
[irévəkəbl]

⬭ 돌이킬 수 없는, 취소할 수 없는 ⬌ revocable 취소할 수 있는
irrevocable youth 돌이킬 수 없는 청춘

irrespective
[ìrispéktiv]

⬭ ~에 관계[상관]없는   respective ⬭ 각각의, 각자의
irrespective of age 연령에 관계없이

with- 대항하여, 멀리, 뒤 / ab- 떼어 내어

withdraw 철수하다 & abnormal 비정상적인

접두사 with-는 '함께'의 의미로만 알기 쉬운데 'against(저항, 반대), away(멀리), back(뒤)의 의미도 지닌다. 어원을 외우지 말고 대표적인 예를 기억하는 것이 효과적이다. with-가 부정적인 의미로 사용되는 경우는 withhold, withdraw, withstand의 경우에 한정된다. 그리고 normal의 반의어인 abnormal(비정상적인)에서 ab-는 off, away의 의미를 지닌다.

Basic Words

- ☐ **ab**rupt [əbrʌ́pt] 형 돌연한, 갑작스러운
- ☐ **ab**stain [æbstéin] 동 끊다, 삼가다 (from)
- ☐ **ab**use [əbjúːz] 동 (지위, 특권을) 남용하다, 학대하다, 욕을 하다

---

withdraw
[wiðdrɔ́ː]

동 철수하다, 철회하다　*withdraw-withdrew-withdrawn
[with 멀리(away)+draw 당기다=당겨서 멀리 두다]
withdraw money 돈을 인출하다
withdraw an offer 제의를 철회하다

---

withhold
[wiðhóuld]

동 보류하다, 억제하다
[with 멀리(away), 뒤(back)+hold 잡다=잡아서 뒤에 두다]
withhold one's payment 지불을 보류하다

---

withstand
[wiðstǽnd]

동 저항하다, ～에 반항하다
[with 대항하여(against)+stand 서 있다=대항하여 서 있다]
withstand temptation 유혹에 저항하다

---

abnormal
[æbnɔ́ːrməl]

형 정상이 아닌; 변칙의 ↔ normal 정상의, 표준의
[ab 떼어 내어(off, away)+norm 기준, 표준+al 형용사=표준에 맞지 않는]
abnormal behavior 이상 행동
an **abnormal** condition 비정상적인 상태

---

abstract
[æbstrǽkt]

동 발췌하다, 요약하다 형 추상적인 ↔ concrete 구체적인
[ab(s) 떼어 내어(off, away)+tract 당기다=떼어 내어 당겨오다]
an **abstract** idea 추상적 개념
abstract the scientific report 과학 보고서를 요약하다

머리를 알면 몸통이 보인다!

passion에서 **com**passion으로

passion은 열정, 열심, 열애, 열망, 그리고 순교자의 수난과 순교를 나타낸다. 이러한 passion 앞에 com-(함께)이 붙으면 '동정심'을 나타낸다. 어휘에 말머리나 말꼬리를 붙여 어휘를 늘여나가는 방법은 모든 언어에서 나타나는 현상이다. 두 어휘가 전혀 별개의 어휘가 아니라, 하나의 뿌리임을 아는 것이 중요하다.

sign [sain] 명 기호, 표시, 표지
as**sign** [əsáin] 통 할당하다, 배당하다
re**sign** [rizáin] 통 사임하다, 그만두다

street **signs** 도로 표지
assign work to ~에게 일을 할당하다
resign from one's job 일을 그만두다

tail [teil] 명 (동물의) 꼬리
cur**tail** [kə(:)rtéil] 통 줄이다, 삭감하다
de**tail** [ditéil] 명 세부, 상세

wag a **tail** 꼬리를 흔들다
curtail spending 지출을 줄이다
fill in **details** 세부 사항을 기입하다

merge [mərdʒ] 통 합병하다
e**merge** [imə́:rdʒ] 통 (물속, 어둠 속에서) 나타나다
im**merse** [imə́:rs] 통 가라앉히다 ⊜ immerge

merge with a company 회사와 합병하다
emerge from the water 물에서 나타나다
immerse deeply 푹 담그다

light [lait] 명 빛, 광선, 햇빛
twi**light** [twáilàit] 명 (해뜨기 전·해질 무렵의) 땅거미

good natural **light** 좋은 자연광
the **twilight** of his life 인생의 황혼기

act [ækt] 통 행동하다, 행하다 명 법령, 조례
re**act** [riǽkt] 통 반작용하다, 반응을 나타내다
en**act** [inǽkt] 통 (법률을) 제정하다

act your age 나이에 걸맞게 행동하다
react to the news 뉴스에 반응을 보이다
enact a new law 새로운 법을 제정하다

tense [tens] 형 (신경, 감정이) 긴장한
in**tense** [inténs] 형 (빛, 온도 따위가) 강렬한, 열띤

a **tense** moment 긴장의 순간
intense love 열렬한 사랑

auto [ɔ́:tou] 명 자동차; 자동 (auto- 자신의)
autocracy [ɔ:tákrəsi] 명 독재 정치, 전제 정치
autograph [ɔ́:təgræf] 명 (유명인의) 사인
autonomy [ɔ:tánəmi] 명 자치, 자치제

the global **auto** market 세계 자동차 시장
from **autocracy** to democracy 독재에서 민주주의로
an **autograph** session 사인회
Local **Autonomy** Law 지방 자치법

a-가 만드는 부사와 형용사

ashore 해안으로

a-는 주로 형용사 앞에 붙어서 in, into, on, to, toward의 뜻을 가미하며, 주로 같은 의미의 부사를 만든다. 물론, 명사에 붙어 afoot(도보로), ashore(해안으로), abed(잠자리에)처럼 부사를 만들기도 한다. 중요한 것은 a-로 시작하는 형용사는 명사를 수식할 수 없으며, 오직 상태를 설명하는 보어로만 사용된다는 것이다.

breast [brest] 몡 가슴	**breast** milk 모유
abreast [əbrést] 뿐 나란히, 병행하여	walk four **abreast** 넷이 나란히 걷다
board [bɔːrd] 몡 판자	a bulletin **board** 게시판
aboard [əbɔ́ːrd] 뿐 배에, 배를 타고	go **aboard** 승선하다
broad [brɔːd] 혱 폭이 넓은	a **broad** street 넓은 거리[대로]
abroad [əbrɔ́ːd] 뿐 해외로	live **abroad** 해외에 살다
shore [ʃɔːr] 몡 바닷가, 해안	go on **shore** 상륙하다
ashore [əʃɔ́ːr] 뿐 해변에	swim **ashore** 해안으로 헤엄쳐 가다
float [flout] 퉁 떠다니다, 표류하다	**float** downstream 강 하류로 떠내려가다
afloat [əflóut] 혱 떠 있는 뿐 (물 위에) 떠서	**afloat** in the river 강에 떠 있는
lone [loun] 혱 [한정 형용사] 혼자의, 고독한	a **lone** sailor 고독한 선원
alone [əlóun] 혱 [서술 형용사] 고독한 뿐 혼자	She is **alone**. 그녀는 고독하다.
	live **alone** 혼자 살다
like [laik] 혱 닮은, ~와 같은	be **like** two peas in a pod 꼭 닮다 *pea 완두콩
alike [əláik] 혱 [서술 형용사] 서로 같은	They are so **alike**. 그들은 매우 비슷하다.
wake [weik] 퉁 잠에서 깨다, 일어나다	**Wake** up! 일어나!
awake [əwéik] 혱 [서술 형용사] 깨어 있는	be **awake** all night 밤새 잠을 못 자다

반의어가 문제입니다
just에서 injustice로

just는 의미가 다양하다. 그 just가 justice(정의)의 뿌리임을 아는 사람은 드물다. just는 just society, just reward의 표현을 참고한다면, just에 '공정한, 정당한'의 의미가 있음을 알 것이다. 바로 여기서 justice(정의)가 나온 것임을 확인할 수 있다. 문제는 just(정당한)와 justice(정의)의 반의어 접두사가 각각 **un**just, **in**justice라는 것이다. 이를 어찌할 것인가!

able [éibl] 혱 ~할 수 있는

enable [inéibl] 동 가능하게 하다

ability [əbíləti] 명 능력

unable [ʌnéibl] 혱 할 수 없는

disable [diséibl] 동 쓸모없게 만들다

inability [ìnəbíləti] 명 무능력, 무력

count [kaunt] 동 세다, 계산하다

countable [káuntəbl] 혱 셀 수 있는

miscount [mískàunt] 동 잘못 세다, 오산하다

uncountable [ʌnkáuntəbl] 혱 무수한, 셀 수 없는

equal [í:kwəl] 혱 같은, 동등한

equality [ikwáləti] 명 같음, 평등

unequal [ʌní:kwəl] 혱 같지 않은, 불공평한

inequality [ìnikwá:ləti] 명 같지 않음, 불평등

comfort [kʌ́mfərt] 명 위로, 위안

comfortable [kʌ́mfərtəbl] 혱 편안한

discomfort [diskʌ́mfərt] 명 불쾌, 불안

uncomfortable [ʌnkʌ́mfərtəbl] 혱 불편한

just [dʒʌst] 혱 올바른, 공정한

justice [dʒʌ́stis] 명 정의

unjust [ʌndʒʌ́st] 혱 부정한, 불공평한

injustice [indʒʌ́stis] 명 (법적, 도의적인) 부정, 불의

fortune [fɔ́:rtʃən] 명 행운, 재산

fortunate [fɔ́:rtʃənət] 혱 운이 좋은

fortunately [fɔ́:rtʃənitli] 부 다행히도

misfortune [misfɔ́:rtʃən] 명 불운, 불행

unfortunate [ʌnfɔ́:rtʃənət] 혱 불운한, 불행한

unfortunately [ʌnfɔ́:rtʃənitli] 부 운 나쁘게도, 불행히도

please [pli:z] 동 기쁘게 하다

pleasure [plézʒər] 명 기쁨, 즐거움

pleasant [plézənt] 혱 즐거운

displease [displí:z] 동 불쾌하게 하다

displeasure [displézʒər] 명 불쾌

unpleasant [ʌnplézənt] 혱 불쾌한, 기분 나쁜

resistance [rizístəns] 명 저항, 반항

resistible [rizístəbl] 혱 저항할 수 있는

non-resistance 명 무저항

irresistible [ìrizístəbl] 혱 저항할 수 없는

the name of color

우리말은 색상을 나타낼 때 '살구색'이란 아름다운 표현을 쓰기도 한다. 색상을 표현할 때 식물, 과일, 물고기 같은 자연의 이름을 빌리면 기억하기 쉽다. 영어에서는 어떤 이름을 빌려 왔을까?

☐ **navy blue** 어두운 청색(dark blue) navy [néivi] 해군

　　　　　　　*영국 해군 수병의 제복에서 생긴 색 이름

☐ **royal blue** 보랏빛 짙은 청색(deep purplish blue) royal [rɔ́iəl] 왕의, 선명한

　　　　　　　*영국 왕가의 상징색으로 되어 있는 청색

☐ **marine blue** 녹색풍의 짙은 청색(deep greenish blue) marine [mərí:n] 바다의

　　　　　　　*marine은 해양, 선원 등을 의미하는 말로서 바다, 푸름에서 온 색 이름

☐ **mustard** 짙은 황색(deep yellow) mustard [mʌ́stəd] 겨자

　　　　　　　*겨자색

☐ **moss green** 짙은 황록색(dull yellow green) moss [mɔːs] 이끼

　　　　　　　*이끼(moss)의 색에서 유래된 말. 대개 칙칙한 황록색을 가리킴

☐ **violet** 보랏빛(vivid violet) violet [váiələt] 제비꽃, 보랏빛

　　　　　　　*제비꽃(violet)에서 유래된 색 이름으로 청색과 자색 중간의 청자색

☐ **salmon pink** 황색 빛이 나는 살구색(yellowish pink) salmon [sǽmən] 연어

　　　　　　　*살구색의 핑크. 황색 기미를 띤 핑크

☐ **straw** 엷은 황색(pale yellow) straw [strɔː] 볏짚, 지푸라기

　　　　　　　*마른 짚의 색. 칙칙한 연노랑

☐ **amber** 누런빛을 띤 갈색(yellowish brown) amber [ǽmbər] 호박

　　　　　　　*호박과 같은 색. 호박은 반투명의 지방질 광택을 띠며, 예부터 유럽과 아시아에서 장식품으로
　　　　　　　　사용한 귀중한 보석이었다.

접미사를 보면
어휘가 보인다

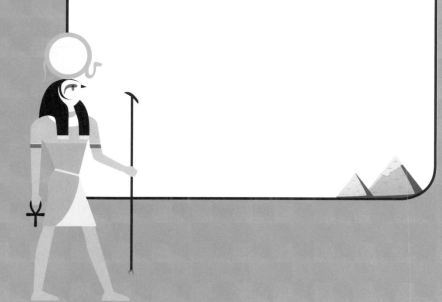

-down 아래

ups and **downs** 높낮이, 고저, 상하

ups and downs는 '높낮이, 고저, 기복, 상하'를 의미한다. up이 '들어 올리다, 상승, 오르막'을 의미하며, down이 '밑으로, 아래쪽에, 내려가는'을 나타낸다. 이러한 up과 down은 다른 어휘와 결합하여 다양한 표현을 만든다. up(위)과 down(아래)의 의미를 잘 기억하고 up과 down이 결합된 어휘의 뜻을 잘 유추해 보자.

Basic Words
- ☐ knock**down** [nákdàun] 몡 때려눕힘, 압도적인 것
- ☐ face**down** [féisdáun] 뭐 얼굴을 숙이고, 엎드려

---

shut**down**
[ʃʌ́tdàun]

몡 공장 폐쇄, 휴업
> a pipeline **shutdown** 송유관 폐쇄

break**down**
[bréikdàun]

몡 쇠약, 고장, 붕괴
> a nervous **breakdown** 신경쇠약

close**down**
[klóuzdàun]

몡 작업 정지, 공장 폐쇄
> during the period of the **closedown** 작업이 정지한 기간 동안

count**down**
[káuntdàun]

몡 (로켓 발사 등에서의) 초읽기, 카운트다운
> a seven-second **countdown** 7초 카운트다운(7부터 0까지 숫자를 거꾸로 셈)

stand-**down**

몡 중지, (일시적) 활동 중지
> a **stand-down** order 중지 명령

> **stand-up** 휑 서 있는; 정정당당한
> **standout** [stǽndàut] 몡 뛰어난 사람

slow**down**
[slóudàun]

몡 감속, (속도, 활동의) 둔화
> an economic **slowdown** 경기 후퇴

broken-**down**

휑 부서진, 파산한
> the **broken-down** car 부서진 차

let**down**
[létdàun]

몡 감소; 실망, 실망스러운 것
> a **letdown** in sales 판매량의 감소

-up 위

thumbs-**up** 승인, 찬성, 격려

thumb(엄지손가락)은 매우 중요한 기능을 하지만, 'He is all thumbs.'는 '매우 서투른' 사람을 의미한다. 손가락 다섯 개가 골고루 있어야 물건을 잡을 수 있는데, 손가락이 모두 엄지이므로 제 구실을 할 수 없다는 의미이다. 이 thumb이 thumbs-up이 되면 엄지를 추켜올리는 동작으로서, 찬성이나 격려를 의미한다. 반면, thumbs-down은 거절과 불찬성을 나타낸다. -up은 '위'를 의미하며, -down은 '아래'의 의미를 더해 준다.

Basic Words	□ pop-**up** 형 뻥하고 튀어 오르는
	□ grown-**up** 명 성인, 어른(= adult)
	□ back**up** [bǽkʌp] 명 뒷받침, 후원

build-**up**	명 형성, 증강, 강화 military **build-up** 군사력 증강
set-**up**	명 조립, 구성, 설정 the **set-up** program 설정 프로그램
make-**up**	명 1. 구성, 구조 2. 메이크업, 화장 the **make-up** of a committee 위원회의 구성
break**up** [bréikʌp]	명 해산, 붕괴, 종말 break up 끝내다; 끝나다; 무너뜨리다 the **breakup** of their marriage 결혼의 파경
pick-**up**	명 픽업(트럭), 소형 트럭; 개선, 호전 a **pick-up** truck (상품 집배용의) 소형 트럭
pull-**up**	명 턱걸이 pull up 잡아 뽑다; (차를) 멈추다; 중지하다 a **pull-up** bar 철봉 chin-up 명 턱걸이 push-up 명 팔 굽혀 펴기(=press-up) sit-up 명 윗몸 일으키기
mix-**up**	명 혼란, 혼동, 혼전 **mix-up** between the words 'than' and 'then' than과 then의 혼동

-off
1. (시·공간적으로) 떨어져   2. 분리하여
3. (일·근무를) 쉬어

play-off 정규 리그 후의 최종 우승팀을 가리는 경기

정규 리그를 끝낸 다음, 최종 우승 팀을 가리기 위해 별도로 치르는 경기를 play-off라고 한다. 처음에는 정규 시즌이 끝난 후 승률이 동점일 때 연장전의 개념으로 승자를 가리기 위해 치르는 별도의(off) 경기를 의미했기 때문에 play-off라고 불렸다. off는 떨어져 있고 연결이 끊어져 있음을 나타내므로, 다른 단어와 결합을 했을 때도 그 의미가 살아있다.

Basic Words
- cut-off 🕲 절단, 차단
- day off 🕲 쉬는 날

---

lay-off

🕲 일시 해고   lay 🕲 놓다
   a mass **lay-off** 대량 해고

---

take-off

🕲 출발, 이륙
   take-off speed 이륙 속도
   a smooth **take-off** 순조로운 이륙

---

trade-off

🕲 (특히 타협을 위한) 교환, 거래, 타협, 절충   trade 🕲 무역, 거래
   a **trade-off** between quality and quantity 질과 양 사이의 절충

---

payoff
[péià:f]

🕲 급료 지불, 보상
   a debt **payoff** 빚 청산

---

drop-off

🕲 감소, 하락
   a sharp **drop-off** 급격한 하락

   dropout [drápàut] 🕲 탈락, 탈락자

---

cast-off

🕲 버려진, 버림받은 🕲 헌 옷, 버림받은 물건[사람]
   cast-off clothes 안 입는 헌 옷

---

run-off

🕲 땅 위를 흐르는 빗물[지표수]
   run-off from the land 땅 위에 흐르는 빗물

DAY 24-1

-away 떨어져, 멀리

runaway 도망자

영화 제목으로 자주 등장하는 runaway(도망자)는 run(달리다)과 away(저 멀리)가 결합해서 '도망자'라는 새로운 표현을 만든 것이다. 동사와 전치사가 결합하여 별개의 명사를 만드는 예가 많다. 이 경우 각 어휘의 본래 의미가 새로운 어휘의 의미를 형성하는 데 중요한 역할을 한다. 자주 등장하는 표현에는 out(밖, 완전히), away(저 멀리, 따로 떼어낸), off(떼어낸, 붙지 않은, 꺼버린), over(너머로, 끝난, 위로)가 있다.

Basic Words	
□ giveaway [gívəwèi] 몡 1.증정품, 경품 2.(은연중에) 진실을 드러내는 것	
□ takeaway [téikəwéi] 몡 【영국】 사 가지고 가는 요리(= takeout)	
□ flyaway [fláiəwèi] 혱 바람에 날리기 쉬운	

throwaway
[θróuəwèi]

혱 사용 후 버리는 몡 광고 전단지
throwaway diapers 1회용 기저귀 *diaper 기저귀

castaway
[kǽstəwèi]

혱 난파한 몡 표류자 cast 통 던지다 *cast-cast-cast
a **castaway** ship 표류선

runaway
[rʌ́nəwèi]

혱 도망간 몡 도망자
runaway teenagers 가출 청소년

runway [rʌ́nwèi] 몡 통로; [항공] 활주로

towaway
[tóuəwèi]

혱 (주차 위반 차량의) 견인 tow 통 끌다, 견인하다
towaway zone 주차금지 지대 (위반 차량은 끌어감)

getaway
[gétəwèi]

몡 도망; 출발
a quick **getaway** 재빠른 도망
a **getaway** car 도주 차량

fadeaway
[féidəwèi]

몡 사라져 버림, 소실
the **fadeaway** of ice and snow 얼음과 눈이 녹아 사라짐

faraway
[fá:rəwèi]

혱 1. 먼 2. 꿈꾸는 듯한
a **faraway** cousin 먼 친척

-out 벗어나, 밖

takeout 1. 지출(持出), 꺼냄 2. 사 가지고 가는 요리

hamburger를 사면 "For here or to go?"라고 묻는다. '여기서 먹을래, 갖고 갈래'를 묻는 것이다. 이렇게 커피나 음식을 들고 나가는 것을 takeout이라고 하는데, -out은 '밖'을 의미한다. out이 동사와 결합하여 별개의 명사를 만든다. 이 경우 out 본래의 의미를 연상하여 암기하면 외우기 쉽고 오래 기억된다.

Basic Words

☐ **check**out [tʃékaut] 몡 (호텔의) 퇴실 절차; (기계의) 점검; 계산대

☐ **look**out [lúkàut] 몡 감시, 경계; 전망

☐ **pay**out [péiaut] 몡 지불(금)

---

dropout
[drápàut]

몡 탈락자, 중퇴자
high school **dropouts** 고교 중퇴자

handout
[hǽndàut]

몡 (가난한 사람들에게) 거저 주는 것, (정부의) 보조금; 배포 인쇄물, 유인물
ask for a **handout** 구호품을 청하다
receive a **handout** 유인물을 받다

layout
[léiàut]

몡 배치, 설계; (신문 · 잡지의) 페이지 배치, 레이아웃
the **layout** of the park 공원의 설계
the temple's **layout** 절의 배치

blackout
[blǽkàut]

몡 정전(停電), (무대의) 암전; 의식의 일시적 상실
suffer a **blackout** 의식을 잃다
power **blackouts** 정전

workout
[wə́ːrkàut]

몡 연습, 연습 경기; 격한 운동
a daily **workout** 매일 하는 연습
go to the gym for a **workout** 운동하러 헬스클럽에 가다

turnout
[tə́ːrnàut]

몡 1. (집회의) 출석자, 투표(자) 수 2. 생산액, 산출고
a large **turnout** at the meeting 모임의 많은 참석자
the annual **turnout** 연간 생산량

burnout
[bə́ːrnàut]

몡 타서 모두 없어짐, 연료 소진; 신경 쇠약
the **burnout** of the engine 엔진의 연료 소진
the symptoms of **burnout** 신경 쇠약 증세

-over 위로, 너머로

leftover 나머지, 잔존물, 흔적

남은 밥, 남은 음식, 찬밥, 밥찌꺼기 등은 귀에 익은 표현이다. 우리는 이러한 표현을 leftover로 나타 낸다. '먹다가 저 너머로 치워둔 음식'이란 의미이다. 즉, [남기다(leave)+너머로(over)]가 결합하여 만든 표현이다. eat up leftovers(남은 음식을 먹어 치우다), warm up leftovers(남은 음식을 데 우다), 남은 밥(leftover rice) 등의 표현에서 쉽게 의미를 유추할 수 있다.

Basic Words
- ☐ **crossover** [krɔ́(:)sòuvər] 명 크로스오버(활동이나 양식이 둘 이상의 영역에서 결합된 것)
- ☐ **lookover** [lúkòuvər] 명 검토, 대충 훑어 봄

leftover
[léftòuvər]

형 나머지, 잔존물, 흔적
eat **leftover** food 남은 음식을 먹다

pullover
[púlòuvər]

형 풀오버(단추가 없어서 머리부터 입는 스웨터)
wear a **pullover** 스웨터를 입다

changeover
[tʃéindʒòuvər]

형 (장치의) 전환, 변환
a **changeover** to energy-efficient lighting
에너지 효율적인 조명으로의 전환

rollover
[róulòuvər]

형 (자동차의) 전복 사고
the **rollover** accident 전복 사고

stopover
[stápòuvər]

형 도중하차; 잠시 방문
a brief **stopover** on his way 도중에 잠시 방문

takeover
[téikòuvər]

형 인계, 인수, 경영권 취득
a hostile **takeover** 적대적 인수 *hostile 적대적인
a foreign **takeover** 외국인의 인수

turnover
[tə́:rnòuvər]

형 회전, 이직률
the company's high **turnover** 그 회사의 높은 이직률

-er, -or ~하는 사람

hacker & cracker 해커(침입자)와 크래커(사이버 범죄자)

해커(hacker)는 동사 hack(마구 자르다)에 사람을 나타내는 접미사(-er)를 붙인 것이다. hacker는 '컴퓨터 시스템 구조를 알고 싶어 하는 사람들'을 뜻하며, 중국어로 '헤이 커(黑客·흑객)'이다. 이러한 '검은 손님'의 부정적인 뉘앙스는 해커보다 '크래커(cracker: 이익을 위해 사이버 범죄를 저지르는 사람)'란 말에 가깝다. 네이버(naver)는 navigate(항해하다)와 사람을 뜻하는 접미사 -or의 합성어인 navigator(항해자)의 변형이다.

Basic Words		
□ **employer** [implɔ́iər] 명 고용주, 사용자	employ 동 고용하다
□ **murderer** [mə́:rdərər] 명 살인자, 살인범	murder 동 살인하다 명 살인
□ **bricklayer** [bríkleiər] 명 벽돌공	brick 명 벽돌
□ **instructor** [instrʌ́ktər] 명 교사, 교관	instruct 동 가르치다, 훈계하다

plumber
[plʌ́mər]

명 배관공　plumb 동 배관 공사를 하다
hire a **plumber** 배관공을 고용하다

briber
[bráibər]

명 뇌물 주는 사람　bribe 동 뇌물을 주다 명 뇌물
punish the **briber** 뇌물 주는 사람을 벌하다

bride [braid] 명 신부, 새색시

beholder
[bihóuldər]

명 보는 사람, 구경꾼 = onlooker　behold 동 보다 = look at
in the eye of the **beholder** 제 눈에 안경

intruder
[intrú:dər]

명 침입자, 난입자　intrude 동 침입하다
a night **intruder** 야간 침입자

presider
[prizáidər]

명 사회자, 주재자　preside 동 사회를 보다
the opening ceremony **presider** 개회식 사회자

surfer
[sə́:rfər]

명 파도 타는 사람; 인터넷 검색하는 사람　surf 동 파도타기를 하다, 검색하다
a web **surfer** 인터넷 검색자

ranger
[réindʒər]

명 (공원이나 산림의) 경비원, 감시원　range 동 범위를 정하다, 돌아다니다
a forest **ranger** 산림 감시원

stalker
[stɔ́:kər]

몡 몰래 추적하는 사람 stalk 통 몰래 추적하다, 성큼성큼 걷다
the profile of a stalker 스토커의 프로필 *profile 윤곽

booster
[bú:stər]

몡 후원자; 부스터(로켓의 보조 추진 장치) boost 통 밀어 올리다, 밀어 주다
a booster rocket 보조 추진 로켓

hacker
[hǽkər]

몡 해커, 침입자 hack 통 거칠게 자르다, 베다
hacker attacks 해커의 공격

cracker
[krǽkər]

몡 1. 크래커 2. 사이버 범죄자 crack 통 부수다, 깨뜨리다
cracker packs 크래커 봉지
a computer cracker 컴퓨터 사이버 범죄자

prosecutor
[prá:səkjù:tər]

몡 기소자, 검찰관, 검사 prosecute 통 기소하다
the prosecutor's office 검찰청

navigator
[nǽvəgèitər]

몡 항해자, 비행사 navigate 통 항해하다, 비행하다
an Arctic navigator 북극 탐험가

predictor
[pridíktər]

몡 1. 예언자, 예보자 ⊜ prophet predict 통 예언하다
2. 앞으로 일어날 일을 보여주는 지표
an accurate predictor 정확한 예언가
a predictor of financial crises 경제적 위기를 예측할 수 있는 지표

predator [prédətər] 몡 약탈자, 육식 동물

director
[diréktər]

몡 지도자, 지휘자, 감독 direct 통 지시하다
a music director 음악 감독

successor
[səksésər]

몡 상속자, 후계자 succeed 통 계승하다; 성공하다
the successor to the throne 왕위 계승자

editor
[édətər]

몡 편집자, (신문의) 주필 edit 통 편집하다
a news editor (일간 신문의) 기사 편집자

inspector
[inspéktər]

몡 검사자, 조사관 inspect 통 조사하다
a ticket inspector in a uniform 제복 입은 검표원

-er ~하는 도구

sneaker 운동화

동사 sneak는 '몰래 걷다'를 나타낸다. 그래서 sneaker는 컴퓨터 정보 도둑이나 살금살금 걷는 사람을 의미하기도 하고, 운동화 밑바닥에 붙인 고무창으로 인해 발소리가 나지 않는 운동화를 의미하기도 한다. 특히, 캔버스 슈즈와 같으나 밑창이 고무로 된 것을 말한다. stroll(산책하다, 어슬렁어슬렁 걷다)을 기억하는 것보다 stroller(유모차)를 기억하는 것이, sneak를 기억하는 것보다 sneaker를 기억하는 것이 더 부담이 적다. 동사는 의미의 연상이 어렵지만 사물의 명칭이나 생활 도구는 쉽게 연상이 되기 때문이다.

Basic Words	
☐ **trailer** [tréilər] 명 (땅 위로) 끄는 것, 트레일러; 추적자	trail 동 (질질) 끌다, 뒤를 밟다
☐ **bomber** [bámər] 명 폭격기	bomb 동 폭탄을 투하하다
☐ **scanner** [skǽnər] 명 스캐너	scan 동 자세히 조사하다
☐ **stroller** [stróulər] 명 유모차 a baby stroller 유모차	stroll 동 산책하다, 방랑하다

purifier
[pjúərəfáiər]

명 정화 장치   purify 동 정화하다
an air **purifier** 공기 정화기

sneaker
[sníːkər]

명 (고무바닥) 운동화; 몰래 행동하는 사람   sneak 명 몰래[살금살금] 움직이다
a pair of basketball **sneakers** 농구 신발 한 켤레

sweeper
[swíːpər]

명 청소기, 청소부   sweep 동 청소하다, (먼지를) 쓸다
a vacuum **sweeper** 진공청소기

absorber
[əbsɔ́ːrbər]

명 흡수하는 물건, 흡수 장치   absorb 동 흡수하다, 빨아들이다
a shock **absorber** 충격 완화 장치

polisher
[páliʃər]

명 윤내는 기구, 광택제; 닦는 사람   polish 동 닦다, 광택을 내다
a shoe **polisher** 구두 광택제

bumper
[bámpər]

명 범퍼, 완충기, 충돌하는 것   bump 동 부딪치다, 충돌하다
a car **bumper** 차 범퍼

scrubber
[skrábər]

명 솔, 수세미   scrub 동 세게 문지르다
a bottle **scrubber** 병 닦는 솔

DAY 26-1

-ee ~당하는 사람

adoptee 양자; 채용[채택 · 선정]된 것

양부모(adopter)와 양자(adoptee)는 부모 자식 관계이다. 입양한 사람과 입양된 사람의 관계이므로 당연히 부모와 자식 사이인 것이다. -ee로 끝나는 표현은, -er, -or로 끝나는 반의어를 갖는다. 즉, 입양하는 사람(adopter)과 당하는 사람(adoptee)의 관계는 필연적인 관계이므로 두 표현이 존재하는 것이다. -ee로 끝나는 어휘는 -ee에 강세가 있으므로 -ee부분을 강하게 읽는다.

Basic Words
- □ **employee** [implɔ́iː] 명 종업원　employer 명 고용주　employ 통 고용하다
- □ **examinee** [igzǽmənìː] 명 수험자, 검사를 받는 사람　examine 통 검사하다
- □ **appointee** [əpɔintíː] 명 피임명자, 피지명인　appoint 통 지명하다

adoptee
[ədaptíː]

명 양자, 채용 · 선정된 것　adopt 통 채택하다
Korean **adoptees** 한국인 입양자들

absentee
[æ̀bsəntíː]

명 결석자, 부재자　absent 통 결석하다 [æbsént] 형 결석한 [ǽbsənt]
an **absentee** voter 부재자 투표하는 사람

nominee
[nàməníː]

명 후보로 지명된 사람, 임명된 사람　nominate 통 후보로 지명하다, 임명하다
the police chief **nominee** 경찰서장 지명자

refugee
[rèfjudʒíː]

명 피난민, 난민; 망명자, 도망자　refuge 명 피난, 은신처
a **refugee** camp 난민 수용소

trainee
[treiníː]

명 훈련생　train 통 훈련시키다
work as a **trainee** 훈련생으로 일하다

dischargee
[dìstʃɑːrdʒíː]

명 제대한 사람, (의무에서) 해방된 사람
discharge 통 (책임 · 의무에서) 해방시키다, 면제하다
a **dischargee** from the Air Force 공군에서 전역한 사람

donee
[douníː]

명 기증받는 사람 ↔ donor 기부자　donate 통 기부하다
kidney **donee** 신장을 기증받는 사람

tutee
[tjuːtíː]

명 개인 지도 교사의 지도를 받고 있는 학생
tutor 통 가정 교사로서 가르치다 명 가정 교사
a tutor and a **tutee** 가정 교사와 배우는 학생

-ant(-ent, -an) ~하는 사람

Protestant 신교도, 개신교도

목사님은 결혼을 하지만, 천주교의 신부님은 결혼을 하지 않는다. 루터가 "나는 나의 부인 카티를 프랑스나 베네치아와 바꾸지 않겠다."고 고백한 것처럼, 성직자의 결혼과 가정의 의미 부각은 프로테스탄티즘이 낳은 가장 두드러진 사회적 변화이다. 1525년 취리히에서 최초로 성직자의 결혼을 허용하는 법령이 제정된 후, 신성로마제국과 영국에서도 프로테스탄트 성직자들의 결혼권이 법적으로 승인되었다. 프로테스탄트란 '신교도, 개신교도'를 나타내는 말이며, '항거한다'는 말(protest)과 사람의 접미사(-ant)가 결합하여 나온 단어이다.

Basic Words	□ assist**ant** [əsístənt] 명 보조자	assist 동 돕다, 원조하다
	□ magic**ian** [mədʒíʃən] 명 마술사	magic 명 마법
	□ guard**ian** [gáːrdiən] 명 보호자, 수호자	guard 동 보호하다, 경계하다
	□ humanit**arian** [hjuːmænitɛ́əriən] 명 인도주의자	humanity 명 인류, 인간성

---

attendant
[əténdənt]

명 1. 시중드는 사람 2. 참석자, 출석자   attend 동 참석하다, 시중들다
a flight **attendant** 비행기 승무원
an **attendant** nurse 수행 간호사

---

applicant
[ǽplikənt]

명 응모자, 지원자, 신청자   apply 동 신청하다
a job **applicant** 구직 신청자

---

accountant
[əkáuntənt]

명 회계원, (공인) 회계사   account 명 계산, 셈, 청구서
a Certified Public **Accountant** 공인회계사(=CPA)

---

defendant
[diféndənt]

명 피고 ⇔ plaintiff 원고   defend 동 방어하다
the **defendant** company 피고 측 회사

> **dependent** [dipéndənt] 형 의지하고 있는, 의존하는

---

inhabitant
[inhǽbitənt]

명 1. 주민, 거주자 2. 서식 동물   inhabit 동 거주하다
the original **inhabitants** 원주민
the tribes and **inhabitants** of the forest 숲 속의 부족과 서식 동물

---

emigrant
[émigrənt]

명 (타국 · 타 지역으로 가는) 이주민   emigrate 동 이주해 가다
emigrants to Hawaii 하와이행 이주민

> **immigrant** [ímigrənt] 명 (타국에서 오는) 이주자, 이민자

descendant
[diséndənt]

명 자손, 후예　descend 동 내려가다 ↔ ascend
direct **descendants** 직계 후손

resident
[rézidənt]

명 거주자; 전문의(醫) 수련자　reside 동 거주하다
foreign **residents** 외국인 거주민

respondent
[rispándənt]

명 응답자　respond 동 응답하다
the total number of **respondents** 전체 응답자의 수

correspondent
[kɔ̀(ː)rəspándənt]

명 (신문·방송) 특파원, 통신원　correspond with ~와 통신하다
a war **correspondent** 종군 기자

opponent
[əpóunənt]

명 (경기·논쟁 따위의) 적, 상대　oppose 동 반대하다
a political **opponent** 정치적 적수

vegetarian
[vèdʒətériən]

명 채식주의자　vegetable 명 채소, 식물
vegetarian dishes 채식주의자 요리

veterinarian
[vètərinériən]

명 수의사 = vet　veterinary 형 수의학의
a licensed **veterinarian** 면허가 있는 수의사

civilian
[sivíljən]

명 일반 국민　civil 형 시민의
a government-**civilian** committee 정부와 민간인으로 구성된 위원회
civilian clothes 평복, 민간인 복장
civilian control 문민(文民) 통제; 문민 통치[지배]

librarian
[laibrériən]

명 도서관 직원　library 명 도서관
a school **librarian** 학교 도서관 사서

physician
[fizíʃən]

명 내과 의사, 《미국》 의사 = doctor
consult a **physician** 의사의 진찰을 받다

surgeon [sə́ːrdʒən] 명 외과 의사
pediatrician [piːdiətríʃən] 명 소아과 의사

tyrant
[táirənt]

명 폭군, 압제자　tyranny 명 폭정, 전제 정치
a cruel **tyrant** 잔인한 폭군

-tive(-ary) ~하는 사람

detector & detective 탐지기와 탐정

명탐정 셜록 홈스는 의뢰자의 요청에 따라 사건, 사고, 정보 등을 조사하는 민간 조사원이다. 탐정은 detective 또는 private investigator로 표현하며, 한국에서는 주로 민간 조사원이라는 이름으로 활동하고 있다. 대부분 -tive로 끝나는 어휘는 형용사이지만, detective, executive, relative처럼 몇몇 어휘는 사람을 나타내는 접미사로 사용되기도 한다.

Basic Words
- ☐ **cap**tive [kǽptiv] 몡 사로잡힌 사람, 포로; 노예
- ☐ **secret**ary [sékrətèri] 몡 비서

---

conservative
[kənsə́:rvətiv]

몡 보수주의자 몡 보수적인   conserve 통 보존하다
a political **conservative** 정치적 보수주의자

> **progressive** [prəgrésiv] 몡 진보주의자

detective
[ditéktiv]

몡 탐정, 형사   detect 통 탐지하다
a private **detective** 사립 탐정

executive
[igzékjutiv]

몡 행정 기관의 장, (사장, 중역, 지배인 등) 관리직
a business **executive** 회사 간부

representative
[rèprizéntətiv]

몡 대표자   represent 통 대표하다
the sales **representative** 영업 사원

relative
[rélətiv]

몡 친척 몡 상대적인, 관련 있는   relate 통 관련시키다
a distant **relative** 먼 친척

missionary
[míʃənèri]

몡 전도사, 선교사   mission 몡 전도, 선교, 임무
a foreign **missionary** 외국 선교사

beneficiary
[bènəfíʃièri]

몡 수익자, (연금·보험금의) 수령인   benefit 몡 이점, 이익
the **beneficiary** of the foreign investment 외국인 투자의 수혜자

intermediary
[ìntərmí:dièri]

몡 중개자; 매개물
intermediate [ìntərmí:diət] 몡 중간의, 중급의 몡 중재인, 중급자
[ìntərmí:dièit] 통 중개하다, 중재하다
an insurance **intermediary** 보험 중개사

92

DAY 27 ·2

접미사가 없는 '사람' ~하는 사람
hare and heir 산토끼와 상속인

이솝 우화 중 하나인 「토끼와 거북이」는 Rabbit and Turtle이 아니라, Hare and Tortoise로 표현한다. 여기서 hare는 산토끼이다. hare[hɛər]와 heir[ɛər]는 형태가 비슷하지만, heir는 '상속인'을 나타내는 표현이다. 접미사(-er, -or, -ee, -ant 등)를 사용하지 않고 사람을 나타내는 표현들을 모아 두었다. 흔히 암기하기 까다롭다고 불평하는 어휘들이다.

Basic Words
- ☐ **critic** [krítik] 명 비평가, 평론가, 감정가
- ☐ **client** [kláiənt] 명 의뢰인, 고객
- ☐ **suspect** [sʌ́spekt] 명 혐의자, 용의자
- ☐ **athlete** [ǽθliːt] 명 운동선수, 경기자
- ☐ **associate** [əsóuʃiət] 명 동료, 한패

addict
[ǽdikt / ədíkt]
명 중독자; 열광적인 애호자 동 중독시키다 addiction 명 중독
a drug **addict** 마약[약물] 중독자

heir
[ɛər]
명 상속인, 법정 상속인 동 상속하다
the **heir**-at-law 법정 상속인

witness
[wítnis]
명 증언, 목격자 동 목격하다, 증언하다
a **witness** to the accident 그 사건의 목격자

peer
[piər]
명 동료, 동등한 사람
a **peer** group 동년배 집단

advocate
[ǽdvəkət / ǽdvəkèit]
명 옹호자, 주창자 동 옹호하다
an **advocate** of peace 평화론자

prophet
[práfit]
명 예언자 prophesy 동 예언하다
the **prophet** Mohammed 예언가 모하메드

surgeon
[sə́ːrdʒən]
명 외과 의사
a plastic **surgeon** 성형외과 의사

surgery [sə́ːrdʒəri] 명 외과, 수술

candidate
[kǽndidèit]
명 후보자, 지원자, 지망자 (for)
a presidential **candidate** 대통령 후보자

subject
[sʌ́bdʒikt]

명 국민, 신하; 피(被)실험자, 실험 대상자
a British **subject** 영국 국민
rulers and **subjects** 지배자와 피지배자
male **subjects** for the experiment 실험에 참여한 남성 대상자들

apprentice
[əpréntis]

명 수습(공), 실습생, 초보자 ⊜ beginner
an **apprentice** chef 수습 요리사

patriot
[péitriət]

명 애국자　**patriotic** 형 애국적인
a glowing **patriot** 열렬한 애국자
the Ministry of **Patriots** and Veterans Affairs 국가 보훈처

juvenile
[dʒúːvənàil]

명 소년 소녀, 아동, 청소년 형 청소년의
juvenile literature 아동 문학

personnel
[pə̀ːrsənél]

명 전 직원, 인원; 인사부
a **personnel** division 인사부
a **personnel** manager 인사 담당 이사

> **personal** [pə́ːrsənəl] 형 개인의, 인격적인

criminal
[krímənəl]

명 범인, 범죄자
a war **criminal** 전쟁 범죄자

agent
[éidʒənt]

명 대행자, 대리인
an estate **agent** 부동산 중개인
an insurance **agent** 보험 대리점

patron
[péitrən]

명 1. 후원자 ⊜ sponsor　2. 고객, 단골손님 ⊜ client, customer
a **patron** of the arts 예술의 후원자
a theater **patron** 관객

astronaut
[ǽstrənɔ̀ːt]

명 우주 비행사
the first **astronaut** on the moon 달에 착륙한 최초의 우주 비행사

pirate
[páiərət]

명 1. 해적　2. 표절자, 저작권 침해자
a **pirate** ship 해적선
a **pirate** publisher 해적판 출판자

dwarf
[dwɔːrf]

명 난쟁이
Snow White and the Seven **Dwarves** 백설공주와 일곱 난쟁이

-er 사람이나 도구의 표현이 아니다!

copper 구리

로보캅(Robocop)은 Robot＋Cop의 합성어이다. cop은 copper(구리)에서 따온 말로서, 경찰 가슴에 달린 구리로 만든 경찰 마크를 지칭하면서 비꼬는 표현이 되었다. copper처럼 -er로 끝나지만, 사람을 나타내는 접미사가 아닌 표현들이 있다. 앞에 등장하는 사람을 나타내는 접미사 -an, -ant, -er, -or 등과 혼동을 줄이기 위한 어휘들이다.

Basic Words

- □ copp**er** [kápər] 명 구리, 동(銅), 동전
- □ East**er** [íːstər] 명 부활절
- □ glaci**er** [gléiʃər] 명 빙하
- □ timb**er** [tímbər] 명 목재

---

encounter
[inkáuntər]

명 우연한 만남　동 ~와 우연히 만나다, 마주치다
encounter an old friend 옛 친구를 우연히 만나다
an **encounter** with an enemy 적과 우연한 만남

whisper
[hwíspər]

동 속삭이다
Don't yell; **whisper**. 고함치지 마라. 속삭여라.

semester
[səméstər]

명 (1년 2학기제 대학의) 한 학기, 반 학년
tuition per **semester** 학기당 수업료

register
[rédʒistər]

명 기록부, 등록부　동 등록하다　registration 명 등록
register new students 신입생을 학적에 올리다
register for a course 수강 신청하다

barter
[báːrtər]

동 물물교환하다, 교역하다　명 바터, 물물 교환
exchange and **barter** 물물 교환

charter
[tʃáːrtər]

명 1. 헌장, 선언서　2. (버스 · 비행기의) 전세(기)
the United Nations' **Charter** 유엔 헌장
regular **charter** flights 정기 전세 비행기

alter
[ɔ́ːltər]

동 (모양, 성질 등을) 바꾸다, 변경하다　alteration 명 변경
alter for the better 개선하다, 좋아지다

altar [ɔ́ːltər] 명 제단; 제대(祭臺)

95

wither
[wíðər]

图 시들다, 말라 죽다, 쇠퇴하다
wither and die 시들어 죽다
withered flowers 시든 꽃

ponder
[pándər]

图 숙고하다, 깊이 생각하다
ponder this question 이 문제를 곰곰이 생각하다

administer
[ədmínistər]

图 관리하다, 지배하다　administration 图 관리, 경영, 행정
administer the committee 위원회를 운영하다

shiver
[ʃívər]

图 (추위, 흥분 따위로) 와들와들 떨다 目 tremble
shiver with cold 추위로 덜덜 떨다

chamber
[tʃéimbər]

图 방, 침실
the four **chambers** in the heart 심장 안의 4개의 방
the Lower **Chamber** and Upper **Chamber** 하원과 상원

crater
[kréitər]

图 (화산의) 분화구
craters on the moon's surface 달 표면의 분화구

steer
[stiər]

图 키를 잡다, 조종하다
steer a ship westward 배를 서쪽으로 돌리다
a **steering** wheel 운전대

embroider
[imbrɔ́idər]

图 자수하다, 수를 놓다
a scarf **embroidered** in red thread 붉은 실로 수놓은 스카프

linger
[líŋgər]

图 오래 머무르다, 떠나지 못하다
linger to say goodbye 작별 인사 하느라 떠나지 못하다

slaughter
[slɔ́:tər]

图 1. 도살 目 butchering　2. 대량 학살 目 massacre
the cruel **slaughter** of whales 잔인한 고래의 도살

blunder
[blʌ́ndər]

图 큰 실수 图 실수를 범하다
commit a **blunder** 큰 실수를 하다

-tive 형용사가 아니라 명사입니다

to-infinitive to부정사

to부정사는 동사의 변형 형태이지만, 역할이 다양하여 의미를 별도로 정할 수 없을 정도이기에 부정사(不定詞)로 부른다. -tive는 일반적으로 형용사를 만드는 접미사로 사용된다. 하지만, 사람을 나타내는 접미사로도 쓰이며, 다음과 같이 명사를 만드는 접미사로 사용되기도 한다. 아주 극소수의 어휘들만이 이에 해당된다. 그래서 문맥상 objection과 objective 중 하나를 선택하는 형태의 혼동 어휘 문제로 자주 등장한다.

Basic Words

□ **infinitive** [infínitiv] 명 부정사(不定詞)　　　　　infinite 형 무한한

□ **motive** [móutiv] 명 동기, 행위의 원인

□ **incentive** [inséntiv] 명 자극, 유인, 장려금

---

initiative [iníʃiətiv]
형 시작, 주도권, 발의권　initiate 통 시작하다, 개시하다
take the **initiative** 솔선하다, 주도권을 쥐다

narrative [nǽrətiv]
형 이야기의　명 이야기, 화술　narrate 통 이야기하다, 서술하다
in **narrative** form 이야기의 형식으로

objective [əbdʒéktiv]
명 목표, 목적(물)　형 객관적인
achieve **objectives** 목표를 달성하다

objection [əbdʒékʃən] 명 반대; 반론

perspective [pərspéktiv]
명 1. 관점, 견해　2. 원근법
from a historical **perspective** 역사적인 관점에서

preservative [prizə́:rvətiv]
명 방부제　preserve 통 보전하다, 유지하다
a food **preservative** 식품 방부제

additive [ǽdətiv]
명 부가물, 첨가제　add 통 더하다
food **additives** 음식에 넣는 첨가제

locomotive [lòukəmóutiv]
명 기차　형 이동하는, 운동성의
the steam-powered **locomotive** 증기 기관차

-fy ~하게 하다

purify water 물을 정화하다

정수기를 water purifier라고 한다. 여기서 purify는 형용사 pure(순수한)에 동사형 접미사 -fy를 붙인 것이다. 우리말은 명사에 '~하다'를 붙이고, 형용사에는 '~하게 하다' 붙이면 동사형이 되지만, 영어에서는 -fy, -en, -ate, -ize 등의 다양한 접미사를 이용한다. 중요한 것은 이러한 동사형 접미사와 함께 형용사나 명사를 동시에 암기하는 것이다.

Basic Words		
☐ justify [ʤʌ́stəfài] 통 정당화하다	justification 명 정당화
☐ unify [júːnəfài] 통 통합하다	unification 명 통합
☐ simplify [símpləfài] 통 단순화하다, 단일화하다	simplification 명 단순화
☐ terrify [térəfài] 통 놀라게 하다	terror 명 공포, 두려움
☐ clarify [klǽrəfài] 통 (의미, 견해를) 분명하게 하다	clarification 명 명시, 해명
☐ signify [sígnəfài] 통 나타내다, 알리다	signification 명 의미, 표시

identify
[aidéntəfài]

통 확인하다, 동일시하다　identification 명 신분 확인, 신분 증명
identify his face 그의 얼굴을 알아보다
identify handwriting 필적을 감정하다

classify
[klǽsəfài]

통 분류하다　class 명 종류, 부류
classify books by subject 책을 주제별로 분류하다

purify
[pjúrəfài]

통 깨끗이 하다, 정화하다　pure 형 순수한
purify water 물을 정화하다

testify
[téstəfài]

통 증명하다, 입증하다
testify to a fact 사실을 증명하다
testify in court 법정에서 증언하다

horrify
[hɔ́ːrəfài]

통 두렵게 하다　horror 명 공포
be **horrified** at the news 소식을 듣고 두려워하다

modify
[mádəfài]

통 수정하다　modification 명 수정
modify one's direction 방향을 바꾸다

notify
[nóutəfài]

통 통지하다, 알리다　notification 명 통지
notify the police (of a crime) (범죄를) 경찰에 알리다

intensify
[inténsəfài]

동 강화하다　intense 형 강렬한
intensify one's efforts　노력을 강화하다

diversify
[daivə́:rsəfài]

동 다양화하다　diverse 형 다양한
diversify its energy sources　에너지원을 다변화하다

gratify
[grǽtəfài]

동 기쁘게 하다, 만족시키다　= satisfy　gratification 명 만족
gratify one's desire　욕망을 만족시키다
gratify one's hunger　배고픔을 채우다

specify
[spésəfài]

동 일일이 열거하다, 자세히 쓰다　specific 형 특정한
specify the members by name　회원 이름을 명시하다

solidify
[səlídəfài]

동 응고시키다, 굳히다　solid 명 고체
solidify one's position　지위를 굳히다

magnify
[mǽgnəfài]

동 (렌즈 따위로) 확대하다, 과장하다
magnify an object　물체를 확대하다

certify
[sə́:rtəfài]

동 증명하다, 보증하다　certification 명 증명, 보증
certify the truth　사실임을 증명하다
certification of payment　지불 보증, 납부 증명

verify
[vérəfài]

동 진실임을 증명하다　verification 명 확인, 검증
verify the schedule　일정을 확인하다
verify one's claims　주장의 진실을 증명하다

qualify
[kwáləfài]

동 자격을 주다, 자격을 얻다　qualification 명 자격
qualify as a teacher　교사가 되는 자격을 얻다

-en ~하게 하다

frighten a cat 고양이를 놀라게 하다

mountain [máunt(ə)n]을 발음할 때 미국인들은 '마운언'과 가깝게 발음한다. 마찬가지로 frighten에서 동사를 만드는 접미사 -en의 발음이 '-언'으로 들리는 것은 파열음(p, t, k 등)의 강한 음을 약하게 발음하는 경향 때문이다. frighten은 [fright두려움＋en동사]으로 이루어졌으며, '두렵게 하다'의 의미이다. 여기서는 동사를 만드는 접미사로서 -en의 예를 제시한다.

Basic Words

- [ ] hasten [héisn] 통 서두르다   haste 명 서두름
- [ ] worsen [wə́:rsn] 통 악화시키다   worse 형 더 나쁜, 악화된
- [ ] frighten [fráitn] 통 두려워하다   fright 명 공포
- [ ] shorten [ʃɔ́:rtn] 통 짧게 하다   short 형 짧은
- [ ] threaten [θrétn] 통 협박하다, 위협하다   threat 명 위협

---

lengthen
[léŋkθən]

통 길게 하다   length 명 길이
lengthen one's skirt 치마 길이를 늘이다

strengthen
[stréŋkθən]

통 강하게 하다   strength 명 힘
strengthen one's upper body 상체를 강화하다

harden
[há:rdn]

통 굳게 하다, 단단하게 하다   hard 형 단단한
harden the chocolates 초콜릿을 단단하게 하다

heighten
[háitn]

통 높게 하다   height 명 높이
heighten the risk of cancer 암의 위험을 높이다

lessen
[lésn]

통 줄이다   less 형 덜, 더 적은
lessen the impact 충격을 줄이다

> **lesson** [lésn] 명 학과, 수업

fasten
[fǽsn]

통 묶다, 붙들어 매다   fast 형 빠른; 단단한, 고정된
Fasten your seat belts. 안전벨트를 착용하시오.

deafen
[défn]

통 귀 멀게 하다   deaf 형 귀가 먼
be **deafened** by the noise 소음 때문에 귀가 들리지 않다

DAY 30-1

-ize ~화하다

fertilize the soil 땅을 비옥하게 만들다

비료를 '땅을 비옥하게 만드는 물질이나 수단'으로 풀어서 설명한다면 그것이 바로 fertilizer이다. 주요한 파생어를 동시에 정리하여 기억하는 것도 어휘 확장의 비결이다.
*fertile(비옥한) ⇒ fertilize(비옥하게 만들다) ⇒ fertilizer(비료)
이렇게 동사형을 알아야 어휘력이 풍부해지고 다양한 의미로 발전할 수 있다. 동사형을 만드는 '-ize'는 형용사나 명사 뒤에 붙여 '~화하다, ~하다, ~되다'의 뜻을 지니는 동사를 만든다.

Basic Words

☐ **equalize** [íːkwəlàiz] 통 같게 하다   equal 형 동등한, 같은
☐ **stabilize** [stéibəlàiz] 통 안정화하다   stable 형 안정된
☐ **generalize** [dʒénərəlàiz] 통 일반화하다   general 형 일반적인
☐ **civilize** [sívəlàiz] 통 문명화하다   civil 형 시민의, 문명의
☐ **hospitalize** [háspitəlàiz] 통 입원시키다   hospital 명 병원

fertilize
[fə́ːrtəlàiz]
통 비옥하게 하다, 수정시키다   fertile 형 비옥한
fertilize the soil 토지를 비옥하게 하다

emphasize
[émfəsàiz]
통 강조하다   emphasis 명 강조
emphasize the importance 중요성을 강조하다

neutralize
[njúːtrəlàiz]
통 중립화하다, 중성화하다   neutral 형 중립의
neutralize stomach acid 위산을 중성화하다

modernize
[mádərnàiz]
통 현대화하다   modern 형 현대의
modernize the facility 시설을 현대화하다

organize
[ɔ́ːrgənàiz]
통 조직화하다   organ 명 조직, 유기체
organize a meeting 회의를 준비[조직]하다

industrialize
[indʌ́striəlàiz]
통 산업화하다   industrial 형 산업의
industrialize the agrarian society 농경 사회를 산업화하다
*agrarian 농업의; 토지의

colonize
[kálənàiz]
통 식민지화하다, 개척하다   colony 명 식민지
colonize these islands 이 섬들을 식민지화하다

-ate ~하게 하다

calculate the cost 비용을 계산하다

접미사 -ate는 형용사를 만들기도 하지만, 대부분 동사를 만드는 역할을 한다. calculator는 계산을 해결해 주는 계산기이다. 특히, '전자계산기'는 electronic calculator로 표현한다. calculate의 -ate는 형용사나 명사 뒤에 붙어 '~하다, ~되다'의 뜻을 지니는 동사를 만든다.

Basic Words		
□ **originate** [ərídʒənèit] 통 시작하다, 유래하다	origin 명 기원, 유래
□ **captivate** [kǽptəvèit] 통 마음을 사로잡다	captive 명 포로
□ **animate** [ǽnəmèit] 통 생기를 주다	animal 명 동물
□ **necessitate** [nəsésitèit] 통 필요로 하다	necessary 형 필요한

regulate
[régjulèit]

통 통제하다, 조절하다　regulation 명 통제
regulate temperature 온도를 조절하다

concentrate
[kánsəntrèit]

통 1. 집중하다　2. 농축하다　concentration 명 집중
concentrate one's energies on …에 모든 정력을 집중하다
concentrate fruit juice 과즙을 농축하다

donate
[dóuneit]

통 기부하다　donation 명 기부
donate blood 헌혈하다
donate a million dollars 백만 달러를 기부하다

nominate
[námənèit]

통 지명하다　nomination 명 지명
nominate candidates for the elections
선거에 출마할 후보를 지명하다

coordinate
[kouɔ́ːrdənèit]

통 통합하다, 조정하다　coordination 명 통합
coordinate policy 정책을 조정하다

decorate
[dékərèit]

통 장식하다　decoration 명 장식
decorate a room with flowers 방을 꽃으로 장식하다

dominate
[dámənèit]

통 지배하다　domination 명 지배
dominate the local market 현지 시장을 지배하다

calculate
[kǽlkjulèit]

통 계산하다　calculation 명 계산
calculate the total cost 전체 비용을 계산하다

eliminate
[ilímənèit]

⑤ 제거하다　elimination ⑲ 제거
eliminate waste 불순물을 제거하다

alternate
[ɔ́:ltərnèit]

⑤ 교대[교체]하다　alternation ⑲ 교대
alternate with each other 서로 교대하다

fascinate
[fǽsənèit]

⑤ 매혹시키다 ⊜ attract　fascination ⑲ 매혹
fascinate an audience 청중을 매료시키다

domesticate
[dəméstikèit]

⑤ (동물 따위를) 길들이다　domestic ⑱ 가정의, 길들여진
domesticate wolves as pets 늑대를 애완동물로 길들이다

contaminate
[kəntǽmənèit]

⑤ 오염시키다　contamination ⑲ 오염
contaminate a river with sewage 하수로 강을 오염시키다

appreciate
[əprí:ʃièit]

⑤ 감사하다, 진가를 인정하다
appreciate one's kindness 친절에 감사를 표하다
appreciate the value 가치를 인정하다

depreciate [diprí:ʃièit] ⑤ 평가 절하하다, 가치를 떨어뜨리다

associate
[əsóuʃièit]

⑤ 관련시키다, 연상시키다　association ⑲ 연합, 관련, 연상
be **associated** with global warming 지구 온난화와 연관이 있다
associate me with that incident 나를 그 사건과 관련시키다

illuminate
[ilú:mənèit]

⑤ (~에) 불을 비추다, 밝게 하다, 조명하다　illumination ⑲ 조명
illuminate parking lots at night 밤에 주차장을 밝게 비추다

hesitate
[hézitèit]

⑤ 주저하다, 망설이다　hesitation ⑲ 주저함, 망설임
hesitate before replying 대답을 하기 전에 망설이다
without the slightest **hesitation** 전혀 망설임 없이

designate
[dézignèit]

⑤ 지명하다, 지정하다　designation ⑲ 지명, 지정
designate a successor 후계자를 지명하다

-al 형용사형 접미사

virtual studio 가상 스튜디오

뉴스가 끝난 뒤, 일기 예보 장면에서는 지역별 날씨를 보여 주기 위해 화면에 보이는 배경과 아나운서의 실제 위치가 다른 가상 스튜디오(virtual studio)를 사용한다. virtual은 상반되는 두 의미(1. 실제의 2. 가상의)를 동시에 갖는다. 이러한 혼동되는 어휘는 자주 사용되는 연결 표현을 익혀두어야 한다. virtual defeat(사실상 패배)와 virtual studio(가상 스튜디오)처럼 말이다. -al은 명사를 만드는 접미사로 사용되기도 하지만, 형용사를 만드는 접미사로도 사용된다.

Basic Words

☐ **accidental** [æ̀ksidéntl] 형 우연한   accident 명 우연, 사고
☐ **essential** [əsénʃəl] 형 본질적인   essence 명 본질
☐ **commercial** [kəmə́:rʃəl] 형 상업의   commerce 명 상업
☐ **horizontal** [hɔ̀(:)rəzántl] 형 수평적인   horizon 명 수평선
☐ **racial** [réiʃəl] 형 인종의   race 명 인종

---

brutal
[brú:tl]

형 잔인한, 야만적인   brute 명 야수, 짐승 같은 사람
a **brutal** dictator 잔인한 독재자

neutral
[nú:trəl]

형 중립의, 중성의
a **neutral** nation 중립국

continental
[kàntənéntl]

형 대륙의   continent 명 대륙
a **continental** climate 대륙성 기후

fatal
[féitl]

형 치명적인, 운명의   fate 명 운명
a **fatal** disease 치명적인 병

virtual
[və́:rtʃuəl]

형 1. 실제상의, 실질적인 2. 가상의   virtually 부 1. 사실상, 거의 2. 가상으로
a **virtual** defeat 사실상의 패배
virtual studio 가상 스튜디오

financial
[fainǽnʃəl]

형 재정상의   finance 명 재정
financial difficulties 재정난

literal
[lítərəl]

형 문자의; 글자 그대로의   literally 부 글자 그대로
literal translation 직역

-ic(-ical) 형용사형 접미사

economic(경제의)과 economical(절약하는)

형용사를 만드는 접미사로서 -ic, -ical의 의미 차이는 없다. 다만, -ic, -ical로 끝나는 형용사는 -ic, -ical의 바로 앞 음절에 강세가 있다. 그래서 명사와 형용사의 발음에 주의해야 듣고 말하는 데 실수하지 않는다. 그러나 economy는 서로 다른 의미를 지닌 economic(경제의)과 economical(절약하는)의 파생어 형용사가 있다. 이러한 어휘는 economic growth, economical wife의 형태로 기억하면 혼란을 줄일 수 있다.

Basic Words	
□ systematic [sìstəmǽtik] 형 체계적인	system 명 체계
□ energetic [ènərdʒétik] 형 활동적인	energy 명 에너지
□ scientific [sàiəntífik] 형 과학적인	science 명 과학
□ symbolic [simbálik] 형 상징하는, 기호의	symbol 명 상징
□ logical [ládʒikəl] 형 논리적인	logic 명 논리

medical
[médikəl]

형 의학의　medicine 명 약, 의학
Harvard **Medical** School 하버드 의과 대학

typical
[típikəl]

형 전형적인　type 명 유형, 전형
a **typical** Korean breakfast 전형적인 한국의 아침 식사

grammatical
[grəmǽtikəl]

형 문법의　grammar 명 문법
correct **grammatical** errors 문법적인 실수를 정정하다

biological
[bàiəládʒikəl]

형 생물학의　biology 명 생물학
one's **biological** clock 생체 시계
his **biological** father 그의 친아버지

identical
[aidéntikəl]

형 동일한, 일란성의　identify 통 확인하다; 동일시하다
identity 명 동일성, 본인임, 주체성　identification 명 확인
identical twins 일란성 쌍둥이
an **identification** card 신분증(ID카드)

theoretical
[θì(:)ərétikəl]

형 이론상의　theory 명 이론
theoretical physics 이론 물리학

mechanical
[məkǽnikəl]

형 기계적인　machine 명 기계
convert **mechanical** energy into electrical energy
기계적 에너지를 전기 에너지로 바꾸다

periodical
[pìriádikəl]

혱 주기적인　period 몡 기간
periodical changes　시대적 변천, 주기적 변화

skeptical
[sképtikəl]

혱 의심 많은, 회의적인　skepticism 몡 회의론
skeptical scientists　의심 많은 과학자
a **skeptical** view　회의적 시각

optical
[áptikəl]

혱 눈의, 광학(상)의　optics 몡 광학(光學)
an **optical** instrument　광학 기기

> **optimal** [áptəməl] 혱 최적의, 최선의

radical
[rǽdikəl]

혱 근본적인, 급진적인
a **radical** change　근본적 변화
the **radical** party　급진당

cynical
[sínikəl]

혱 냉소적인
a **cynical** smile on one's face　얼굴에 비치는 냉소

diplomatic
[dìpləmǽtik]

혱 외교의　diplomat 몡 외교관
diplomatic relations　외교 관계

enthusiastic
[inθù:ziǽstik]

혱 열광적인　enthusiasm 몡 열광, 열정
enthusiastic applause　열렬한 박수
enthusiastic welcome　열광적인 환영

characteristic
[kὰrəktərístik]

혱 특성을 이룬　character 몡 특성
the **characteristic** taste of our food　우리 음식 특유의 맛

organic
[ɔ:rgǽnik]

혱 유기체의; 유기적
organic farming　유기 농업

ironic
[airánik]

혱 반어적인　irony 몡 아이러니
an **ironic** comment　빈정대는 듯한 평

aesthetic
[esθétik]

혱 미(美)의, 미술의　aesthetics 몡 미학
one's **aesthetic** sense　미적 감각

DAY 32-1

-able(-ible) 형용사형 접미사

edible mushroom 식용 버섯

장미에 가시가 있듯이, 색이 아름다운 버섯은 대부분 독버섯(poisonous mushroom)이다. 반면, 식용 버섯(edible mushroom)은 아름다움과 거리가 멀다. 이러한 연어 표현에 등장하는 edible 은 eat의 형용사형이지만, 형용사형이 원래의 동사형과는 그 형태가 다르다. 여기서 -able, -ible는 can(할 수 있다)의 의미를 나타낸다.

eat — edible 먹다 — 식용의   carry — portable 나르다 — 휴대할 수 있는
see — visible 보다 — 눈에 보이는   hear — audible 듣다 — 들리는

Basic Words		
☐ audible [ɔ́:dəbl] 형 들리는	hear 동 듣다
☐ edible [édəbl] 형 식용의	eat 동 먹다
☐ horrible [hɔ́(:)rəbl] 형 무서운	horror 명 공포
☐ terrible [térəbl] 형 무서운	terror 명 공포

charitable
[tʃǽrətəbl]

형 자선의, 자비로운   charity 명 자비
charitable organizations 자선 단체

remarkable
[rimá:rkəbl]

형 주목할 만한   remark 동 주목하다
a **remarkable** achievement 놀랄 만한 업적

admirable
[ǽdmərəbl]

형 감탄할 만한, 훌륭한   admire 동 감탄하다
an **admirable** teacher 훌륭한 선생님

lamentable
[lǽməntəbl]

형 한탄스러운, 슬퍼할   lament 동 한탄하다
lamentable results 한탄스러운 결과

miserable
[mízərəbl]

형 불쌍한, 비참한   misery 명 불행
a **miserable** state 비참한 상태

eligible
[élidʒəbl]

형 적임의, ~할 자격이 있는
an **eligible** man for mayor 시장직 적임자

honorable
[ánərəbl]

형 명예로운; 존경할 만한   honor 명 명예
an **honorable** position 명예로운 지위

-ous 형용사형 접미사

Be ambitious! 야망을 가져라!

ambitious는 ambiguous와 많이 혼동된다. 그렇다면 연결 표현인 연어가 특효약이다. 연결 표현, 즉 연어는 학급 분위기가 좋으면 덩달아 열심히 하는 집단 효과를 만들어 낸다. Boys, be ambitious!(젊은이여, 야망을 가져래)와 ambiguous answer(모호한 대답)를 기억하는 것이 하나의 해결책이다.

Basic Words		
☐ **poisonous** [pɔ́iznəs] 형 유독성의, 독을 함유한	poison 명 독(약)
☐ **courageous** [kəréidʒəs] 형 용기 있는	courage 명 용기
☐ **religious** [rilídʒəs] 형 종교(상)의, 종교적인	religion 명 종교
☐ **mysterious** [mistíəriəs] 형 신비한	mystery 명 미스터리

---

nervous
[nə́:rvəs]

형 신경의, 신경질의   nerve 명 신경
a **nervous** breakdown 신경 쇠약

desirous
[dizáiərəs]

형 원하는, 열망하는   desirable 형 바람직한, 탐나는
be **desirous** of her success 그녀의 성공을 바라다

enormous
[inɔ́:rməs]

형 거대한, 막대한 ⊜ immense
an **enormous** sum of money 거액의 돈

envious
[énviəs]

형 부러워하는, 질투심이 강한   envy 명 부러움
envious looks 부러운 듯한 표정

conscientious
[kànʃiénʃəs]

형 양심적인   conscience 명 양심
a **conscientious** businessman 양심적인 사업가

glorious
[glɔ́:riəs]

형 영광스러운   glory 명 영광
win a **glorious** victory 영광스러운 승리를 차지하다

notorious
[noutɔ́:riəs]

형 악명 높은
a **notorious** criminal 악명 높은 범죄자

luxurious
[lʌgʒúəriəs]

형 사치스러운   luxury 명 사치
luxurious jewels 사치스러운 보석

ridiculous
[ridíkjuləs]

형 터무니없는, 우스꽝스러운　ridicule 명 조롱　동 비웃다
one's **ridiculous** claim　터무니없는 주장

ambiguous
[æmbígjuəs]

형 애매한, 분명치 않은　ambiguity 명 애매모호함
an **ambiguous** answer　애매한 답변

ambitious
[æmbíʃəs]

형 야심이 있는　ambition 명 야망
our **ambitious** plan　우리의 야심 찬 계획

marvelous
[máːrvələs]

형 놀라운, 멋진; 즐거운　marvel 동 감탄하다; 놀라다
his **marvelous** invention　그의 놀라운 발명품

virtuous
[vɔ́ːrtʃuəs]

형 덕이 높은　virtue 명 미덕
virtuous actions　덕이 높은 행동

virtual [vɔ́ːrtʃuəl] 형 1. 실제상의, 실질적인 2. 【컴퓨터】 가상의

monstrous
[mánstrəs]

형 괴물 같은　monster 명 괴물
monstrous beasts　기괴한 짐승

jealous
[dʒéləs]

형 질투심이 많은　jealousy 명 질투
a **jealous** disposition　샘이 많은 기질
be **jealous** of a winner　승리자를 시기하다

zealous [zéləs] 형 열심인, 열광적인, 열성적인

furious
[fjúəriəs]

형 성난, 맹렬한　fury 명 격노, 분노
one's **furious** face　성난 얼굴
at a **furious** pace　맹렬한 속도로

gorgeous
[gɔ́ːrdʒəs]

형 호화로운, 훌륭한
a **gorgeous** meal　훌륭한 음식
a **gorgeous** actress　멋진 여배우

hazardous
[hǽzərdəs]

형 위험한; 모험적인　hazard 명 위험
hazardous chemicals　위험한 화학 물질

conspicuous
[kənspíkjuəs]

형 눈에 띄는, 똑똑히 보이는
a **conspicuous** road sign　눈에 띄는 도로 표지판

courteous
[kɔ́ːrtiəs]

형 예의 바른, 정중한　courtesy 명 예의
a **courteous** guest　예의 바른 손님

-tive 형용사형 접미사

talkative lady 수다스러운 여성

명사(noun), 동사(verb), 형용사(adjective)를 각각 n, v, a로 줄여 표현하는데, adjective(형용사) 처럼 접미사 -tive는 명사를 만드는 접미사로 사용되기도 한다. 하지만 대부분의 -tive는 형용사를 만 드는 접미사로 쓰인다. 유사 형태의 어휘와 혼동을 피하기 위해 함께 쓰이는 다른 표현들과 묶어서 기 억하자. 여성이라고 모두가 말이 많은 것은 아니지만, talkative(말이 많은) 뒤에는 lady와 어울린다.

Basic Words		
☐ **productive** [prədʌ́ktiv] 휑 생산적인	produce 동 생산하다
☐ **destructive** [distrʌ́ktiv] 휑 파괴적인	destruction 명 파괴
☐ **talkative** [tɔ́ːkətiv] 휑 말 많은	talk 동 이야기하다
☐ **digestive** [daidʒéstiv] 휑 소화의 명 소화제	digest 동 소화하다
☐ **instructive** [instrʌ́ktiv] 휑 교훈적인	instruct 동 가르치다

instinctive
[instíŋktiv]

휑 본능적인   instinct 명 본능
an **instinctive** desire 본능적인 욕구

competitive
[kəmpétətiv]

휑 경쟁의, 경쟁적인
compete 동 경쟁하다   competition 명 경쟁
a free **competitive** market 자유 경쟁 시장

affirmative
[əfə́ːrmətiv]

휑 확정의, 긍정적인, 찬성의   affirm 동 확언하다, 긍정하다
an **affirmative** response 긍정적인 반응

alternative
[ɔːltə́ːrnətiv]

휑 양자택일의 명 둘 중에서 선택, 대안   alternate 동 교대하다
alternative energy 대체 에너지

comparative
[kəmpǽrətiv]

휑 비교의, 상대적인   comparison 명 비교
a **comparative** analysis 비교 분석

inquisitive
[inkwízitiv]

휑 호기심이 강한, 알고 싶어 하는   inquire 동 묻다, 문의하다
inquisitive children 호기심 많은 아이들

distinctive
[distíŋktiv]

휑 독특한, 특수한   distinction 명 구별, 탁월
the **distinctive** features 두드러진 특징

DAY 33-2

-less ~없는

priceless life 귀중한 인생

-less(없다, 無)는 부정적인 의미이지만, 가끔 긍정적인 의미를 만들기도 한다. selfless(사심이 없는), matchless(비길 데 없는, 강한)처럼 priceless는 공짜가 아니라 매우 귀중한 것을 표현하는 것이다. 같은 -less로 끝나지만 priceless(매우 귀중한)와 penniless(한 푼 없는)는 완전히 다른 의미를 나타낸다.

Basic Words	
	□ regardless [rigá:rdləs] 형 무관심한, 부주의한
	□ penniless [péniləs] 형 무일푼의, 몹시 가난한
	□ selfless [sélfləs] 형 사심 없는, 무욕의(= unselfish); 헌신적인
	□ countless [káuntləs] 형 무수한(= innumerable)

breathless
[bréθləs]

형 헐떡이는, 숨이 찬   breath 명 숨, 호흡   breathe 동 숨 쉬다
at a breathless pace 숨이 찰 정도의 속도로

merciless
[má:rsiləs]

형 무자비한, 무정한   mercy 명 자비, 연민
a merciless attack 무자비한 공격

ceaseless
[sí:sləs]

형 끊임없는, 부단한 = incessant   cease 동 중지하다 명 중지
ceaseless rain 끊임없이 내리는 비

helpless
[hélpləs]

형 무력한, 스스로 어떻게 할 수 없는
a helpless woman 무력한 여성

priceless
[práisləs]

형 대단히 귀중한, 돈으로 살 수 없는 = valuable
priceless treasure 귀중한 보물

restless
[réstləs]

형 침착하지 못한, 들떠 있는   rest 명 휴식, 안정, 정지
a restless night 잠 못 이루는 밤

ruthless
[rú:θləs]

형 무정한, 무자비한   ruth 명 동정, 연민 = pity
a ruthless tyrant 무자비한 폭군

명사 + ly = 형용사
timely advice 시기적절한 충고

a newly married couple과 a new couple 둘 다 맞는 표현이다. 하지만, a newly couple은 잘못된 표현이다. newly는 부사이므로, 명사를 수식할 수 없다. 우리는 언어의 변칙적 표현에 약하다. 분명히 -ly가 붙는 표현은 부사로 알고 있었지만 '명사+ly=형용사, 형용사+ly=부사'의 원칙이 있다는 사실을 알면 이야기가 달라진다. -ly로 끝나지만 형용사인 경우를 보자.

Basic Words

☐ **lovely** [lʌ́vli] 형 사랑스러운   the lovely birthday present 사랑스러운 생일 선물
☐ **manly** [mǽnli] 형 남성다운   look manly and brave 남성답고 용감해 보이다
☐ **worldly** [wə́ːrldli] 형 세속의   worldly wisdom 세상의 지혜
☐ **yearly** [jíərli] 형 연간의   a total yearly income 연간 총 수입
☐ **friendly** [fréndli] 형 친숙한   friendly relations 다정한 관계

---

costly
[kɔ́ːstli]

형 값 비싼
costly food 값 비싼 음식

elderly
[éldərli]

형 나이 많은
a group of **elderly** ladies 연세가 많은 여성 그룹

lively
[láivli]

형 생기 있는, 활기찬
a **lively** and adventurous girl 생기 있고 모험심 있는 소녀

likely
[láikli]

형 할 것 같은, 있음직한
likelihood 명 가능성, 있음직한 일 ● probability
be **likely** to quarrel 싸울 것 같다

timely
[táimli]

형 시기적절한
timely advice 시기적절한 충고

quarterly
[kwɔ́ːrtərli]

형 1년에 4번의   quarter 명 4분의 1
a **quarterly** magazine 계간지(계절에 한 번, 연 4회 발행하는 잡지)

cowardly
[káuərdli]

형 겁쟁이의, 용기 없는, 비겁한
the **cowardly** conduct 비겁한 행동

DAY 34-1

-ary, -ory 형용사형 접미사

compulsory education 의무 교육

유럽이나 중동에서는 자국민들에게 대학 교육비를 받지 않는 나라가 많다. 초등학교, 중학교는 물론 의무 교육이고 고등 교육까지도 무상이지만 외국 학생에게는 유료이다. 우리나라에서도 초등학교와 중학교에 한해 의무교육(compulsory education)을 실시하고 있다. compulsory는 동사 compel(강요하다)의 형용사형이다.

Basic Words

□ **element**ary [èləméntəri] 📗 기본의, 초보의, 최소 단위를 이루는
□ **monet**ary [mánətèri] 📗 화폐의, 금전(상)의, 금융의
□ **liter**ary [lítərèri] 📗 문학의
□ **tempor**ary [témpərèri] 📗 일시의, 순간의
□ **imagin**ary [imǽdʒənèri] 📗 상상의, 가상의
□ **audit**ory [ɔ́ːditɔ̀ːri] 📗 청각의

---

voluntary
[váləntèri]

📗 자발적인, 자진해서 행해진 ⇔ accidental 우연의
a **voluntary** confession 자백

stationary
[stéiʃənèri]

📗 움직이지 않는, 정지된　station 📗 정지, 정거장
Remain **stationary**! 움직이지 마!

complementary
[kàmpləméntəri]

📗 보충하는　complement 📗 보충, 부가
complementary relation 보완적인 관계

arbitrary
[áːrbətrèri]

📗 임의의, 멋대로의
an **arbitrary** decision 임의의 결정

obligatory
[əblígətɔ̀ːri]

📗 의무적인, 필수의　obligation 📗 의무, 책임
an **obligatory** duty 필수 의무

compulsory
[kəmpʌ́lsəri]

📗 강제적인　compel 📗 강요하다
compulsory education 의무 교육

-ate 형용사형 접미사

their separate goals 그들의 서로 다른 목표

separate는 동사(분리하다)와 형용사(별개의)의 발음이 다르다. -ate로 끝나는 표현이 동사에서는 [-eit]로 발음되며, 형용사에서는 [-ət]으로 발음된다. 이러한 어휘들은 말하기나 듣기에서 혼동을 줄 수 있다. 이러한 혼동 어휘는 평상시에 연결된 표현을 함께 붙여 사용하는 습관을 들이면 혼동을 줄일 수 있다.

Basic Words

- [ ] **accurate** [ǽkjurət] 형 정확한   accuracy 명 정확, 정밀도
- [ ] **separate** [sépərət] 형 분리된   separation 명 분리, 이별
- [ ] **fortunate** [fɔ́ːrtʃənət] 형 행운의   fortune 명 행운
- [ ] **considerate** [kənsídərət] 형 사려 깊은   consideration 명 생각, 고려

---

compassionate
[kəmpǽʃənət]

형 인정 많은, 동정심 있는   compassion 명 동정심
a **compassionate** nurse 인정 많은 간호사

desperate
[déspərət]

형 절망적인; 절박한   despair 명 절망
a **desperate** struggle 필사적인(절박한) 투쟁

delicate
[délikət]

형 섬세한, 민감한, 부서지기 쉬운 = fragile   delicacy 명 섬세함
a **delicate** matter 민감한 문제

passionate
[pǽʃənət]

형 열정적인   passion 명 열정
a **passionate** speech 열정적인 연설

corporate
[kɔ́ːrpərət]

형 법인회사의, 단체의   corporation 명 법인, 주식회사
a **corporate** name 법인[단체] 명의; (회사의) 상호
corporate property 법인 재산

temperate
[témpərət]

형 온화한; 중용의; 절제하는   temperance 명 절제, 자제
a **temperate** climate 온화한 기후

> **temporal** [témpərəl] 형 시간의, 한때의

approximate
[əpráksimət]

형 대략적인   approximately 부 대략
approximate cost 대략의 비용
approximate value 근삿값

-ant(-ent) 형용사형 접미사

triple excellent 세 배나 탁월한

다이아몬드를 좋아하나요? triple excellent는 다이아몬드의 cut상태를 나타내는 말이다. cut상태는 polish(광택), symmetry(균형), proportion(비율, 몸매)을 말하는데, triple excellent는 이 세 가지 모두가 excellent라는 뜻이다. 형용사 excellent는 동사가 excel(우수하다), 명사가 excellence(우수함)이다.

Basic Words

- □ significant [signífikənt] 형 중대한, 중요한 — significance 명 중요성
- □ ignorant [ígnərənt] 형 무식한, 모르는 — ignorance 명 무식
- □ frequent [frí:kwənt] 형 빈번한 — frequency 명 빈번
- □ excellent [éksələnt] 형 우수한 — excel 동 능가하다
- □ obedient [əbí:diənt] 형 순종하는 — obey 동 복종하다

apparent [əpǽrənt]
형 눈에 보이는, 분명한　appear 동 나타나다
for no **apparent** reason 명백한 이유도 없이

urgent [ə́:rdʒənt]
형 긴급한　urge 동 재촉하다　urgency 명 긴급
an **urgent** meeting 긴급회의

sufficient [səfíʃənt]
형 충분한 ⊕ deficient 부족한　sufficiency 명 충분
sufficient income 충분한 수입

prudent [prú:dənt]
형 신중한, 조심성 있는　prudence 명 신중
a **prudent** decision 신중한 결정

abundant [əbʌ́ndənt]
형 풍부한, 많은 ⊜ plentiful　abound 동 풍부하다
an **abundant** harvest 풍작

reluctant [rilʌ́ktənt]
형 마음 내키지 않는 ⊜ unwilling　reluctance 명 꺼려함
be **reluctant** to eat squid 오징어 먹기를 꺼리다

elegant [éligənt]
형 우아한, 품위 있는 ⊜ graceful　elegance 명 우아, 고상
elegant furnishings 우아한 가구

-ness 추상 명사 만들기

willing**ness** 기꺼이 함

실내에서 운동하는 곳의 표현으로 gym (gymnasium)이나 fitness center를 쓴다. fitness는 형용사 fit(꼭 맞는, 건강한)에 명사형 접미사 -ness를 붙인 것이다. 한국어의 동사는 '~함'을 붙이면 명사형이 된다. 영어에서 명사형은 -ness, -cy, -ure, -hood, -ance 등의 접미사(suffix)를 활용해야 한다. 그중 -ness와 -tion이 가장 흔한 형태이다.

Basic Words		
☐ friendli**ness** [fréndlinəs] 명 우정, 친절, 호의	friendly 형 다정한
☐ careless**ness** [kéərlisnəs] 명 부주의	careless 형 부주의한
☐ loneli**ness** [lóulinəs] 명 외로움, 고독함	lonely 형 외로운
☐ forgive**ness** [fərgívnəs] 명 용서	forgive 통 용서하다
☐ selfish**ness** [sélfiʃnəs] 명 이기주의, 자기 본위	selfish 형 이기적인

---

willingness
[wíliŋnəs]

명 기꺼이 함   willing 형 기꺼이 ~하는
willingness to pay 지불 의사
be **willing to** 기꺼이 ~하다

---

abruptness
[əbrʌ́ptnəs]

명 갑작스러움, 돌발성   abrupt 형 갑작스러운
the **abruptness** of action 갑작스러운 행동
an **abrupt** death 급사

---

fitness
[fítnəs]

명 1. 적당 2. 건강   fit 형 건강한
a **fitness** club 헬스클럽

---

shyness
[ʃáinəs]

명 소심, 부끄럼   shy 형 수줍어하는
his innate **shyness** 그의 타고난 부끄럼

---

alertness
[ələ́:rtnəs]

명 경계, 경계심, 비상   alert 형 방심 않는, 기민한
the level of **alertness** 경계의 수준

---

absoluteness
[ǽbsəlù:tnəs]

명 절대적임, 완전무결   absolute 형 절대적인
the Pope's **absoluteness** 교황의 절대성
an **absolute** lie 새빨간 거짓말

consciousness
[kánʃəsnəs]

명 의식이 있음　conscious 형 의식 있는
the states of **consciousness** 의식이 있는 상태
be **conscious** of ~를 의식하다

conscience [kánʃns] 명 양심　형 양심적인

awkwardness
[ɔ́:kwərdnəs]

명 이상함, 어색함　awkward 형 어색한
social **awkwardness** 사회적 미숙
an **awkward** silence 어색한 침묵

eagerness
[í:gərnəs]

명 열심, 열의, 열망　eager 형 열심인
with **eagerness** 열심히(= eagerly)
an **eager** desire 간절한 욕망

bitterness
[bítərnəs]

명 쓴맛, 괴로움　bitter 형 쓴
the **bitterness** of beer 맥주의 쓴맛
the **bitter** flavors 쓴맛

emptiness
[émptinəs]

명 공허, 비어 있음 ⊜ vacancy　empty 형 텅 빈
the **emptiness** of the house 집이 텅 비어 있음, 집의 공허함

boldness
[bóuldnəs]

명 대담, 배짱　bold 형 대담한
a lack of **boldness** 담력의 부족

bald [bɔːld] 형 (머리가) 벗어진 대머리의

sleeplessness
[slí:plisnəs]

명 불면증 ⊜ insomnia　sleepless 형 불면의
the ideal cure for **sleeplessness** 불면증에 이상적인 치료법

stillness
[stílnəs]

명 고요, 침묵　still 형 고요한, 조용한
the **stillness** of the night 밤의 고요함

awareness
[əwɛ́ərnəs]

명 인식, 알고 있음　aware 형 인식하는
brand **awareness** 상표 인지도

thoughtfulness
[θɔ́:tfəlnəs]

명 사려 깊음　thoughtful 형 생각 깊은
with generosity and **thoughtfulness** 너그럽고 사려 깊게

-th 형용사와 동사에 붙어 동작이나 상태를 뜻하는 명사를 만든다

width와 breadth 폭과 넓이

레이더에 탐지되지 않는 스텔스 폭격기는 잠행(stealth) 기능을 갖고 있으며, 뒷날개나 동체를 갖고 있지 않아 All Flying Wing이라고 부르기도 한다. stealth가 steal(훔치다)의 명사이듯이, 'wide, long, broad, deep, strong' 등도 명사형을 만들 때 -th를 붙인다. 철자의 형태와 발음이 같은 방식으로 변하는 것은 우연일까 약속일까? 어휘를 암기할 때 이러한 명사 형태를 기준으로 기억하는 것도 하나의 방법이다.

Basic Words

□ **death** [deθ] 명 죽음　　die 동 죽다
□ **truth** [truːθ] 명 진실, 진리　　true 형 진실의
□ **birth** [bəːrθ] 명 탄생　　bear 동 낳다

stealth [stelθ]
명 몰래 하기, 잠행　steal 동 몰래 훔치다
stealth bombers 스텔스 폭격기(레이더에 발견되지 않는 전폭기)
do a good action by **stealth** 남몰래 선행하다

width [widθ]
명 폭 = breadth　wide 형 넓은
the **width** of the road 길의 폭

breadth [bredθ]
명 너비, 폭 = width ↔ length 길이　broad 형 넓은
the length and **breadth** of the country 그 나라의 길이와 폭
breathe [briːð] 동 숨 쉬다　**breath** [breθ] 명 숨, 호흡

depth [depθ]
명 깊이, 깊은 곳　deep 형 깊은
the **depth** of the river 강의 깊이

length [leŋθ]
명 길이　long 형 긴
a **length** of 10 kilometers 길이가 10 킬로미터
longevity [lɔndʒévəti] 명 장수; 장기근속

strength [streŋkθ]
명 세기, 힘　strong 형 강한
build up one's **strength** 힘을 기르다

warmth [wɔːrmθ]
명 따뜻함　warm 형 따뜻한
enjoy the **warmth** of the Sun 햇살의 따스함을 즐기다

DAY 36-1

-ance(-ence) 명사형 접미사

severance 절단

연세대학교 세브란스병원(Severance Hospital)은 동사 'sever(절단하다)'의 명사형 severance 에서 나온 표현일까? 그렇다면 팔다리의 절단 환자를 위한 병원? 사실은, 병원을 설립한 외국인의 이름이라고 한다. 명사를 만드는 접미사로 -ence, -ance 또는 -ry, -cy, 그리고 -tion, -sion의 용도를 구분하기는 어려우므로 무리 지어 놓고 구분하여 기억해야 한다. 이들의 의미는 '~하는 일'이라는 '행위, 행실, 성질'을 나타낸다.

Basic Words

- □ allow**ance** [əláuəns] 몡 승인, 허락   allow 통 허락하다
- □ assur**ance** [əʃúərəns] 몡 보장, 보증, 확신   assure 통 보장하다
- □ disturb**ance** [distə́ːrbəns] 몡 방해, 교란   disturb 통 방해하다
- □ ignor**ance** [ígnərəns] 몡 무지, 알지 못함   ignore 통 무시하다
- □ mainten**ance** [méintənəns] 몡 유지, 관리   maintain 통 유지하다

acquaint**ance**
[əkwéintəns]

몡 (친하지는 않지만) 아는 사람   acquaint 통 알게 하다
a casual acquaintance 약간 아는 사이

inherit**ance**
[inhéritəns]

몡 상속   inherit 통 물려받다
receive **inheritance** from an aunt 숙모에게서 상속을 받다

perform**ance**
[pərfɔ́ːrməns]

몡 실행, 연기, 연주, 공연   perform 통 실행하다, 연주하다
a ticket for a **performance** 공연 티켓

endur**ance**
[indjúərəns]

몡 인내   endure 통 참다
both physical and mental **endurance** 육체적, 정신적 인내력

sever**ance**
[sévərəns]

몡 절단, 분리   sever 통 절단하다, 단절하다
the **severance** of diplomatic relations 국교 단절

severe [sivíər] 형 엄한, (병세가) 심한
serious [síriəs] 형 진지한, 심각한, 중대한

insur**ance**
[inʃúərəns]

몡 보험   insure 통 보증하다, 보험에 가입하다
fire **insurance** and life **insurance** 화재 보험과 생명 보험

-ship(-hood) 추상 명사의 접미사

lifelong friend**ship** 평생 우정

'친구'와 '우정'의 차이는 friend와 friendship의 차이이다. -ship과 -hood는 hardship처럼 형용사에 붙어 추상 명사를 만든다. 또한 scholarship처럼 명사에 붙어 '상태, 신분, 직, 수완' 등을 나타내는 추상 명사를 만든다. hood도 '신분, 계급, 상태'를 나타내는 접미사로 쓰인다. 하지만, 원래의 어휘에서 큰 차이가 없으므로 학습 부담은 없을 것이다.

Basic Words	
□ mother**hood** [mʌ́ðərhùd] 📖 모성애	
□ false**hood** [fɔ́:lshùd] 📖 거짓말(=lie), 허위	
□ owner**ship** [óunərʃìp] 📖 소유권	
□ relation**ship** [riléiʃənʃìp] 📖 관계	

likelihood
[láiklihùd]

📖 있음직한 일, 가능성 ⊜ probability
in all **likelihood** 십중팔구
no **likelihood** of that happening 그런 일이 일어날 가능성은 전혀 없음

livelihood
[láivlihùd]

📖 생계, 살림
his **livelihood** as a singer 가수로서의 그의 생계

citizen**ship**
[sítizənʃìp]

📖 시민권   citizen 📖 시민
a good **citizenship** award 훌륭한 시민상

court**ship**
[kɔ́:rtʃip]

📖 구애, 구혼
after a brief **courtship** 짧은 구혼 기간 뒤에

hard**ship**
[háːrdʃip]

📖 고난, 곤란
financial **hardship** 재정적 어려움

> **hardness** [háːrdnəs] 📖 견고함; (특히) 굳기, 경도

censor**ship**
[sénsərʃìp]

📖 검열 (제도)   censor 📖 검열하다
the new **censorship** law 새 검열 법안

dictator**ship**
[diktéitərʃìp]

📖 독재, 독재 정권   dictator 📖 독재자, 절대 권력자
live under a **dictatorship** 독재 정권하에서 살다

DAY 36-3

-ry 명사를 만드는 접미사

expensive jewelry 값 비싼 보석류

보석류와 기계류를 나타낼 경우 jewelry와 machinery로 표현한다. 그래서 보석 디자인은 jewelry design이다. 이것은 -ry가 상태나 성질, 또는 제품의 종류를 뜻하는 명사를 만들기 때문이다. ancestor는 '선조'를 의미하지만, ancestry는 '집합적인 조상 전체'를 나타낸다.

Basic Words		
☐ **injury** [índʒəri] 명 상처, 부상	injure 동 상처를 입히다
☐ **slavery** [sléivəri] 명 노예 제도, 노예 상태	slave 명 노예
☐ **bravery** [bréivəri] 명 용기	brave 명 용감한
☐ **machinery** [məʃíːnəri] 명 기계류	machine 명 기계
☐ **jewelry** [dʒúːəlri] 명 보석류	jewel 명 보석

---

delivery
[dilívəri]

명 1.배달, 전달 2.분만   deliver 동 배달하다; 분만하다
the **delivery** date 배달 날짜
the **delivery** room 분만실

---

bribery
[bráibəri]

명 뇌물을 주고받는 것[뇌물 수수]   bribe 명 뇌물
be found guilty of **bribery** 뇌물 수수에서 유죄 판결을 받다

---

burglary
[bə́ːrgləri]

명 도둑질, 강도질   burglar 명 강도
commit **burglary** 강도질을 하다

---

adversary
[ǽdvərsèri]

명 적, 상대, 대항자   adverse 명 역의, 반대의
face one's **adversary** 적에게 대항하다

adversity [ədvə́ːrsəti] 명 역경, 불행

---

directory
[diréktəri]

명 주소 성명록, 전화번호부
a telephone **directory** 전화번호부

---

observatory
[əbzə́ːrvətɔ̀ːri]

명 천문대, 기상대, 전망대   observe 동 1. 관찰하다 2. 준수하다
the Royal Greenwich **Observatory** 왕립 그리니치 천문대

-ty 명사를 만드는 접미사

novel and novelty 소설과 신기함

'소설'과 '새로움'은 무슨 관계! novel은 두 가지 의미(1. 새로운 2. 소설)가 있으며, novel(새로운)의 명사형이 novelty(새로움)일 뿐이다. 하지만, 옛날로 거슬러 올라가면, novel(소설)은 'new story'를 의미하는 표현이므로 둘은 뿌리가 같다고 할 수 있다. 세상에 거슬러 올라가면 만나지 않을 족보가 없다고 한다.

Basic Words

□ **variety** [vəráiəti] 몡 다양성 various 혱 다양한
□ **liberty** [líbərti] 몡 자유 liberal 혱 자유의
□ **certainty** [sə́ːrtənti] 몡 확실성 certain 혱 확실한
□ **familiarity** [fəmìliǽrəti] 몡 친밀, 친숙 familiar 혱 친숙한

---

facility
[fəsíləti]

몡 편의 시설, (특정 목적의) 시설   facilitate 통 쉽게 하다, 촉진하다
a child care **facility** 아동 보육 시설

originality
[ərìdʒənǽləti]

몡 독창성   original 혱 독창적인
creativity and **originality** 창의력과 독창성

hospitality
[hàspitǽləti]

몡 환대   hospitable 혱 환대하는
her kind **hospitality** 그녀의 친절한 환대

hostility
[hɑstíləti]

몡 적대감   hostile 혱 적대적인
hostility toward new neighbors 새로운 이웃에 대한 적대감

intensity
[inténsəti]

몡 격렬함, 강렬함; 세기, 강도   intense 혱 강렬한, 격렬한
the high **intensity** of labor 노동의 높은 강도

novelty
[návəlti]

몡 새로움, 참신함   novel 혱 새로운, 참신한
the **novelty** of her poetry 그녀가 쓴 시의 참신함

obesity
[oubíːsəti]

몡 비만, 비대   obese 혱 살찐, 뚱뚱한
child **obesity** rate 아동 비만율

fragility
[frədʒíləti]

몡 부서지기 쉬움, 연약함   fragile 혱 깨지기 쉬운, 망가지기 쉬운 ⊜ brittle
the **fragility** of the human body 육체의 연약함

security
[səkjúərəti]

형 안전, 보안   secure 형 안전한
national **security** 국가 안보
job **security** 일자리 보장

utility
[ju:tíləti]

형 1. 쓸모 있음, 유용 2. 공익시설   utilize 동 사용하다
a sport **utility** vehicle 레저용 차(SUV)
pay one's public **utility** bills 공공요금을 납부하다

responsibility
[rispɑ̀nsəbíləti]

형 책임   responsible 형 책임감 있는
take **responsibility** 책임을 지다

prosperity
[prɑspérəti]

형 번영, 번창   prosper 동 번영하다
a period of peace and **prosperity** 평화와 번영의 기간

property [prɑ́pərti] 형 재산; 성질, 특성

majority
[mədʒɔ́rəti]

형 대다수   major 형 주요한; 다수의
be adopted by **majority** vote 다수결로 채택되다

cruelty
[krú:əlti]

형 잔인함, 학대   cruel 형 잔인한
the criminal's **cruelty** 범인의 잔인성

curiosity
[kjùriɑ́:səti]

형 호기심   curious 형 호기심 있는
a strong intellectual **curiosity** 강한 지적 호기심

density
[dénsəti]

형 조밀함, 밀도   dense 형 빽빽한
population **density** 인구 밀도

absurdity
[əbsə́:rdəti]

형 불합리   absurd 형 엉터리의, 불합리한
a logical **absurdity** 논리적 불합리성

warranty
[wɔ́(:)rənti]

형 1. 보증서 2. 영장   warrant 형 보증, 보증서
warranty service for the product 제품에 대한 보증 서비스

eternity
[itə́:rnəti]

형 영원   eternal 형 영원한
for all **eternity** 영원히

-age(-ism) 특성과 주의(主義)의 명사형 접미사

feminism 페미니즘

feminism(페미니즘)이란 여성 중심적, 여성 지향적인 의식 혹은 남성 중심적인 가부장제에 대항하는 여성주의 운동이다. 19세기 중반에 시작된 여성 참정권 운동에서 비롯되어 그것을 설명하는 이론까지 포함하는 개념이다. 여성(female)의 형용사인 feminine에 특성과 주의(主義)를 의미하는 -ism을 붙인 것이다.

Basic Words

- □ short**age** [ʃɔ́ːrtidʒ] 명 부족, 결핍(=deficiency)   short 형 부족한, 짧은
- □ stor**age** [stɔ́ːridʒ] 명 저장   store 동 저장하다
- □ social**ism** [sóuʃəlìzm] 명 사회주의 (운동)   social 형 사회적인
- □ critic**ism** [krítisìzm] 명 비평, 비판   criticize 동 비판하다

---

bondage
[bɑ́ndidʒ]

명 구속, 억압
the **bondage** of social conventions 사회적 관습의 속박

leakage
[líːkidʒ]

명 누출, 누전   leak 동 누출하다
the **leakage** of confidential information 기밀 정보 유출

orphanage
[ɔ́ːrfənidʒ]

명 고아원   orphan 명 고아, 부모가 없는 아이
grow up in an **orphanage** 고아원에서 자라다

capitalism
[kǽpitəlìzm]

명 자본주의   capital 명 수도; 대문자; 자본
socialism and **capitalism** 사회주의와 자본주의

commercialism
[kəmə́ːrʃəlìzm]

명 상업주의   commercial 형 상업의
be against **commercialism** 상업주의에 반대하다
the **commercialism** of the Olympics 올림픽의 상업주의

abolitionism
[æ̀bəlíʃənìzm]

명 (노예) 폐지론   abolish 동 폐지하다
the **abolition** of nuclear weapons 핵무기의 폐기
the **abolition** of the death penalty 사형제 폐지

organism
[ɔ́ːrgənìzm]

명 유기체, 생물체   organic 형 유기체의; 유기적인
every living **organism** 모든 생명체

DAY 38-1

-ment 명사형 접미사

agreement 아그레망

영어에는 프랑스어와 독일어에서 온 외래어가 많다. 프랑스어가 예술, 음식, 정치 관련한 용어에 많은 영향을 미친 것은 프랑스의 노르만 정복(Norman Conquest)에서 기인한다. 프랑스가 영국을 약 200년간 지배하면서 생긴 쿠데타, 앙케트, 베레모, 카페, 크레용 등은 우리 눈에 익숙한 표현이다. 프랑스어는 -ment의 발음이 '망'으로 표현되어, agreement는 아그레망으로 발음이 된다. 영어에서 -ment는 명사를 만드는 접미사로 쓰이며 [-mənt]로 발음된다.

Basic Words		
☐ equip**ment** [ikwípmənt] 몡 장비, 설비	equip 통 장비를 갖추다
☐ govern**ment** [gávərnmənt] 몡 정부, 지배	govern 통 다스리다
☐ amuse**ment** [əmjú:zmənt] 몡 즐거움, 재미, 오락	amuse 통 재미있게 하다
☐ announce**ment** [ənáunsmənt] 몡 발표	announce 통 발표하다
☐ invest**ment** [invéstmənt] 몡 투자	invest 통 투자하다

---

achievement
[ətʃí:vmənt]

몡 성취　achieve 통 성취하다
one's academic **achievement** 학문적인 업적

---

commitment
[kəmítmənt]

몡 1. 헌신　2. 약속　3. 범행　commit 통 저지르다, 위임하다
owing to a previous **commitment** 선약이 있어서
one's **commitment** to human rights 인권을 위한 헌신

---

attachment
[ətǽtʃmənt]

몡 1. 애착　2. 고수　3. 부착　↔ detachment 분리, 이탈
attach 통 붙이다, 달라붙게 하다
a strong **attachment** to one's family 가족에 대한 강한 애착

---

arrangement
[əréindʒmənt]

몡 배열, 조정　arrange 통 배열하다, 조정하다
a flower **arrangement** 꽃꽂이

---

retirement
[ritáiərmənt]

몡 퇴직　retire 통 퇴직하다, 은퇴하다
take early **retirement** 조기 퇴직을 하다

---

argument
[á:rgjumənt]

몡 논의, 주장　argue 통 논쟁하다
his logical **argument** 그의 논리적인 주장

---

requirement
[rikwáiərmənt]

몡 요구　require 통 요구하다
satisfy many **requirements** 여러 조건을 충족시키다

ailment
[éilmənt]

명 불쾌; (만성적인) 병　ail 통 괴롭히다, 앓다
a painful skin **ailment** 통증이 심한 피부 질환

amendment
[əméndmənt]

명 개정, 수정(안)　amend 통 수정하다
constitutional **amendment** 헌법 개정 *constitutional 헌법의

armament
[á:rməmənt]

명 군비, 병력　arm 통 무장하다
armament expenditure 군비

assessment
[əsésmənt]

명 평가, 재산 평가　assess 통 평가하다
a performance **assessment** 수행 평가

assignment
[əsáinmənt]

명 할당, 연구 과제, 숙제　assign 통 할당하다
hand in **assignments** 과제물을 제출하다
the reading **assignment** 읽기 숙제

commandment
[kəmændmənt]

명 명령, 계율　command 통 명령하다
observe the Ten **Commandments** 십계명을 준수하다

concealment
[kənsí:lmənt]

명 은폐, 은닉　conceal 통 은닉하다, 감추다
the **concealment** of one's true feelings 진짜 감정을 숨김

embracement
[imbréismənt]

명 포옹; (기꺼이) 받아들임　embrace 통 포옹하다; 수용하다
the **embracement** of British culture 영국 문화를 받아들임
embrace his son tenderly 그의 아들을 부드럽게 껴안다

punishment
[pʌ́niʃmənt]

명 벌, 형벌, 처벌　punish 통 처벌하다
harsh **punishment** 호된 처벌

measurement
[méʒərmənt]

명 측량, 치수　measure 통 재다, 측정하다
one's waist **measurement** 허리 치수
take **measurements** 치수를 재다
measure each arm 각 팔의 치수를 재다

DAY 38-2

-tude 명사형 접미사

latitude and longitude 위도와 경도

위도와 경도를 구분하지 못하는 사람? 아니 이렇게 많을 수가! 한자음의 우리말로 들으니 감이 잡히지 않는 것이다. 영어로는, latitude(위도, 가로선)와 longitude(경도, 세로선)로 표현되니 구분이 쉽지 않은가! 세로로 긴(long) 모양을 연상하면 longitude가 세로로 된 경도가 되며, lati-가 '옆(side)'을 의미하여 latitude는 가로로 된 위도가 되는 것이다. 여기서 -tude는 명사를 만드는 접미사이다.

Basic Words

- □ fortitude [fɔ́ːrtətjùːd] 명 용기, 불굴의 정신
- □ ingratitude [ingrǽtitjùːd] 명 배은망덕, 은혜를 모름
- □ magnitude [mǽgnətjùːd] 명 크기, 양
- □ multitude [mʌ́ltitjùːd] 명 다수, 군중　　multi-: 많은, 多

---

aptitude [ǽptitjùːd]

형 적성　apt 형 적합한
an **aptitude** for painting 그림에 대한 재능
SAT (Scholastic **Aptitude** Test) 대입 적성 검사

latitude [lǽtətjùːd]

형 위도
the northern **latitudes** 북위

lateral (옆의, 측면의), bilateral (양측의)에서처럼 late- (lati-)는 '옆 (side)'을 의미한다.

longitude [lɑ́ːndʒətjùːd]

형 경도　long 형 긴
10 degrees 15 minutes of east **longitude** 동경 10도 15분

solitude [sɑ́lətjùːd]

형 외로움　solitary 형 고독한
live in **solitude** 혼자 살다

altitude [ǽltitjùːd]

형 고도
the **altitude** of a town 도시의 고도

attitude [ǽtitjùːd] 명 (사람·물건 등에 대한) 태도, 마음가짐

gratitude [grǽtətjùːd]

형 감사(하는 마음)
express one's **gratitude** 감사를 표하다

-ture(-sure) 명사형 접미사

blood pressure 혈압

환자의 건강을 읽을 수 있는 기준인 체온(temperature), 맥박(pulse), 호흡(respiration), 그리고 혈압(blood pressure)을 vital signs라고 한다. 한 마디로, 환자의 건강 상태를 나타내는 '활력 징후'인 것이다. 혈압(blood pressure)에서 사용된 pressure처럼, 동사나 형용사에 -sure나 -ture를 붙여 명사를 만드는 단어를 확인한다.

Basic Words		
☐ clo**sure** [klóuʒər] 명 마감, 폐쇄, 폐점	close 통 닫다
☐ pres**sure** [préʃər] 명 압축, 압력	press 통 누르다
☐ expo**sure** [ikspóuʒər] 명 노출	expose 통 노출하다
☐ expendi**ture** [ikspéndiʧər] 명 지출, 소비	expend 통 지출하다

literature
[lítərəʧər]

명 문학, 문예   literary 형 문학의
English literature 영문학

erasure
[iréiʃər]

명 삭제   erase 통 지우다
the erasure of computer files 컴퓨터 파일의 삭제

architecture
[áːrkitèkʧər]

명 건축학, 설계   architect 명 건축가
modern architecture 현대 건축 양식

agriculture
[ǽgrikʌ̀lʧər]

명 농업, 농경   agricultural 형 농업의
environment-friendly agriculture 친환경 농업

signature
[sígnəʧər]

명 서명   sign 통 서명하다
put his signature on a petition 청원서에 서명하다

posture
[pásʧər]

명 자세   pose 통 자세를 취하다
erect posture 똑바로 선 자세

creature
[kríːʧər]

명 (신의) 창조물, 생물   create 통 창조하다
living creatures 살아 있는 생물

moisture
[móisʧər]

명 습기   moist 형 습기 있는
absorb moisture 습기를 흡수하다

DAY 39.2

-se(-f, -t) 명사형 접미사

suspense movies 서스펜스 영화

영화의 장르로서 mystery, suspense, thriller가 있다. 스릴러는 공포물을 말하며 관객은 등장인물에게 닥칠 사태를 알기에 느끼는 '긴장감'은 극에 달한다. 서스펜스는 등장인물이 처한 상황에 대해 긴장을 하며 느끼는 감정이다. suspense는 동사 suspend(불안하게 하다, 매달다)에 접미사 -se를 붙인 것이다. 이를 볼 때, 명사형 suspense는 '매달아 두는 불안함'으로 유추할 수 있다.

Basic Words

- ☐ **sight** [sait] 명 시각 — see 동 보다
- ☐ **height** [hait] 명 높이 — high 형 높은
- ☐ **flight** [flait] 명 비행, 날기 — fly 동 날다
- ☐ **complaint** [kəmpléint] 명 불평 — complain 동 불평하다
- ☐ **emphasis** [émfəsis] 명 강조 — emphasize 동 강조하다

---

response [rispáns]
명 반응　respond 동 반응하다
a **response** to the letter 답장

offense [əféns]
명 위반; 공격; 분노의 원인　offend 동 성나게 하다; 위반하다
take **offense** 모욕을 느끼다, 화가 나다
military **offense** 군사적 공격

suspense [səspéns]
명 걱정, 불안　suspend 동 불안하게 하다; 매달다; 일시 정지하다
suspense movies 서스펜스 영화

innocence [ínəsəns]
명 무죄; 순진　innocent 형 순진한; 무죄의
evidence for one's **innocence** 결백에 대한 증거

proof [pru:f]
명 증거, 증명　prove 동 증명하다
proof of one's guilt 유죄에 대한 증거

pursuit [pərsú:t]
명 추구　pursue 동 추구하다
rights to the **pursuit** of happiness 행복을 추구할 권리

conquest [kánkwest]
명 정복　conquer 동 정복하다
through military **conquest** 군사적인 정복을 통해

DAY 39·3

-al 명사형 접미사

proposal of marriage 청혼

대부분의 경우 -al은 '~의, ~성질의'의 뜻을 만드는 형용사 접미사이다. 하지만, 동사에 붙어 명사를 만들기도 한다. propose는 원래 '결혼을 청하다'는 의미였으며, 나중에 '신청하다, 제안하다'의 의미가 추가된 것이다. 접미사 '-al'이 명사를 만드는 경우는 다음과 같다.

Basic Words	
□ arrival [əráivəl] 명 도착	arrive 동 도착하다
□ renewal [rinjú:əl] 명 새롭게 하기, 갱신	renew 동 갱신하다
□ survival [sərváivəl] 명 생존, 살아남음	survive 동 생존하다
□ revival [riváivəl] 명 소생, 재생	revive 동 재생하다

approval
[əprú:vəl]

명 승인, 인정   approve 동 승인하다
gain public **approval** 대중의 인정을 얻다

burial
[bériəl]

명 매장   bury 동 매장하다
burial in a cemetery 공동묘지에 매장

proposal
[prəpóuzəl]

명 제안, 청혼   propose 동 제안하다
turn down one's **proposal** 제안을 거절하다

refusal
[rifjú:zəl]

명 거절   refuse 동 거절하다
a **refusal** of our invitation 우리 초대에 대한 거절

appraisal
[əpréizəl]

명 평가, 감정   appraise 동 평가하다
an objective **appraisal** 객관적 평가

portrayal
[pɔ:rtréiəl]

명 그리기; 묘사; 초상화   portray 동 그리다, 묘사하다
an accurate **portrayal** of the war 전쟁에 대한 정확한 묘사

dismissal
[dismísəl]

명 해고, 해고 통지   dismiss 동 해고하다
dismissal from school 퇴학 처분

removal
[rimú:vəl]

명 이전; 제거; 철수   remove 동 제거하다
the **removal** of trade barriers 무역 장벽의 제거

-tion 명사형 접미사

blood circulation 혈액 순환

두 명사를 연결할 때 the circulation of blood와 blood circulation으로 하는 방법이 있다. 앞의 것은 문어(文語)적이며 뒤의 것은 구어(口語)적이다. 그리고 -tion은 동작, 상태, 결과를 뜻하는 명사를 만든다. contribution공헌[contribute공헌하다＋(t)ion결과], separation분리[separate분리하다＋(t)ion상태], alteration변경[alter변경하다＋ation동작]의 예가 보여주듯이, 명사를 만드는 가장 흔한 방법이다. 그리고 -tion의 명사는 반드시 -tion의 바로 앞 모음에 강세가 있다.

Basic Words		
☐ description [diskrípʃən] 명 묘사	describe 동 묘사하다
☐ destruction [distrʌ́kʃən] 명 파괴	destroy 동 파괴하다
☐ examination [igzæ̀mənéiʃən] 명 조사	examine 동 조사하다
☐ exhibition [èksəbíʃən] 명 전시	exhibit 동 전시하다
☐ repetition [rèpətíʃən] 명 반복	repeat 동 반복하다

circulation
[sə̀:rkjuléiʃən]

명 순환, 유통   circulate 동 순환하다
blood **circulation** 혈액 순환

restriction
[ristríkʃən]

명 제한   restrict 동 제한하다
height **restriction** laws 건물 높이 제한법

resolution
[rèzəlú:ʃən]

명 결심, 결정   resolve 동 결정하다
a man of **resolution** 결의가 굳은 사람

solution
[səlú:ʃən]

명 해결, 해법; 용액   solve 동 해결하다
the best **solution** 최선의 해결책
a strong sugar **solution** 진한 설탕 용액

evolution
[èvəlú:ʃən]

명 진화   evolve 동 진화하다
a gradual **evolution** 점진적 발전
animal **evolution** 동물 진화

revolution [rèvəlú:ʃən] 명 혁명; 변혁; 회전   revolve 동 회전하다

congratulation
[kəngrætʃuléiʃən]

명 축하   congratulate 동 축하하다
Congratulations on your promotion! 승진 축하해요!

assumption
[əsʌ́mpʃən]

명 가정, 추정   assume 동 가정하다, 추정하다
the wrong **assumption** 틀린 추정

accommodation
[əkὰmədéiʃən]

명 숙박 시설　accommodate 동 수용하다
affordable **accommodations** 저렴한 숙박 시설　*affordable 값이 알맞은

negotiation
[nigòuʃiéiʃən]

명 협상　negotiate 동 협상하다
proper **negotiation** tactics 적절한 협상 책략

application
[æpləkéiʃən]

명 1. 적용　2. 신청　apply 동 적용시키다
an **application** form 지원서 양식

> **appliance** [əpláiəns] 명 가구, 장치, 전기 기구
> home appliances 가전제품
> medical appliances 의료 기구

representation
[rèprizentéiʃən]

명 표시, 설명　represent 동 묘사하다, 표시하다
representation techniques 표현 기법

meditation
[mèditéiʃən]

명 명상　meditate 동 명상하다
seek peace through **meditation** 명상을 통해 평화를 추구하다

> **medication** [mèdəkéiʃən] 명 약물 치료, 투약　medicine 명 약
> **mediation** [miːdiéiʃən] 명 조정, 중재　mediate 동 중재하다

occupation
[àkjupéiʃən]

명 1. 점령　2. 직업　occupy 동 점유하다
manual **occupation** 육체노동을 하는 직업

opposition
[àpəzíʃən]

명 반대　oppose 동 반대하다
opposition party 반대편, 야당

administration
[ədmìnistréiʃən]

명 행정부　administrate 동 관리하다, 지배하다 ＝ administer
the present **administration** 현재의 행정부, 현 정권

recollection
[rèkəlékʃən]

명 기억, 회상　recollect 동 회상하다
the **recollection** of meeting her 전에 그녀를 만난 기억

demonstration
[dèmənstréiʃən]

명 1. 시위　2. 증명　demonstrate 동 시위하다, 증명하다
an antiwar **demonstration** 반전 시위

aviation
[èiviéiʃən]

명 비행, 항공　aviate 동 비행하다, 항공기를 조종하다
civil **aviation** 민간 항공

-cy(-sy) ~한 성질, 상태

currency 유통, 통화, 화폐

currency는 외환(foreign exchange), 전자 화폐(electronic currency), 외화(foreign currency) 등의 표현에 자주 등장한다. cur-는 '류(流 흐르다)'의 의미를 지니는 어근(root)이다. 류(流)는 '흐르다'의 의미로서 물, 공기, 돈, 전류, 정보, 시간 등이 움직이면서 흘러간다는 의미를 나타낸다. 형용사 current는 -cy를 붙여 '화폐, 유통'을 나타내는 명사형을 만든다.

Basic Words		
☐ **privacy** [práivəsi] 명 사생활		private 형 사적인
☐ **accuracy** [ǽkjurəsi] 명 정확, 정밀도		accurate 형 정확한
☐ **frequency** [frí:kwənsi] 명 자주 일어남, 빈도		frequent 형 빈번한
☐ **fluency** [flú:ənsi] 명 유창성		fluent 형 유창한
☐ **emergency** [imə́:rdʒənsi] 명 비상사태		emergent 형 긴급한

intimacy
[íntəməsi]

명 친분 intimate 형 밀접한
intimacy between teachers and students 스승과 학생 사이의 친분

efficiency
[ifíʃənsi]

명 능률 efficient 형 능률적인
the **efficiency** of one's work 일의 능률성

vacancy
[véikənsi]

명 공허 vacant 형 텅 빈
have no **vacancy** 빈 방이 없다
job **vacancies** 일자리 공석

literacy
[lítərəsi]

명 읽고 쓰는 능력 literate 형 읽고 쓸 수 있는
a high **literacy** rate 높은 식자율(글을 읽고 쓸 줄 아는 사람의 비율)

prophecy
[práfisi]

명 예언 prophesy 동 예언하다
the fortune-teller's **prophecy** 점쟁이의 예언
the results of the **prophecy** 예언의 결과

agency
[éidʒənsi]

명 대리점, 기관 agent 명 대행자, 대리인
a travel **agency** 여행사
the Central Intelligence **Agency** (미)중앙정보국(CIA)

legitimacy
[lidʒítəməsi]

명 합법성, 정당 legitimate 형 정당한, 합법의
the **legitimacy** of one's claim 주장의 정당성

-tion(-sion) 명사형 접미사

founda**tion** 1. 창설, 창립 2. 재단, 협회 3. 근거, 토대 4. 기초 화장품

동사 found(설립하다, 기초하다)의 명사형이 foundation이다. foundation은 '기초'와 관련한 다양한 의미를 나타낸다. 1. 창설, 창립 2. 재단, 협회 3. 근거, 토대 4. 기초 화장품 5. (몸매를 위한) 속옷 등은 모두 기초적인 토대를 나타내는 의미들이다. 명사형을 만드는 접미사 -tion은, relax처럼 자음으로 끝나는 동사에는 -ation이 붙는다.

Basic Words	
□ **explan**a**tion** [èksplənéiʃən] 명 설명	explain 통 설명하다
□ **found**a**tion** [faundéiʃən] 명 기초	found 통 기초하다
□ **imagin**a**tion** [imædʒənéiʃən] 명 상상	imagine 통 상상하다
□ **inform**a**tion** [infərméiʃən] 명 정보, 통지	inform 통 알리다

relaxation
[rì:lækséiʃən]

명 긴장 완화, 이완, 휴식 relax 통 긴장을 풀다
muscle **relaxation** exercise 근육 이완 운동

imitation
[ìmitéiʃən]

명 모방 imitate 통 모방하다
an **imitation** of the original 원본의 모조품

limitation [lìmətéiʃən] 명 한계, 제한 limit 통 제한하다

division
[divíʒən]

명 분할 divide 통 나누다
the fair **division** of money 돈의 공평한 분배

suggestion
[sədʒéstʃən]

명 제안 suggest 통 제안하다
consent to a **suggestion** 제안에 동의하다

acquisition
[ækwizíʃən]

명 획득, 습득 acquire 통 손에 넣다, 획득하다
rapid language **acquisition** 빠른 언어 습득

temptation
[temptéiʃən]

명 유혹 tempt 통 유혹하다
fall into **temptation** 유혹에 빠지다

addiction
[ədíkʃən]

명 중독 addict 통 중독시키다 *be addicted to ～에 중독되다
overcome one's **addiction** to alcohol 술 중독을 극복하다

operation
[àpəréiʃən]

형 작동; 수술　operate 통 작동하다, 수술하다
an **operation** on one's lungs　폐 수술

sanitation
[sænitéiʃən]

형 (공중) 위생; 위생 시설　sanitary 형 위생적인, 보건상의
food **sanitation**　식품 위생
a **sanitation** worker　환경미화원

narration
[næréiʃən]

형 서술, 이야기　narrate 통 말하다, 이야기하다, 서술하다
direct **narration**　직접 화법

illustration
[ìləstréiʃən]

형 삽화; 예증　illustrate 통 설명하다, 삽화를 넣다
illustrations of the book　그 책의 삽화

rotation
[routéiʃən]

형 회전, (지구의) 자전; 교대　rotate 통 회전하다, 교대하다
the **rotation** of the Earth　지구의 자전

violation
[vàiəléiʃən]

형 위반, 위배　violate 통 (법률·맹세·약속·양심을) 어기다
a traffic **violation**　교통 규칙 위반

revelation
[rèvəléiʃən]

형 폭로, (비밀의) 누설　reveal 통 드러내다, 폭로하다
the **revelations** of the contents　내용의 폭로

digestion
[daidʒéstʃən]

형 소화, 소화력　digest 통 소화하다　digestive 형 소화의
the **digestion** of food　음식의 소화
the **digestive** system　소화 기관

institution
[ìnstitjú:ʃən]

형 설립, 조직, 기관　institute 통 설치하다, 설립하다
governmental **institutions**　정부 기관

fusion
[fjú:ʒən]

형 용해, 융해; 합병　fuse 통 녹이다; 융합하다
the perfect **fusion** of image and sound　영상과 음향의 완벽한 결합
nuclear **fusion**　핵융합

alienation
[èiljənéiʃən]

형 멀리함, 소외; [법률] 양도　alienate 통 멀리하다, 소외하다
a sense of **alienation**　소외감

-(ss)ion 명사형 접미사

economic rece**ssion** 경기 침체

경기 침체를 나타내는 표현은 recession, slump, depression, slowdown, downturn 등등 매우 많다. 이 표현들은 앞에 economic(경제의)이 붙지만, 붙지 않더라도 경기 침체를 나타낸다. 명사형 접미사 -tion은 [ʃən]으로 발음되는데, recession과 depression처럼 동사가 -ss로 끝나면 -ion이 붙어 -ssion[ʃən]이 되기도 한다.

Basic Words

☐ admi**ssion** [ədmíʃən] 명 입장[입학] (허가), 입장료　admit 동 인정하다

☐ aggre**ssion** [əgréʃən] 명 공격, 침략　　　　　aggress 동 싸움을 걸다

☐ commi**ssion** [kəmíʃən] 명 임무, 위임; 수수료　commit 동 위임하다, 맡기다

☐ obse**ssion** [əbséʃən] 명 강박 관념, 망상　　obsess 동 (망상 등이) ~을 사로잡다

---

confession****
[kənféʃən]

명 고백, 자백　confess 동 고백하다
a **confession** of guilt 죄의 자백

possession****
[pəzéʃən]

명 소유; 소유물, 소지품　possess 동 소유하다
lose one's **possessions** 재산을 잃다

recession****
[riséʃən]

명 후퇴; (일시적) 경기 후퇴(=slump)　recede 동 물러나다, 퇴각하다
an economic **recession** 경기 침체

> **recess** [risés] 명 쉼, 휴식

succession****
[səkséʃən]

명 연속; 상속, 계승(권)
succeed 동 연속하다　successive 형 연속적인
by **succession** 세습에 의해
successive droughts 잇따른 가뭄

submission****
[səbmíʃən]

명 복종; 항복　submit 동 복종하다
submission to the king 왕에게 복종

profession****
[prəféʃən]

명 직업; 공언, 고백　profess 동 공언하다, 고백하다
the teaching **profession** 교직

> **vocation** [voukéiʃən] 명 직업, 생업
> **occupation** [àkjupéiʃən] 명 직업, 점령 (기간)

파생어의 혼동 어휘
Memorial Day 현충일

명사의 파생어는, 형용사의 형태에 따라 의미가 다를 수 있다. 대부분 형용사의 꼬리(접미사)를 보고 의미를 구분할 수 있지만 쉽지 않은 경우도 있다. 이 경우, economical wife(절약하는 부인), Memorial Day(현충일), sensitive skin(민감한 피부)처럼 연결된 표현(연어)을 익혀서 별도로 구분하면 오래 기억된다. 한국의 Memorial Day는 6월 6일, 미국의 Memorial Day는 5월 마지막 월요일이며 일부러 연휴를 만들어준다.

economy	economic [ì:kənámik] 📘 경제의	an **economic** relationship 경제적 관계
	economical [ì:kənámikəl] 📘 절약하는	an **economical** housewife 알뜰한 주부
credit	credible [krédəbl] 📘 믿을 수 있는	a **credible** witness 믿을 만한 증인
	credulous [krédʒuləs] 📘 (남의 말을) 잘 믿는	a **credulous** person 귀가 얇은 사람
child	childish [tʃáildiʃ] 📘 유치한, 어른답지 않은	**childish** behavior 유치한 행동
	childlike [tʃáildlàik] 📘 어린애 같은, 순진한	a man of **childlike** heart 천진난만한 사람
sense	sensible [sénsəbl] 📘 분별력 있는	a **sensible** man 분별력 있는 사람
	sensitive [sénsətiv] 📘 민감한	**sensitive** skin 민감한 피부
	sensory [sénsəri] 📘 감각의	a **sensory** organ 감각 기관
memory	memorable [mémərəbl] 📘 기억할 만한	**memorable** words 기억에 남는 말
	memorial [məmɔ́:riəl] 📘 기념의; 추도의	**Memorial** Day 현충일(전몰장병 추모일)
respect	respectful [rispéktfəl] 📘 경의를 표하는	**respectful** behavior 존중하는 태도
	respective [rispéktiv] 📘 각각의	**respective** owners 각각의 소유자
confide	confident [kánfidənt] 📘 확신하는, 자신 있는	a **confident** attitude 자신감 있는 태도
	confidential [kànfidénʃəl] 📘 은밀한, 기밀의	a **confidential** report 기밀 보고서

| **industry** | industrial [indʌ́striəl] 웹 산업의 | an **industrial** worker 산업 근로자 |
| | industrious [indʌ́striəs] 웹 부지런한 | **industrious** kids 부지런한 아이들 |

| **moment** | momentary [móuməntèri] 웹 순간적인 | a **momentary** impulse 순간적인 충동 |
| | momentous [mouméntəs] 웹 중요한 | the **momentous** decision 중요한 결정 |

| **practice** | practical [prǽktikəl] 웹 실용적인 | **practical** information 실용적인 정보 |
| | practicable [prǽktikəbl] 웹 실행 가능한 | a **practicable** method 실행 가능한 방법 |

| **favor** | favorable [féivərəbl] 웹 호의적인, 유리한 | a **favorable** attitude 호의적인 태도 |
| | favorite [féivərit] 웹 가장 좋아하는 | one's **favorite** recipes 가장 좋아하는 조리법 |

medicine	medical [médikəl] 웹 의학의, 의술의	**medical** school 의대
	medicinal [mədísənəl] 웹 약용의	**medicinal** plants 약초
	medication [mèdəkéiʃən] 웹 약물치료	flu **medications** 독감 약

| **organ** | organic [ɔːrgǽnik] 웹 유기체의, 신체기관의 | **organic** foods 유기농 식품 |
| | organized [ɔ́ːrgənaizd] 웹 조직적인 | **organized** crime 조직적인 범죄 |

imagine	imaginable [imǽdʒənəbl] 웹 상상할 수 있는	**imaginable** crisis 상상할 수 있는 위기
	imaginary [imǽdʒənèri] 웹 상상의, 가상의	an **imaginary** friend 상상 속의 친구
	imaginative [imǽdʒənətiv] 웹 상상력 풍부한	an **imaginative** poet 상상력 풍부한 시인

| **vary** | variable [vǽriəbl] 웹 변하기 쉬운 | **variable** weather 변하기 쉬운 날씨 |
| | various [vǽriəs] 웹 다양한 | **various** tax favors 다양한 세금 혜택 |

| **consider** | considerable [kənsídərəbl] 웹 상당한 | **considerable** time 상당한 시간 |
| | considerate [kənsídərət] 웹 사려 깊은 | **considerate** neighbors 사려 깊은 이웃 |

gene	general [dʒénərəl] 웹 일반의, 전체적인	a **general** meeting 총회
	generous [dʒénərəs] 웹 후한, 관대한	a **generous** gift 후한 선물
	genetic [dʒənétik] 웹 유전의; 유전학적인	a **genetic** disorder 유전병

어휘는 꼬리에 꼬리를 문다

metropolis 도시권 행정부; 지하철

subway(지하철)는 땅 속으로 가는 기차를 의미한다. 지하철은 subway로만 부르는 것이 아니라, 서울의 1~4호선 지하철을 서울메트로(http://www.seoulmetro.co.kr)가 운영하고 있듯이, tube나 metro로 표현하기도 한다. metro는 원래 'mother'를 의미하며, metropolis(mother+city)는 수도(capital)나 중심 도시를 의미한다. 이렇게 'metro→metropolis'의 관계를 활용해서 암기한다.

expert [ékspəːrt] 전문가, 숙달자
expertise [èkspəːrtíːz] 전문 지식

a technical **expert** 기술적 전문가
expertise in physics 물리학적 전문 지식

long [lɔːŋ] 긴, 길이가 긴
longevity [lɑndʒévəti] 장수; 수명

a **long** distance 장거리
enjoy **longevity** 만수무강하다

norm [nɔːrm] 기준; 규범; 모범
normalize [nɔ́ːrməlàiz] 정상화하다

above the **norm** 표준 이상인
normalize relations 관계를 정상화하다

nurture [nə́ːrtʃər] 양육하다; 영양물을 주다
nutrition [njuːtríʃən] 영양; 영양 공급
nutrient [njúːtriənt] 영양소; 영양제

nurture one's children 아이를 키우다
abundant **nutrition** 풍부한 영양
essential **nutrients** 필수 영양소

master [mǽstər] 주인; 거장
masterpiece [mǽstərpìːs] 걸작, 명작

a **master** of suspense 서스펜스물의 대가
a **masterpiece** of nature 자연의 걸작

metro [métrou] 도시권 행정부; 지하철
metropolis [mətrápəlis] 중심 도시, 수도(capital); 대도시

travel on the **metro** 지하철로 이동하다
a modern **metropolis** 현대의 대도시

germ [dʒəːrm] 병원균; (사물의) 싹(틈), 기원
germinate [dʒə́ːrmənèit] 싹트다, 발아하다

germ warfare 세균전
germinate in the spring 봄에 싹이 트다

형용사 vs. 부사

의미를 바꾸는 「-ly」: 형용사 뒤의 -ly는 일반적으로 부사를 만든다. 그러나, -ly가 원래의 형용사와는 다른 별개의 부사로
발전하는 경우도 있다.

☐ late 형 늦은 부 늦게   ☐ lately 부 최근에   until lately 최근까지

☐ near 형 가까운 부 가까이   ☐ nearly 부 거의   nearly dead 거의 죽은

☐ hard 형 단단한, 힘든 부 열심히   ☐ hardly 부 거의 ~않는   I hardly know her. 나는 그녀를 잘 모른다.

☐ direct 형 직접적인 부 똑바로   ☐ directly 부 즉시, 곧바로   do it directly 즉시 ~하다

☐ purpose 형 목적   ☐ purposely 부 일부러, 고의로(=intentionally)

☐ high 형 높은 부 높이   ☐ highly 부 매우; 고귀하게   think highly of ~를 높이 평가하다

140

뿌리(어근)를 보면
어휘가 보인다

gene 유전자, 낳다
genetics 유전공학

어려운 단어이긴 하지만 genetics(유전 공학)의 gen-은 무슨 의미일까? 가장 눈에 익은 예는 트랜스젠더(transgender)에서 확인할 수 있다. [trans바꾸다+gender성(性)]에서 알 수 있듯이, gender는 '성(性)'을 의미하며, 이것은 gene(유전자)에서 파생된 표현이다. 여기서 gene-은 '유전자, 낳다'는 의미이다. GMO(유전자조작식품 Genetically Modified Organism)에서도 gene이 사용되었다.

Basic Words

- ☐ **gene** [dʒiːn] 명 유전(인)자
- ☐ hydro**gen** [háidrədʒən] 명 수소(H)   [hydro물+gen생산, 낳다]
- ☐ oxy**gen** [áksidʒən] 명 산소(O)   [oxy산소+gen생산, 낳다]
- ☐ nitro**gen** [náitrədʒən] 명 질소(N)   [nitro질소+gen생산, 낳다]
- ☐ homo**gene**ous [hòumədʒíːniəs] 형 동질적인
                         [homo같은+gene유전자+ous형용사]

---

gender
[dʒéndər]

명 성(性)
[gen유전자+der명사=유전인자−성]
feminine **gender** 여성

---

generate
[dʒénərèit]

동 낳다; 산출하다; 일으키다   generation 명 세대, 동시대 사람들; 발생
[gener낳다+ate동사=낳다]
generate heat 열을 발생시키다

---

genuine
[dʒénjuin]

형 순수한; 진짜의; 타고난
[gen(u)종족, 유전+ine형용사=종족의, 종족이 섞이지 않은−순수한]
genuine leather 진짜 가죽

---

genetics
[dʒənétiks]

명 유전학 (단수 취급); 유전적 특징   genetic 형 유전의
[gene유전자+tics학문=유전학]
teach **genetics** 유전학을 가르치다
genetic engineering 유전 공학

---

generous
[dʒénərəs]

형 관대한, 후한   generosity 명 관대함
[gener종족, 유전+ous형용사=고귀한 태생의, 관대한]
a **generous** bonus 두둑한 보너스

---

in**genu**ity
[ìndʒənjúːəti]

명 발명의 재주, 독창성, 재간   ingenious 형 재능 있는, 독창적인
[in안에+gen(u)낳다+uity명사=안에 타고난 것−타고난 재주]
human **ingenuity** 인간의 재주

DAY 43-2

bio 살아 있는(生)

antibiotic 항생제

항생제는 병원균에 대한 저항력을 가진 약이다. 하지만 감기 환자, 모든 수술 환자, 게다가 조그만 상처가 난 환자가 항생제를 필수적으로 먹어야 하는 것은 아니다. 항생제는 영어로 antibiotic [anti저항+bio생(生)+tic]이라고 하며, 글자 그대로 '저항 물질'이라는 의미로서, 병원균에 저항한다는 의미이다.

Basic Words	
□ antibiotic [æntibaiátik] 명 항생 물질, 항생제 형 항생 (작용)의	
□ bioecology [bàiouikáləʤi] 명 생물 생태학 ecology 명 생태학	

---

biography
[baiágrəfi]

명 전기, 일대기 autobiography 명 자서전

[bio 생(生)+graphy 글자 = 사람의 삶에 대한 글]

a **biography** about one's mother 어머니의 전기[일대기]

---

biology
[baiáləʤi]

명 생물학 biological 형 생물학적인

[bio 생(生)+logy 학문 = 생물학]

a **biology** experiment 생물학 실험

---

biomechanical
[bàiouməkǽnikəl]

형 생물[생체] 역학적인 mechanical 형 기계적인, 자동적인, 역학적인

[bio 생(生)+mechanical 기계적인, 역학의 = 생체 역학적인]

biomechanical features 생체 역학적 특징

biomechanics(생체 역학): 생체, 특히 근육 활동의 역학적 원리를 다루는 생물학의 한 부문이다.

---

biochemistry
[bàioukémistri]

명 생화학; 생화학적 특징 biochemical 형 생화학의

[bio 생(生)+chemistry 화학=생화학]

the **biochemistry** of the body 신체의 생화학적 특징
a degree in **biochemistry** 생화학 학위

---

microbiology
[màikroubaiáləʤi]

명 미생물학, 세균학 ⊜ bacteriology

[micro 미세, 작은+bio 생(生)+logy 학문=미생물학]

a degree in **microbiology** 미생물학 학위

spect 보다(see)

spectrum 스펙트럼

빛은 우리가 보기에는 투명하지만 실제로는 여러 가지 색을 가지고 있다. 이 색의 띠를 스펙트럼이라고 한다. 태양과 지구 사이의 거리를 1cm라고 했을 때, 지구에서 가장 가까운 별까지의 거리는 무려 2.6km 정도 떨어져 있는 꼴인데, 이렇게 멀리 떨어져 있는 별에 대해 가 보지도 않고 많은 사실을 알 수 있는 것은 바로 별에서 오는 스펙트럼(spectrum)을 분석함으로써 가능하다. 여기서 spect라는 어원은 '눈에 보이다'는 의미를 갖고 있는데, respect(존경하다), inspect(조사하다), prospect(전망, 기대) 등은 모두 같은 어원에서 나온 말이다.

Basic Words

☐ **spec**imen [spésəmən] 몡 견본, 표본
☐ per**spect**ive [pərspéktiv] 몡 원근법, 전망; 시각
☐ a**spect** [ǽspekt] 몡 국면, 양상, 전망

---

species
[spíːʃiːz]

몡 종류, 종(種)
[spec 보다 + ies 명사 = 양상, 보이는 형태]
an endangered **species** 멸종의 위기에 처한 종

specific
[spisífik]

혱 1. 특유한, 독특한 ⊜ peculiar 2. 상세한, 구체적인 ⊜ definite
[spec 보이는 종류 + ific 형용사 = 눈에 보이는 특정한 종류의]
specific instructions 명확한 지시 사항

spectacle
[spéktəkl]

몡 (눈으로 본) 광경, 장관 spectacular 혱 볼만한, 장관의
[spect 보다 + acle 명사 = 볼거리]
watch the **spectacle** 장관을 지켜보다

in**spect**
[inspékt]

용 검사하다, 검열하다 inspection 몡 검사
[in 안 + spect 보다 = 안을 들여다보다]
inspect the contents of the package 짐의 내용물을 검사하다

su**spect**
[sʌspékt / sʌ́spekt]

용 혐의를 두다 몡 혐의자 suspicion 몡 의심
[sus 아래로(sub) + spect 보다 = 아래로 내려 보다, 의심하다]
suspect a gas leak 가스 누출을 의심하다

retro**spect**
[rétrəspèkt]

용 회상하다, 회고하다 몡 회고, 회상
[retro 뒤로(backward) + spect 보다 = 뒤로 돌이켜보다]
in **retrospect** 돌이켜 회상해 보면

DAY 44-1

fer 나르다, 운반하다(carry, bring)

transfer 환승하다, 갈아타다

지하철에서 자주 들리는 말이다. "This stop is City Hall. You can transfer to line number 1." 여기서 transfer는 '갈아타다'라는 말로 해석이 되고, 학교를 transfer하면 '전학', 직장에서 transfer 하면 '전근', 은행에서 transfer 하면 '돈의 송금', 중요한 서류를 컴퓨터로 transfer하면 '파일 이동'을 의미한다. trans-는 '가로질러(across)'를, -fer는 '운송하다(carry)'를 의미한다.

Basic Words
- [ ] **fer**ry [féri] 명 연락선
- [ ] pre**fer** [prifə́:r] 동 ~를 더 좋아하다   preferable 형 더 좋은, 선호하는

---

trans**fer**
[trænsfə́:r / trǽnsfə:r]

동 옮기다, 갈아타다 명 갈아탐, 바꿈

[trans 넘어서, 가로질러 + fer 운반하다 = 넘어서 옮기다]

transfer to another school 다른 학교로 전학 가다

con**fer**
[kənfə́:r]

동 1. 수여하다   2. 의논하다, 협의하다 (together)

conference 명 회의

[con 함께 + fer 운반하다 = 함께 가져오다 – 상의하다]

confer a medal 메달을 수여하다
hold a press **conference** 기자 회견을 열다

re**fer**
[rifə́:r]

동 1. 조회하다 (to); 참조시키다   2. 언급하다   reference 명 참조, 언급

[re 뒤로 + fer 운반하다(carry) = 뒤로 옮기다–참조하다]

refer to the boy as "my son" 그 소년을 '내 아들'이라고 부르다
(refer to A as B: A를 B라고 부르다)

de**fer**
[difə́:r]

동 연기하다, 늦추다 유 delay, postpone

[de 아래로(down) + fer 운반하다(carry) = 하던 일을 아래로 옮겨 놓다 – 늦추다]

defer one's departure 출발을 연기하다

fertile
[fə́:rtl]

형 1. 비옥한 반 sterile 불모의   2. (인간·동물이) 다산(多産)의

[fer(t) 운반하다 + ile 형용사 = 나르기 쉬운]

fertile soil 비옥한 토양

in**fer**
[infə́:r]

동 추리하다, 추론하다   inference 명 추론

[in 안에 + fer 운반하다 = 안으로 옮기다]

infer the meaning of a word 단어의 의미를 추론하다

ple(ply, pli) 가득 찬, 겹(times)

triple 세 배의, 세 겹의

농구에서 득점, 리바운드, 어시스트, 스틸, 슛블럭 중 한 경기에서 한 선수가 세 가지를 두 자릿수 이상 기록할 때 '트리플 더블'이라고 한다. 스틸이나 슛블럭은 각각 한 경기에서 10개 이상씩 하기 힘들므로 대부분의 트리플 더블 기록은 득점, 리바운드, 어시스트에서 나온다. 여기서 '트리플'이란 '세 번 채운다'는 의미이며, 이 때 -ple는 '겹(fold)'과 '가득 찬(full)'의 의미를 갖는다.

Basic Words	
□ **triple** [trípl] 통 세 배로 하다 명 세 배의 수[양] 형 세 배의
□ **ple**nty [plénti] 명 풍부, 다량, 충분한 양
□ sup**ply** [səplái] 통 공급하다, 배급하다

---

compl**i**cate
[kámplikeit]

통 복잡하게 하다, 까다롭게 하다 형 복잡한

[com 함께+pli 겹+cate 동사=서로 겹치다 – 복잡하게 하다]

complicate matters 일을 복잡하게 만들다

---

im**ply**
[implái]

통 함축하다, 암시하다 implicit 형 은연중의, 함축적인, 묵시적인
implication 명 의미, 함축

[im 안에+ply 겹=안으로 겹치다 – 함축하다]

an implicit promise 묵시적인 약속

---

com**ple**te
[kəmplí:t]

통 완성하다 형 완전한, 완벽한 completely 부 완전히

[com 완전히+ple 가득 찬+te 형용사=완전히 채운]

a complete stranger 완전히 모르는 사람

---

com**pli**ment
[kámpləmənt]

명 칭찬, 아첨 통 칭찬하다 complimentary 형 칭찬의, 무료의

[com 완전히(강조)+pli 가득 찬+ment 명사=(남을 가득) 채워 줌 – 칭찬]

make a compliment on one's success 성공을 축하하다

---

com**ple**ment
[kámpləmənt]

통 보충하다 명 1. 보충물 = supplement 2.【문법】보어

[com 완전히(강조)+ple 가득 찬+ment 명사=완전히 가득 채워 주는 것 – 보충물]

complement each other 서로 보완하다, 보충하다

---

accom**pl**ish
[əkámpliʃ]

통 이루다, 성취하다, 완성하다

[ac ~로, ~에+com 완전히(강조)+pl 가득 찬+ish 동사=완전히 채우다 – 완성하다]

accomplish a purpose 목적을 달성하다

close 닫다

water **close**t (W.C.) 수세식 변기

다양한 화장실 표현을 살펴보자. W.C., Toilet, Rest Room! 일본에서 즐겨 쓰는 W.C.(water closet)는 수세식 변기를 의미하지만, 사실 수세식 변기는 flush toilet이 옳은 표현이다. 옛날식 화장실과 달리 '물을 흘려보낸다'는 의미이다. closet은 밀폐된 방이라는 의미로 쓰인 것이며, close(닫다)라는 동사에서 나온 표현이고, 시간이 지나면서 -clude(닫다)로 모습을 바꾸어 나갔다.

Basic Words

☐ **close** [klouz] 통 (눈을) 감다; (문, 가게를) 닫다, 종결하다

☐ **close**t [klázit] 명 벽장, 작은 방, 서재

☐ **clos**ure [klóuʒər] 명 마감, 폐쇄, 폐점

☐ **clos**ing [klóuziŋ] 명 폐쇄, 종결, 종료

---

dis**close**
[disklóuz]

통 노출시키다, 폭로하다, 공표하다　　disclosure 명 폭로

[dis 반대, 부정 + close 닫다 = '닫다'의 반대 – 닫은 것을 벗기다, 노출시키다]

disclose a secret　비밀을 폭로하다

en**close**
[inklóuz]

통 동봉하다; 둘러싸다　　enclosure 명 동봉된 것; 포위

[en 안에(in) + close 닫다 = 안에 넣고 닫다 – 동봉하다]

enclose a check with a letter　편지에 수표를 동봉하다

in**clude**
[inklú:d]

통 포함하다, 넣다　　inclusion 명 포함, 함유

[in 안에 + clude 닫다 = 안에 두고 닫다 – 포함하다]

include tax and tips　세금과 팁을 포함하다

ex**clude**
[iksklú:d]

통 몰아내다, 배척하다, 제외하다　　exclusive 형 배타적인, 독점적인

[ex 밖으로 + clude 닫다 = 밖으로 몰아내고 닫아 버리다]

exclude the elderly　노인들을 제외시키다

se**clude**
[siklú:d]

통 (사람·장소 따위를) 분리하다, 격리하다　　seclusion 명 분리

[se 분리(apart) + clude 닫다 = 분리하여 닫다 – 격리하다]

a **secluded** place　격리된 곳

con**clude**
[kənklú:d]

통 끝내다, 결론을 내리다

conclusive 형 결정적인　　conclusion 명 결론

[con 함께 + clude 닫다 = 함께 (문제를) 닫다 – 결론을 내리다]

conclude from a study that ~　연구로부터 ~라는 결론을 내리다

fl(u) 날다, 흐르다

flush toilet 수세식 변기

'학교'에서의 '학(學)'은 '배우다'를 의미하므로, 학생, 학부모, 학업, 학문, 학습 등은 의미를 깊이 새기지 않고도 알 수 있다. 같은 논리로 fly에서의 fl-을 기억해 두면 flight, fluid, flood, fleet, fling, flush 등의 의미를 연상할 수 있다. fly에서의 fl-은 '날다, 흐르다(flow)'를 의미한다. 수세식 변기(flush toilet)는 '물이 흘러나오는 변기'이라는 의미이다.

Basic Words	
□ **fl**ight [flait] 몡 비행, 날기; 항공편	
□ **flu**id [flú(:)id] 몡 유동체 혱 유동성의	
□ **flo**w [flou] 통 흐르다 *flow-flowed-flowed	

---

flee
[fliː]

통 도망가다, 사라지다 *flee-fled-fled

[flee 흐르다 = 다른 곳으로 흐르다 – 도망가다]

flee from a crocodile 악어에게서 도망가다
flee for refuge 피난하다

---

float
[flout]

통 둥둥 뜨다, 표류하다 afloat 틧 둥둥 떠서 혱 떠 있는

[fl(oat)흐르다 = 흘러가다 – 둥둥 떠 있다]

float on the river 강에 둥둥 떠 있다

---

fluctuate
[flʌ́ktʃuèit]

통 변동하다, 오르내리다 fluctuation 몡 파동, 변동

[fl(uctu) 파도, 흐르다+ate 동사 = 파도치다]

fluctuate in numbers 수치가 계속 변동하다
a **fluctuating** market 가격 변동이 심한 시장

---

fluent
[flúːənt]

혱 유창한, 흐르는 듯한 fluency 몡 유창함

[flu 흐르다+ent 형용사 = 흐르는 듯한 – 유창한]

a **fluent** speaker 유창하게 말하는 사람

---

in**flu**enza
[ìnfluénzə]

몡 유행성 감기, 독감 = flu

[in 안으로+flu 흐르다+enza 명사 = 전염성이 강해 다른 사람에게 쉽게 전파함]

an **influenza** warning 독감 경보

---

flush
[flʌʃ]

통 (물이) 쏟아져 흐르다; (얼굴이) 붉어지다 = blush

[flu 흐르다+sh 동사 = 흘러내리다]

flush with anger 화가 나서 얼굴이 붉어지다

pos(e) 놓다(put, place)

pose 포즈

사진을 찍기 위한 포즈를 취하는 것은 얼굴의 모양을 제 위치에 두는 것이다. 반지를 그대 앞에 놓으니 propose(청혼하다), 회의에서 의견을 내놓으니 propose(제안하다), 물건을 밖으로 꺼내 놓으니 expose(노출시키다), 돈을 아래로 놓으니 deposit(입금하다), 글을 함께 놓으니 compose(작문하다, 작곡하다), 단어를 명사 앞에다 놓으니 preposition(전치사), 나중으로 미루어 놓으니 postpone(연기하다)이다. 이때 포즈(pose)는 '놓다'를 의미한다.

Basic Words
- ☐ **pose** [pouz] ⑧ 자세를 취하다, 포즈를 잡다　⑲ 자세, 포즈
- ☐ **pos**ture [pástʃər] ⑲ 자세, 마음가짐
- ☐ **depos**it [dipázit] ⑧ (돈을) 맡기다, 예금하다　⑲ 예금

---

dis**pose**
[dispóuz]

⑧ 1. 배치하다, 배열하다　2. 처분하다 (of)　disposition ⑲ 배열, 처분
[dis 떨어져(away) + pose 놓다 = 떨어뜨려 놓다]
dispose of trash 쓰레기를 처분하다

im**pose**
[impóuz]

⑧ 강요하다, (세금 등을) 부과하다
[im 위에(on) + pose 놓다 = 위에 놓다]
impose a fine on someone ~에게 벌금을 부과하다

sup**pose**
[səpóuz]

⑧ 1. 가정하다 ⊜ assume　2. 상상하다, 추측하다
[sup 아래에(sub) + pose 놓다 = 아래 놓고 생각하다]
be supposed to ~하기로 되어 있다, ~할 것으로 생각된다

com**pos**er
[kəmpóuzər]

⑲ 작곡가, 구성자, (글의) 저자
compose ⑧ 작곡하다, 작문하다, 구성하다　composition ⑲ 작곡, 작문, 구성
[com 함께(together) + pos(e) 놓다 + er 사람 = 함께 놓는 사람]
a composer of dance music 댄스 음악 작곡가

positive
[pázitiv]

⑱ 1. 긍정적인 ⟷ negative　2. 확신하는　3. (의학적 검사 결과가) 양성인
[pos 놓다 + itive 형용사 = 합의하여 놓아둔]
have a positive effect 긍정적인 효과가 있다

com**pon**ent
[kəmpóunənt]

⑲ 성분, 구성 요소　⑱ 구성하고 있는
[com 함께(together) + pon 두다 + ent 형용사 = 함께 놓아 둔 – 구성 요소]
the components of a machine 기계의 부품

duc(t) 이끌다, 인도하다

conductor 지휘자, 기차나 버스의 승무원

해외여행을 하는 사람이 늘어나면서 생긴 직종이 Tour Conductor(TC)이다. TC는 여행자를 인솔해 출국에서 입국까지 책임지는 일을 하는데, 여행사에서 직원으로 일을 하기도 하고 프리랜서로 활동하기도 한다. 여기서 conductor란 여행 가이드뿐만 아니라, 지휘자, 기차나 버스의 승무원, 경영자, 안내자를 나타내는 어휘이다. 이들은 하나의 공통점이 있다. 바로, duc-(이끌다, 인도하다)이다.

Basic Words

- [ ] **produce** [prədjúːs] 통 생산하다   **production** 명 생산
- [ ] **educate** [édʒukèit] 통 (사람을) 교육하다, 훈육하다
- [ ] **reduce** [ridjúːs] 통 줄이다, 축소하다(=diminish)

---

reproduction
[rìːprədʌ́kʃən]

명 재생, 복제, 번식   **reproduce** 통 재생하다. 번식시키다

[re 다시+pro 앞으로+duc 인도하다+tion 명사 = 다시 앞으로 끌어냄 – 재생]

reproduction of new cells 새로운 세포의 번식
reproduce a picture 그림을 복사하다

---

induce
[indjúːs]

통 꾀다, 유도하다

[in 안에(into)+duc(e) 인도하다 = 안으로 이끌다]

The medicine **induces** sleep. 그 약을 먹으면 잠이 온다.
induce investment 투자를 유도하다

introduce [ìntrədjúːs] 통 소개하다, (세상에) 알리다

---

seduce
[sidjúːs]

통 부추기다, 꾀다, (이성을) 유혹하다   **seduction** 명 유혹

[se 떨어져, 분리+duc(e) 인도하다 = 분리하여 끌어가다]

seduce youths 청소년을 유혹하다

---

conductor
[kəndʌ́ktər]

명 1. 안내자, (버스·열차의) 승무원 2. (음악단의) 지휘자
conduct 통 행동하다, 지도하다   명 1. 행동 2. 지휘, 안내

[con 함께+duct 인도하다+or 사람 = 안내하여 함께 동반하는 사람]

an assistant **conductor** 부지휘자
a prize for good **conduct** 선행상
conduct a tour 여행을 안내하다

tain(tent) 가지다, 쥐다

container 컨테이너

수출품은 대개 무겁고 양이 많아서 컨테이너(container)를 이용한다. 농산물과 축산물, 원자재 등은 주로 배를 이용하지만, 고부가 가치를 지닌 육류, 꽃, 고급 과일 등은 비행기로 수송할 수도 있다. 바로 문제는 어떤 통(container)에 담느냐가 아니라, 무엇을 담느냐가 문제이다. 여기서 -tain은 '담다, 쥐다'를 나타낸다.

Basic Words	
	☐ **contain** [kəntéin] 툉 포함하다, 담다
	☐ **maintain** [meintéin] 툉 유지하다(= keep up), 주장하다
	☐ **contin**ent [kɑ́:ntənənt] 명 대륙, 육지, 본토
	☐ at**tain** [ətéin] 툉 달성하다, 이루다; 도달하다

---

obtain
[əbtéin]

툉 얻다, 손에 넣다, 획득하다 ⊜ attain

[ob 길을 막고 + tain 쥐다 = 길을 막고 원하는 것을 얻다]

obtain approval from the government 정부로부터 승인을 얻다

---

re**tain**
[ritéin]

툉 보유하다, 유지하다

[re 뒤로 + tain 쥐다 = 뒤로 꽉 쥐고 있다]

retain nuclear weapons 핵무기를 보유하다

---

abs**tain**
[əbstéin]

툉 그만두다, 삼가다 (from)

[abs 떨어져(off) + tain 보존하다 = 멀리 떨어뜨려 두다]

abstain from voting 투표를 기권하다

abstract [æbstrækt] 톙 추상적인

---

sus**tain**
[səstéin]

툉 1. 떠받치다, 유지하다 2. 부양하다, 양육하다

[sus 아래에서(sub) + tain 쥐다, 유지하다 = 아래서 위로 받치다]

sustain the growth 성장을 지속하다
sustain one's family 가족을 부양하다

---

con**tent**
[kɑ́:ntent / kəntént]

명 내용, 목차(~s) 톙 만족하는   contentment 명 만족(함)

[con 함께(together) + tent 포함하다 = 함께 담긴 내용]

download **contents** on mobile phones 휴대 전화로 콘텐츠를 내려받다
be **content** with the result 결과에 만족하다

DAY 46-2

mit(mis) 보내다

mission impossible 불가능한 임무

전쟁에 사용하는 미사일(missile)은 라틴어 'miss-, mit-(보내다, 가게 하다)'에서 유래한 말이다. 밖으로 내보내면 emit(발산하다), 아래로 들여보내면 submit(제출하다)이 되고, 멀리 내보내면 dismiss (해고하다, 내보내다)가 된다. 이렇게 -mit와 -miss는 '보내다'의 의미를 갖고 있다.

Basic Words	
□ **mis**sile [mísəl] 몡 미사일	
□ per**mit** [pərmít] 통 허락하다, 허가하다	
□ trans**mit** [trænsmít] 통 (화물 등을) 보내다, 발송하다 transmission 몡 전달	
□ ad**mit** [ədmít] 통 허락하다 admission 몡 입학 허가, 입장료	

---

emit
[imít]

통 발산하다, 방출하다 ➊ give off   emission 몡 방출
[e 밖 + mit 보내다 = 밖으로 보내다 – 방출하다]
emit fumes 배기가스를 내뿜다 *fume 배기가스

---

mission
[míʃən]

몡 임무, 선교   missionary 몡 선교사
[mis 보내다 + sion 명사 = 보내기]
mission accomplished 임무 완료

---

submit
[səbmít]

통 1. 복종하다 (to); 복종시키다 (oneself)   2. 제출하다 (to)
submission 몡 제출, 복종
[sub 아래로(under) + mit 보내다 = 아래로 보내다]
submit to authority 권위에 복종하다
submit a term paper 학기말 보고서를 제출하다

---

omit
[oumít]

통 빠뜨리다, 생략하다 ➊ leave out   omission 몡 생략
[o 아래로(down) + mit 보내다 = 가게 하다–빼다]
omit a sentence from a paragraph 한 단락에서 문장 하나를 빼다

---

commit
[kəmít]

통 1. 저지르다   2. 위탁하다, 맡기다   commitment 몡 위탁, 위임, 헌신
[com 함께 + mit 보내다 = 남에게 보내다–맡기다]
commit suicide [a blunder] 자살[실수]하다

---

commis**sion**
[kəmíʃən]

몡 위임, 위원회; 수수료
[com 함께 + mis 보내다 + sion 명사 = 남에게 보내기–위임함]
sell goods on commission 위탁 판매하다
a commission agent 중매인, 중개상

cess(cel, ceed) 가다(go)

accelerate 가속시키다

차를 가속시킬 때 '차의 액셀을 밟는다'라고 하지만, 이것은 accelerator(가속기)가 맞는 표현이다. 우리가 '성공하다'로만 알고 있는 succeed는 분명 '성공하다'와 '상속하다, 계승하다'의 두 의미를 갖고 있다. [suc아래, 속+ceed가다]를 참고한다면 '아래로 내려가다'에서 '상속하다'의 의미를 연상할 수 있다. accelerator, succeed에서 -cel과 -ceed는 '가다'라는 의미이다.

Basic Words

- ☐ succeed [səksíːd] 동 성공하다; 연속하다
- ☐ proceed [prəsíːd] 동 (앞으로) 나아가다, 전진하다
- ☐ process [práses] 명 진행, 과정

excel
[iksél]

동 (남)보다 더 우수하다

excellent 형 우수한   excellence 명 우수함

[ex 밖으로, 넘어 + cel 가다 = 남보다 더 나아가다]

excel in English 영어에서 뛰어나다

excessive
[iksésiv]

형 과대한, 지나친   exceed 동 초과하다   excess 명 초과, 과다

[ex 밖으로, 넘어 + cess 가다 + sive 형용사 = 수치가 넘쳐가는]

excessive weight 체중 과다

access
[ǽksès]

동 접근하다   명 접근   accessible 형 접근 가능한

[ac ~에게 + cess 가다 = ~에게로 가다, 접근하다]

an **access** road (시설의) 진입로

recession
[riséʃən]

명 물러남, 경기 침체   recede 동 물러나다, 퇴각하다

[re 뒤로 + cess 가다 + ion 명사 = 뒤로 물러가다]

an economic **recession** 경기 침체

predecessor
[prédəsèsər]

명 전임자 ⟷ successor 상속자, 후계자

[pre 전(before) + de 아래 + cess 가다 + or 사람 = 보다 이전에 간 사람]

predecessor and successor 전임자와 후임자

precede
[prisíːd]

동 ~보다 앞서 가다   preceding 형 앞서 가는

[pre 전(before) + cede 가다 = 앞서 가다]

precede all others 다른 모든 것보다 우선하다

proceed [prəsíːd] 동 나아가다, 진행되다

153

tract(trac) 끌다, 당기다(draw)

tractor 트랙터

과거에는 소와 경운기가 쟁기를 끌어 밭갈이를 했지만, 이제는 트랙터가 논을 갈아엎는다. 트랙터는 논을 갈거나, 씨앗을 뿌리거나, 흙을 고르는 역할을 하는데, '트랙터'라는 말은 쟁기, 씨앗을 뿌리는 파종기, 땅을 평평하게 고르는 분쇄기 등을 끌어당기는 기계(tractor)라는 의미이다. 트랙터(tractor)는 '끌다(tract=draw)'의 의미!

Basic Words

□ **tract**or [træktər] 명 트랙터, 견인차   tract 동 끌다
□ **track** [træk] 명 자국(=trace, trail), 흔적; 통로
□ ex**tract** [ikstrǽkt] 동 끌어내다; 발췌하다(=draw out)
□ abs**tract** [ǽbstrækt] 명 추상적인 것, 초록, 발췌   형 추상적인
　　　　　　　　　　　　동 [æbstrǽkt] 요약하다
□ **trail** [treil] 동 뒤를 밟다, 추적하다 명 발자국, 흔적

---

at**tract**ive
[ətrǽktiv]

형 매력적인 attract 동 끌다, 매혹하다   attraction 명 매력
[at ~으로 + tract 끌다 + ive 형용사 = 마음을 끄는]
an **attractive** appearance 매력적인 외모

sub**tract**
[səbtrǽkt]

동 빼다   subtraction 명 빼기
[sub 아래 + tract 당기다 = 아래로 당기다, 빼다]
subtract A from B (B에서 A를) 차감하다[빼다]

con**tract**
[kántrækt]

명 계약 동 계약하다
[con 함께 + tract 끌다 = 의견을 한데 끌어모으다]
a **contract** worker 계약직 근로자, 비정규직 근로자

> contact [kántækt] 명 접촉, 서로 닿음

trace
[treis]

동 추적하다   명 발자국, 바큇자국
[trac(e) 끌다, 당기다]
traces of earlier civilizations 초기 문명의 발자취

re**treat**
[ritrí:t]

동 후퇴하다   명 후퇴, 피난처, 피정(조용한 곳에서 하는 종교적 수련)
[re 뒤 + treat 끌다 = 뒤로 끌다]
retreat from the border 국경에서 후퇴하다
a summer **retreat** 피서(지)

DAY 47-2

gress(grad) 앞으로 걷다, 나아가다

progressive 진보적인

보수적인(conservative) 사람과 진보적인(progressive) 사람의 차이는 '여기서 머물자(keep)'와 '앞으로 걸어 나가자(go)'는 차이이다. -serve는 '지키다(keep)'의 의미를 가지고 있으며, -gress는 '가다(go)'의 의미를 지닌다. 그러므로 보수는 '자리를 지키고 있다'이며, 진보는 '앞으로 가자, 가다'를 의미한다고 할 수 있다. -gress는 '가다'를 의미하는 어원이다.

Basic Words	
☐ **regress** [rigrés] 통 되돌아가다; 역행하다; 퇴보하다	
☐ trans**gress** [trænsgrés] 통 (법률을) 어기다, 범하다	

---

progressive
[prəgrésiv]

형 전진하는, 진보주의의 ⇔ conservative 보수적인
progress 통 진보하다, 전진하다 명 전진, 진행, 진보, 발달
[pro 앞으로 + gress 나아가다 + ive 형용사 = 앞으로 나아가는]
Progressive Party 진보당
scientific **progress** 과학적 진보

aggressive
[əgrésiv]

형 공격적인, 적극적인
aggress 통 공격하다   aggression 명 공격
[ag ~로 + gress 가다 + ive 형용사 = 앞으로 나아가는]
aggressive behavior 적극적인 행동

graduate
[grǽdʒuèit / grǽdʒuət]

통 졸업하다 명 학사, 졸업생   graduation 명 졸업
[grad 가다 + (u)ate 동사 = 계속 나가다―졸업하다]
graduate from high school 고등학교를 졸업하다

gradual
[grǽdʒuəl]

형 점진적인   gradually 부 점차적으로
[grad 걷다, 단계 + (u)al 형용사 = 계단을 걷는―점진적인]
get a **gradual** raise 점차 봉급이 인상되다

degree
[digríː]

명 1. 정도, (온도계의) 도   2. 학위
[de 아래로(down) + gree 가다 = 아래로 내려가는 단계]
by **degrees** 점차로(=step by step, gradually)

ingredient
[ingríːdiənt]

명 성분, 구성 요소, 재료
[in 안에 + gred(i) 가다 + ent 명사 = 안에 들어가 있는 것]
the main **ingredients** of kimchi 김치의 주재료

vent (바람이) 오다(come)

convention center 컨벤션 센터

한국의 COEX(한국종합무역전시관), BEXCO(부산종합전시관)는 전시를 의미하는 exhibition의 ex와 대규모 회의를 나타내는 convention의 co를 따서 각각 COEX와 BEXCO라고 이름을 붙인 것이다. 전시와 회의를 같이 하는 건물이라는 뜻이다. 컨벤션 센터(convention center)는 [con함께+vene오다+tion명사]이고, '다 함께 모이는 것'이란 의미이다.

Basic Words

- [ ] **in**vent [invént] 통 발명하다, 고안하다
- [ ] **pre**vent [privént] 통 막다, 예방하다
- [ ] a**venue** [ǽvənjùː] 명 큰 거리, 대로
- [ ] ad**vent**ure [ədvéntʃər] 명 모험

---

venture
[véntʃər]

통 위험을 무릅쓰고 ~하다, 감히 ~하다 = dare 명 모험

[vent 오다+ure 명사=접근해 오는 것]

venture to kiss her hand 과감히 그녀 손에 키스하다

---

vent
[vent]

명 구멍, 배출구

[vent 바람=바람구멍]

an air **vent** 공기구멍

---

conven**tion**
[kənvénʃən]

명 1. 집회, 회의 2. 관례, 풍습   convene 통 모으다, 회의를 소집하다
conventional 형 전통적인, 재래식의

[con 함께+ven 오다+tion 명사=같은 목적으로 함께 오는 것]

the **convention** center 회의장
social **conventions** 사회적 관습

---

ventilate
[véntəlèit]

통 공기를 통하게 하다, 환기하다
ventilation 명 환기   ventilator 명 환기구

[vent(il)바람+ate 동사=바람이 나오게 하다]

ventilate the work area 작업장을 환기하다

---

reven**ue**
[révənjùː]

명 소득, 고정 수입

[re 되(back)+venue 오다=다시 되돌아오는 것]

revenue and expenditure 소득과 지출

DAY 48-1

cur, cour 흐르다(run, flow)

current 흐르는 모든 것

current는 귀에 걸면 귀걸이, 코에 걸면 코걸이가 된다. 물과 연결하면 '물살', 공기와 연결하면 '기류', 전기와 연관 지으면 '전류', 시간과 연결하면 '현재의', 돈과 연결하면 '화폐' 등 그 예를 일일이 다 나열할 수가 없다. 그 이유는 간단하다. cur-는 '흐르다, 달리다'라는 기본적인 의미를 담고 있기 때문이다.

Basic Words

- ☐ **curr**iculum [kəríkjuləm] 명 커리큘럼, 교과 과정
- ☐ oc**cur** [əkə́:r] 동 1.발생하다 2.(머리에) 떠오르다
- ☐ inter**course** [íntərkɔ̀:rs] 명 교제, 교류
- ☐ **course** [kɔːrs] 명 진로, 행로; 교과 과정

---

current
[kə́:rənt]

형 1.현행의, 현재의 2.널리 유행되는 명 흐름, 기류, 조류, 전류
currency 명 유통, 통화
[cur(r)흐르다+ent형용사=흐르는]
current news 시사 뉴스
an electric **current** 전류

concur
[kənkə́:r]

동 1.동의하다 2.동시에 일어나다
[con(함께)+cur달리다=함께 달리다]
concur with one's view ~의 견해와 일치하다

ex**cur**sion
[ikskə́:rʒən]

명 소풍, 유람, 여행
[ex밖+cur흐르다+sion명사=서둘러 밖으로 나감]
a skiing **excursion** 스키 여행
go on an **excursion** 소풍 가다

re**cur**
[rikə́:r]

동 되돌아가다, 재발하다 recurrence 명 재발, 반복
[re다시+cur흐르다=다시 발생하다]
recur three times 세 번 재발하다
recurring nightmares 반복되는 악몽

dis**course**
[dískɔ:rs]

동 말하다, 이야기하다 명 설교, 이야기
[dis떨어져(away)+cour(se)달리다=내용이 멀리 미치다]
discourse on education 교육에 관해 대화하다
direct **discourse** 직접 화법

DAY 48-2

sens(sent) 감각
the sixth sense 육감

the sixth sense(육감), sense(감각)있는 여자, sensor(감지기) 등에서 sense의 의미는 약간씩 다르다. sense는 감각, 감성, 분별력, 감상 등의 의미가 문맥에 따라 다르게 쓰이기 때문이다. sensible(분별력 있는), sensitive(민감한), sensory(감각의)에서 sense의 의미는 조금씩 다르다. 공통점은 우리가 통상적으로 알고 있는 'sense(감각)' 그대로의 의미이다.

Basic Words
- □ **scen**t [sent] 몡 향기, 냄새　몡 냄새 맡다
- □ **sens**itive [sénsətiv] 몡 민감한　　　　sensitivity 몡 민감성
- □ **sens**ible [sénsəbl] 몡 분별력 있는

sensation
[senséiʃən]

몡 1. 감각, 감동, 흥분　2. 선풍적 반응, 대사건

[sens느낌＋(a)tion 명사＝감각하는 것]

create a **sensation** 센세이션을 일으키다

con**sens**us
[kənsénsəs]

몡 (의견, 감정의) 일치, 합의

[con 함께＋sens(us)감정＝함께 하는 감정]

the national **consensus** 국민적 합의

con**sent**
[kənsént]

동 허락하다; 동의하다 ＝ agree ⟷ dissent 반대하다
몡 동의, (의견, 감정의) 일치

[con 함께＋sent느낌＝함께 느끼다 – 동의하다]

consent to a suggestion 제안을 허락하다

as**sent**
[əsént]

동 동의하다 ＝ agree 몡 동의, 찬성

[as ～으로＋sent 감정＝가까이 느끼다 – 찬성하다]

assent to a proposal 제안에 동의하다

sentiment
[séntəmənt]

몡 감상, 소감　sentimental 몡 감상적인

[sent느낌＋(i)ment명사＝느낌, 소감]

public **sentiment** 국민 정서, 여론

sentence
[séntəns]

동 (형을) 선고하다 몡 1. 문장, 글　2.판결, 선고 ＝ verdict

[sent느낌＋ence 명사＝느낌을 표현함]

sentence him to 5 years of imprisonment 그에게 5년 형을 선고하다
expect the death **sentence** 사형 선고를 예상하다

158

DAY 48-3

DAY ★ 48

path (pass, pati) 감정(feeling), 겪다(suffer)

tele**path**y 이심전심

우연히 서로 같은 생각이나 동작을 했을 때 '서로 텔레파시가 통했다'는 표현을 즐겨 쓴다. 연인끼리라면 상당히 가슴 설레는 순간을 만드는 표현인데, 우리는 이런 경우를 이심전심(以心傳心)이라고 한다. 멀리서 보고(television), 멀리서 부르고(telephone), 멀리서 영업을 하고(telemarketing), 멀리서 서로의 감정을 느끼는(telepathy)에서 tele-는 멀리서, -pathy는 감정을 의미한다.

Basic Words	
☐ sym**path**y [símpəθi] **명** 동정, 공감	
☐ a**path**y [ǽpəθi] **명** 냉담; 무감각	
☐ anti**path**y [æntípəθi] **명** 반감	
☐ tele**path**y [təlépəθi] **명** 텔레파시, 이심전심	

---

pathetic
[pəθétik]

형 1. 불쌍한, 가슴 아픈 2. 한심스러운

[path(e) 감정 + tic 형용사 = 감동적인]

a **pathetic** sight 딱한 장면

em**path**y
[émpəθi]

명 감정 이입, 공감

[em 안(in) + pathy 느낌 = 안으로 넣은 감정]

my **empathy** with the elderly 노인에 대한 나의 공감

com**pass**ion
[kəmpǽʃən]

명 동정심, 연민(의 정)   compassionate **형** 인정 많은, 동정적인

[com 함께 + pass 고통을 겪다 + ion 명사 = 함께 하는 느낌]

compassion for the sick 아픈 사람에 대한 동정심
a humane and **compassionate** writer 인간적이고 동정적인 작가

confession [kənféʃən] **명** 고백, 자백

passion
[pǽʃən]

명 열정, 감정의 폭발   passionate **형** 열정적인

[pass 고통을 겪다 + ion 명사 = 고난 – 강한 감정]

passion for learning 배움에 대한 열정
a **passionate** speech 열정적인 연설

patient
[péiʃənt]

형 인내심이 강한   **명** 병자, 환자

[pati 겪다, 고생하다(suffer) + ent 사람, 형용사 = 고생을 겪는 사람]

Be **patient** with children. 아이들에게는 성미 급하게 굴지 마시오.
a heart **patient** 심장병 환자

159

ceive(cept) 받다, 잡다

receiver 수신기, 수화기

머리에 얹으면 헤드폰(headphone), 귀에 꽂으면 이어폰(earphone)인데, 만약 얼굴 광대뼈에 대면? 바로 골전도 헤드폰 (Bone Conduction Headphone)이라는 sound receiver이다. '골전도 헤드폰'은 말 그대로 뼈를 통하여 내이로 음향이 전달되는 원리를 응용한 헤드폰이다. 헤드폰이지만 소리를 받는다는 점에서 receiver는 리시버이다. -ceive는 '(소리를) 받다'는 의미인 것이다.

Basic Words	□ **receive** [risíːv] 동 받다, 수령하다 reception 명 접수 receipt 명 수령, 영수증
	□ inter**cept** [intərsépt] 동 도중에 가로채다 interception 명 가로챔, 차단
	□ ex**cept** [iksépt] 전 ~을 제외하고 동 제외하다 exception 명 제외, 예외

con**ceive**
[kənsíːv]

동 1. (의견 따위를) 마음에 품다   2. 고안하다, 생각하다
conception 명 생각, 고안   conceivable 형 생각할 수 있는
[con 함께 + ceive 잡다 = 함께 잡다, 충분히 생각하다]
conceive a plan 한 가지 계획을 생각해 내다

per**ceive**
[pərsíːv]

동 감지하다, 인식하다 ➡ notice, recognize
perception 명 지각, 인식
[per 완전히 + ceive 잡다 = 완전히 잡다]
perceive by ear 귀로 감지하다

de**ceive**
[disíːv]

동 속이다   deceit 명 속임, 사기
[de 벗어나 + ceive 잡다 = 빼앗아 가져가다]
be deceived by appearance 겉모양에 속다

con**cept**
[kánsept]

명 개념, 생각 ➡ conception
[con 함께 + cept 잡다 = 완전히 파악함]
an abstract concept 추상적인 개념

con**ceit**
[kənsíːt]

명 자부심, 자만 ➡ pride
[conceive(con 함께 + ceive 잡다 = 함께 잡다, 충분히 생각하다)의 변형]
self-conceited 자부심이 강한(=conceited)

ac**cept**
[əksépt]

동 1. 받아들이다, 수납하다   2. (초대, 제안, 구혼을) 수락하다
[ac ~로 + cept 받다 = 받아들이다]
accept a proposal 제의를 수락하다, 청혼을 수락하다

DAY 49-2

sid(sed, sess) 앉다(sit)

resident 레지던트, 거주민

일반적으로 의과 대학 6년을 마친 후, 의사 국가 고시를 보고 합격하면 의사가 된다. 이때부터 현장 경험을 쌓기 위해 '수련의'라고 부르는 과정을 밟는데, 수련 과정은 인턴과 레지던트로 구분을 해서 경험을 쌓는다. 전문의는 4년간 자기 전공과목을 정해서 수련을 밟는 레지던트 과정을 마치고 전문의 시험에 합격해야 가능하다. 레지던트는 [re뒤에(back)+sid앉다(sit)+ent=뒤에 앉아 남아 있다]에서처럼 병원에 남아 살게 될 정도로 '병원 귀신'이 되어야 함을 의미한다.

Basic Words

□ re**side** [rizáid] 통 살다, 거주하다
□ sub**side** [səbsáid] 통 가라앉다, 침전하다   subsidy 명 보조금, 장려금

---

pre**side**
[prizáid]

통 의장 노릇하다, 사회를 보다
president 명 장(長), 회장, 의장, 사회자; 대통령
[pre 앞에+side 앉다=남의 앞에 앉다]
preside at a meeting 회의의 사회를 보다

re**sid**ent
[rézidənt]

형 거주하는 명 거주자; 전문의 수련자(레지던트)
residential 형 주거지의   residence 명 주거, 거주
[re 뒤로+sid 앉다+ent 형용사=뒤로 남아서 앉아 있는]
the **resident** population of the city 시의 현 거주 인구

sediment
[sédəmənt]

명 앙금, 침전물, 퇴적물
[sed(i)앉다+ment 명사=가라앉아 있는 것]
sediment in the deep ocean 깊은 바다 속의 침전물

sedentary
[sédəntèri]

형 앉은 채 있는; [동물] 이주하지 않는
[sed 앉다+entary 형용사=앉아 있는]
sedentary work 앉아서 하는 일

session
[séʃən]

명 개회, (회의의) 회기
[sess 앉다+ion 명사=앉기, 앉아 있는 기간]
a morning **session** 조회
a regular **session** of the Assembly 정기 국회

section [sékʃən] 명 구역, 부문

tact(tack, tang) 접촉, 붙이다

contact lens 콘택트렌즈

렌즈가 안구에 붙어 접촉되어 있다고 해서 'contact lens'란 표현을 사용한다. contact는 접촉을 의미하며, '접촉'과 관련한 다양한 의미를 가진다. 1.접촉, 2.교제, 친교(association) 3.연락, 연줄(connection) 4.접촉면, 경계면 등 모든 의미가 [con함께+tact접촉]의 의미로 구성된 어휘이다.

Basic Words

- ☐ **contact** [kɑ́ntækt] 통 접촉하다, 연락하다   명 접촉
- ☐ a**ttack** [ətǽk] 통 공격하다   명 공격
- ☐ **tack**le [tǽkl] 통 달라붙다, 달려들다; (문제를) 다루다
- ☐ a**ttach** [ətǽtʃ] 통 붙이다, 첨부하다; 달라붙다

---

intact
[intǽkt]

형 손상되지 않은, 온전한 ● untouched

　[in 부정어(not)+tact 만지다=손대지 않은]

　an intact tomb 손상되지 않은 무덤

tactile
[tǽktl]

형 촉각의; 입체감의

　[tact 만지다+ile 형용사=붙어 있는, 만질 수 있는]

　a tactile sensation 촉각

con**tag**ion
[kəntéidʒən]

명 접촉 전염, (접촉성) 전염병　contagious 형 전염성의

　[con 함께+tag 접촉+ion 명사=함께 접촉함]

　spread by contagion 접촉으로 인한 전염으로 퍼지다
　a contagious disease (접촉성) 전염병

tangible
[tǽndʒəbl]

형 만져서 알 수 있는, 실체적인, 명백한

　[tang 만지다+ible 할 수 있는=접촉 가능한]

　tangible evidence 물증

con**tamin**ate
[kəntǽməneit]

통 오염시키다　contamination 명 오염

　[함께(con)+tamin 닿다(touch)+ate 동사=모두 접촉하여 더럽히다]

　contaminate a river with sewage 하수로 강을 오염시키다

de**tach**
[ditǽtʃ]

통 떼어 내다, 분리하다 ↔ attach 붙이다

　[de 반대로+tach 붙다=붙어 있는 것을 반대 방향으로 떨어뜨리다–떼어 내다]

　detach a lens from a camera 카메라에서 렌즈를 떼어 내다

DAY 50-1

claim(cil) 부르다, 외치다

baggage claim area 수화물 취급 장소

지하철에서 물건을 잃어버리는 경우 Lost & Found에 가야 한다. 항공사에서는 LL(Lost Luggage) CLAIM DESK로 연결해 주기도 하지만, 공항에서는 잃어버린 물건을 관리하는 baggage claim area를 운영한다. 이는 '자기 짐이라고 주장하는 장소'를 의미하며, '수화물 취급 장소'라고도 한다. claim은 대부분 '주장하다'라는 의미로 쓰이는 경우가 많지만, 사실은 '큰 소리를 내다'는 뜻을 가지고 있으며, 보험 회사에 보험료를 claim하면 '청구하다'가 된다.

Basic Words

- **clam**or [klǽmər] 명 외치는 소리(=shout), 소란(=uproar)
- **claim** [kleim] 동 1.요구하다, 주장하다 2.손해 배상을 요구하다 명 주장, 요구
- pro**claim** [proukléim] 동 선언하다, 공표하다(=declare)

ex**claim**
[ikskléim]

동 (감탄하여) 외치다, 큰 소리로 말하다 exclamation 명 외침, 절규

[ex 밖+claim 외치다=밖으로 크게 외치다]

exclaim in delight 기뻐서 소리를 지르다

ac**claim**
[əkléim]

동 환호하다, 갈채하다 ⊜ applaud 명 갈채, 환호

[ac ~로+claim 외치다=~에게 소리쳐 외치다]

gain worldwide **acclaim** 세계적인 찬사를 받다

clamorous
[klǽmərəs]

형 시끄러운, 소란스런, 떠들썩한 ⊜ noisy

[clam 외치다+or 명사+ous 형용사=외쳐대어 소란해진]

a **clamorous** crowd 소란스러운 군중
the **clamor** of the market 시장의 떠들썩한 소리

dis**claim**
[diskléim]

동 (권리 등을) 포기하다, (책임을) 부인하다

[dis 부정어(not)+claim 외치다=자기 것으로 주장하지 않다]

disclaim all responsibility 모든 책임을 부인하다

coun**cil**
[káunsəl]

명 회의, 의회 (시의회 등), 위원회

[coun 함께+cil 부르다(claim)=불러 함께 모음]

a city **council** 시의회

counsel [káunsəl] 동 의논하다, 조언하다

don(dos, dot) 주다

blood donation 헌혈

donate, subscribe, contribute 등등 '기부하다'를 의미하는 동사가 많다. contribution은 가장 일반적으로 단체나 조직에 내는 기부금, donation은 자선·종교상의 목적으로 내는 기부금, subscription은 정기적으로 내는 돈을 나타낸다. 하지만 blood donation(헌혈), contribution to charity(자선 단체 기부)처럼 대표적인 표현을 만들어서 기억하면 구분이 쉬워진다. donation의 don-은 말 그대로 '주다'를 의미하는 어원이다.

Basic Words	
☐ over**dose** [óuvərdòus] 명 (약의) 지나친 투여	
☐ **dose** [dous] 명 1회 복용량, 한 번에 주는 양	
☐ par**don** [páːrdn] 통 용서하다	

---

donation
[dounéiʃən]

명 기증, 기부, 기부금   donate 통 기부하다
[don 주다 + ation 명사 = 주는 것]
a blood **donation** 헌혈
make a **donation** 기부하다

---

en**dow**
[indáu]

통 수여하다, 부여하다, 기금을 기부하다   endowment 명 기부
[en 향하여 + dow 주다(dos) = 주다, 수여하다]
endow the school with computers 학교에 컴퓨터를 기부하다
(endow A with B: A에게 B를 기부하다)
be **endowed** with musical talent 음악적 재능을 타고나다

> bestow [bistóu] 통 주다, 수여하다 bestowal [bistóuəl] 명 수여
> **bestow** a prize on someone ~에게 상을 주다
>
> grant [grænt] 통 주다, 수여하다
> **grant** a right to someone ~에게 권리를 부여하다

---

ren**der**
[réndər]

통 ~이 되게 하다, ~로 만들다 = make
[re(n) 뒤로(back) + der 주다(dos) = 되돌려 주다]
render great service to ~에 크게 공헌하다
render me helpless 나를 무력하게 만들다

---

anec**dote**
[ǽnikdòut]

명 일화, 재미있는 사건
[an 없는(not) + ec 밖에 + **dot**(e) 주다 = 내 주지 않은 것 - 발표되지 않은 일]
humorous **anecdotes** 재미있는 일화

DAY 50·3

press 누르다
the Great De**press**ion 경제 대공황

'press(누르다)'라는 어휘가 다양한 접두사와 결합하는 모습을 볼 수 있다. suppress, oppress, depress, compress, repress…같은 어휘들을 어떻게 구분할 것인가 막막하다. 대부분의 어휘가 '누르다'는 의미를 간직하기 때문에 유사한 뜻을 지닌다. 하지만, 유사한 의미를 가진 나머지와는 달리 depress만은 별난 의미를 지니기에 따로 알아두는 것이 좋다. depress: 1.불경기로 만들다[de아래로＋press누르다] 2.우울하게 하다(마음을 누르다)

Basic Words	
☐ sup**press** [səprés] 통 억누르다	sup**press**ion 명 억제
☐ op**press** [əprés] 통 압제하다, 압박하다	op**press**ion 명 압박
☐ re**press** [riprés] 통 (감정·욕망을) 억누르다	re**press**ion 명 억압

press
[pres]

통 누르다, 압박하다　　**press**ure 명 압력, 압박
명 언론, 출판　　**press**man 명 신문 기자
[**press** 누르다]
　　press freedom　언론의 자유(출판, 보도의 자유)
　　blood **press**ure　혈압

de**press**ion
[dipréʃən]

명 1. 의기소침, 우울　2. 불경기, 불황
　　de**press** 통 1. 내리누르다　2. 우울하게 하다　3. 불황으로 만들다
　　[de아래로＋**press** 누르다＋ion 명사＝아래로 누름—불황으로 만드는 것]
　　The Great De**press**ion　(1929년 미국에서 일어난) 대공황
　　sink into a deep de**press**ion　깊은 우울감에 빠지다

im**press**ive
[imprésiv]

형 인상적인, 감동을 주는
　　im**press** 통 감동시키다　　im**press**ion 명 인상
　　[im안으로＋**press** 누르다＋ive 형용사＝상대방 마음속으로 밀어 넣는]
　　a first im**press**ion　첫인상

ex**press**
[iksprés]

통 표현하다　명 급행열차, 고속버스　　ex**press**ion 명 표현, 표정
　　[ex밖＋**press** 누르다＝밖으로 나가도록 압력을 가하다]
　　ex**press** one's concern　우려를 나타내다
　　　　　　　　　　ex**press**way [ikspréswèi] 고속도로　highway 간선 도로, 주요 도로

com**press**
[kəmprés]

통 압축하다　명 압축
　　[com함께＋**press** 누르다＝사방에서 함께 눌러버리다—압축하다]
　　com**press** files　파일을 압축하다

spir 숨 쉬다(breathe)

1% inspiration 1%의 영감

천재는 1%의 영감(inspiration)과 99%의 노력(perspiration 땀)으로 이루어진다고 한다. 이것은 발명가 Edison이 한 말이지만, 광고 전문가들은 99%의 영감과 1%의 노력이 필요하다고 말하기도 한다. 영감(inspiration)이란 '안으로 숨을 불어 넣어주는 것'의 의미인데, spir은 '호흡하다'에서 나온 표현이다. 반면 노력(perspiration)은 '밖으로 땀을 흘리다'는 의미를 지닌다.

Basic Words
- □ **spir**it [spírit] 명 정신, 영혼(= soul)
- □ **spir**itual [spíritʃuəl] 형 정신의

---

inspir**ation**
[ìnspəréiʃən]

명 영감, 격려　inspire 통 격려하다, 영감을 주다
inspiring 형 영감을 주는, 용기를 주는
[in 안에 + spir 숨 쉬다 + ation = 안으로 숨을 불어넣어 줌]
draw **inspiration** from a novel 소설에서 영감을 얻다

respir**ation**
[rèspəréiʃən]

명 호흡　respire 통 호흡하다
[re 다시 + spir 숨 쉬다 + ation 명사 = 반복해서 호흡하기]
artificial **respiration** 인공호흡

perspire
[pərspáiər]

통 땀 흘리다　perspiration 명 땀, 노력
[per 통하여 + spire 숨 쉬다 = 밖으로 나오게 하다 – 땀 흘리다]
perspire in the heat 더위에 땀 흘리다
a drop of **perspiration** 땀 한 방울

conspire
[kənspáiər]

통 공모하다, 음모를 꾸미다　conspiracy 명 음모
[con 함께 + spire 숨 쉬다 = 함께 숨 쉬다 – 공모하다]
conspire to overthrow the government 정부를 전복할 음모를 꾸미다

expire
[ikspáiər]

통 1. 만기가 되다　2. 숨을 내쉬다　expiration 명 1. 만기　2. 숨을 내쉼
[ex 밖으로 + (s)pire 숨 쉬다 = 숨을 밖으로 뱉다]
expire at the end of this month 이달 말에 만기가 되다

dic(t) 말하다(say)

English-Korean **dic**tionary 영한사전

어원을 통해 어휘를 암기하는 방법이 좋다고 한다. 하지만 어원 자체를 암기하지 말고, dictionary (사전)의 dict(言)처럼 어원을 연상할 수 있는 표현을 기억하면 편리하다. 고구마 줄기가 고구마를 줄 줄이 달고 올라오듯이 어원은 어휘 암기의 지름길이다. 우리가 한자를 공부하는 원리와 동일하다. dictionary의 dict(말 · 언어)이 건져 오는 어휘를 만나보자!

Basic Words	
☐ **dict**ionary [díkʃənèri] 명 사전	
☐ **dict**ion [díkʃən] 명 말씨, 어법	
☐ contra**dict** [kàntrədíkt] 동 반박하다, 반대하다 contradiction 명 반대, 모순	

---

dictation
[diktéiʃən]

명 구술, (구술에 의한) 받아쓰기; 명령

dictate 동 받아쓰게 하다, 명령하다   dictator 명 말하는 사람; 독재자

[dict 말하다 + ation 명사 = 말하는 것]

a **dictation** test 받아쓰기 시험
my boss's **dictation** 상사의 명령

bene**dic**tion
[bènidíkʃən]

명 축복의 기도 ⊖ malediction 악담, 저주

[bene 좋은 + dic 말하다 + tion 명사 = 좋은 말]

benediction at the end of Mass 미사 마지막의 축복 기도

pre**dict**
[pridíkt]

동 예언하다 ⊜ foresee, foretell   prediction 명 예언

[pre 미리(前) + dict 말하다 = 미리 말하다]

predict the outcome 결과를 예측하다

de**dic**ate
[dédikèit]

동 바치다, 헌납하다   dedication 명 봉헌, 헌납

[de 아래로(down) + dic 말하다 + ate 동사 = 아래로 선언하다]

dedicate one's life 일생을 바치다

> **dedicate**: 이 말은 신 앞에 고개를 숙여(de-: down) 바치고 헌납하는 자세에서 온 말이다.

in**dic**ate
[índikèit]

동 가리키다, 지시하다, 지적하다 ⊜ point out

indication 명 지시, 표시

[in 향하여(towards) + dic 말 + ate 동사 = ~을 향하여 말하다→지시하다]

indicate the direction 방향을 가리키다

log(logue, logy) 말(word)

dialogue 대화(dialog)

혼자 말하면 독백(monologue), 둘이 말하면 대화(dialogue)라고 한다. 여기서 -logue가 '말(言)'을 나타내는 표현임을 알 수 있다. 대화(dialogue)나 독백(monologue)의 경우에 쓰이는 -logue는 일반적으로 학(學)을 나타내는 -logy와 같은 의미에서 나온 것으로서 '말', '학문'의 의미로 사용된다.

Basic Words

- □ **log**o [lóugou] 명 (회사, 상품의) 로고
- □ mono**logue** [mánəlɔ̀ːg] 명 독백
- □ dia**logue** [dáiəlɔ̀ːg] 명 대화, 회담, 토론
- □ apo**logy** [əpálədʒi] 명 사죄, 사과

---

logic
[ládʒik]

명 논리학, 논리　logical 형 논리적인 ⟷ illogical 비논리적인
[log 말 + ic 학문 = 말의 학문, 논리]
black-and-white **logic** 흑백 논리

epi**logue**
[épəlɔ̀ːg]

명 맺음말, 폐회사
[epi 첨가된 + logue 말, 연설 = 맺음말]
the **epilogue** of the book 책의 맺음말

col**loqui**al
[kəlóukwiəl]

형 구어체의, 일상 회화의
[col 함께 + loqui 말(log) + al 형용사 = 함께 말을 하는]
a **colloquial** expression 구어적인 표현

e**loqu**ent
[éləkwənt]

형 웅변의, 달변의　eloquence 명 웅변, 달변
[e 밖으로 + loqu 말(log) + ent 형용사 = 밖으로 말하는]
an **eloquent** speaker 웅변가, 달변의 연사

psycho**logy**
[saikálədʒi]

명 심리학　psychological 형 심리학적인
[psycho 정신 + logy 말 = 정신의 학문]
mass **psychology** 군중 심리학

Break Time!

반드시 알아 두어야 할 학문 명칭

- □ astronomy [əstránəmi] 명 천문학
- □ anthropology [æ̀nθrəpálədʒi] 명 인류학
- □ theology [θiálədʒi] 명 신학
- □ sociology [sòusiálədʒi] 명 사회학
- □ physiology [fìziálədʒi] 명 생리학; 생리 현상
- □ astrology [əstrálədʒi] 명 점성학, 점성술
- □ ecology [ikálədʒi] 명 생태학; 생태 환경
- □ mythology [miθálədʒi] 명 신화; 신화집
- □ meteorology [mìːtiərálədʒi] 명 기상학
- □ geology [dʒiálədʒi] 명 지질학, 지질

DAY 52-1

scribe(script) 쓰다(write)

postscript 추신(P.S.)

남자는 청혼할 때, 여자는 마지막 헤어질 때 편지를 이용한다고 한다. 편지에 자주 등장하는 용어들이 있다. Dear~ (사랑하는 ~), Sincerely yours(그럼 안녕), P.S.(추신) 등등. 여기서 P.S.(Post Script)는 '뒤에 쓰는 글'이라는 의미를 지닌다. script는 명사로서 '글'을, scribe는 동사로서 '글을 쓰다(write)'를 의미한다.

Basic Words

☐ **script** [skript] 명 손으로 쓴 글, 원고, 대본

☐ post**script** [póustskrìpt] 명 (편지의) 추신(= P.S.)

☐ tran**scribe** [trænskráib] 동 (연설 등을) 기록하다, 베끼다
transcription 명 (말한 내용을) 받아 적은 것

---

in**scribe**
[inskráib]

동 (비석 등에) 새기다, 파다   inscription 명 묘비명

[in 안에 + scribe 쓰다 = 안에 써넣다]

inscribe the names 이름을 새기다

sub**scrip**tion
[səbskrípʃən]

명 기부; 구독   subscribe 동 기부하다; 구독하다

[sub 아래에 + scrip 쓰다 + tion 명사 = 지원서나 서류의 양식을 기입함]

subscribe to a magazine 잡지를 정기 구독하다

subscribe에 '기부금을 내다'는 의미가 있는 것은. 서명하여(scribe) 동의하거나 기부금을 약속하는 관례 때문이다. 외국에서는 현금보다 나중에 주기로 하고 미리 약정을 하는 것이 관례이다.

de**scribe**
[diskráib]

동 묘사하다, 말로 설명하다   description 명 묘사, 설명

[de 아래(down) + scribe 쓰다 = 말하기 위해 적어두다]

describe a scene 장면을 묘사하다

pre**scribe**
[priskráib]

동 처방하다   prescription 명 처방전

[pre 앞(前) + scribe 쓰다 = 투약에 앞서 미리 쓰다]

prescribe a patient some medicine 환자에게 약제를 처방하다

manu**script**
[mǽnjuskrìpt]

명 원고, 사본

[manu 손(hand) + script 쓰다 = 손으로 쓴 것]

an original **manuscript** 원래 원고

equ 같은(same)

equator 적도

일본 사람들은 우리말의 받침에 해당하는 발음을 잘 못한다. 맥도날드(McDonald)를 "매그도나르도"로 발음할 정도이다. 그런데, 남미의 발음도 까다롭다. '적도 부근의 나라'라고 이름 붙인 나라가 '에콰도르'이다. 그 이름은 equator(적도)에서 온 것이다. 물론 equal의 equ-는 same의 의미인 것을 구태여 설명하지 않아도 알 수 있다.

Basic Words	
	☐ ad**equa**te [ǽdəkwət] 📦 어울리는, 적당한
	☐ **equa**l [í:kwəl] 📦 같은 (to); 동등한 (with), 평등한
	☐ **equa**tor [ikwéitər] 📦 적도, 주야 평분선(平分線)
	☐ **equa**lize [í:kwəlàiz] 📦 같게 하다, 동등하게 하다

equality
[ikwá:ləti]

📦 평등 ⟷ inequality 불평등

[equ 같은＋al 형용사＋ity 명사＝같게 대우 함]

racial **equality** 인종의 평등

equation
[ikwéiʒən]

📦 같게 함, 평균; 방정식　equate 📦 동일시하다

[equ 같은＋ation 명사＝같게 하는 것]

a chemical **equation** 화학 방정식

equilibrium
[ì:kwəlíbriəm]

📦 평형, 균형; 마음의 평정

[equ(i) 같은＋librium 균형, 무게＝같은 무게–균형]

sense of **equilibrium** 평형 감각
political **equilibrium** 정치적 균형

equivalent
[ikwívələnt]

📦 동등한, 대등한; ～에 상당하는　equivalence 📦 같음, 동등

[equ(i) 같은＋valent 가치 있는＝같은 가치의]

equivalent to the size of Canada 캐나다 크기와 맞먹는

equivocal
[ikwívəkəl]

📦 두 가지 뜻으로 해석할 수 있는, 애매모호한, 다의적인

[equ(i) 같은＋vocal 목소리의＝같은 목소리의]

an **equivocal** answer 분명치 않은 대답

DAY 52-3

fin 끝, 제한(limit)

finale 최후의 막

마지막 피날레를 장식한다는 것은 마지막에 멋있는 장식 거리가 될 만한 행사를 설명하는 말이다. 원래, finale(피날레)는 교향곡, 소나타 등의 마지막 악장이나 오페라에서 한 막의 마지막 곡을 의미하는 말이다. 피날레의 fin은 끝을 의미하는 어원으로서 finish, define에 쓰이는 의미와 동일하다.

Basic Words

- ☐ **fin**ish [fíniʃ] ⑧ 끝내다, 완성하다
- ☐ **fin**ale [fináli] ⑲ 피날레, (음악회의) 마지막 연주곡, (오페라의) 최종 장면
- ☐ **fin**ally [fáinəli] ⑨ 마지막으로, 최종으로   final ⑱ 마지막의

---

finite
[fáinait]

⑱ 한정된 ⊜ limited ⇔ infinite 무한한

[fin 제한, 끝 + ite 어미 = 한정된]

finite resources 한정된 자원

---

in**fin**ite
[ínfənit]

⑱ 무한한, 끝없는 ⇔ finite 한정된

[in 부정어(not) + fin 제한, 끝 + ite 어미 = 끝이 없는]

infinite universe 무한한 우주

---

con**fine**
[kənfáin]

⑧ 제한하다, 감금하다   confinement ⑲ 제한

[con 함께 + fine 끝내다 = 끝내다, 못하게 막다]

confine animals in cages 동물을 우리에 가두다
be **confined** to jail 감옥에 수감되다

---

de**fine**
[difáin]

⑧ 명확히 하다, 정의를 내리다   definition ⑲ 정의, 한정, 명확
definite ⑱ 명확한, 뚜렷한, 확정된

[de 완전 + fine 끝내다 = 완전히 끝내다–명확히 하다]

define a word 어휘를 정의 내리다
a **definite** answer 확답

refine [rifáin] ⑧ 정제하다, 세련되게 하다

---

af**fin**ity
[əfínəti]

⑲ 인척 (관계); 유사성; 좋아함

[af ~쪽으로 + fin 끝, 한계 + ity 명사 = 서로 가까운 경계로 다가감–좋아함]

an **affinity** with nature 자연에 대한 친밀감
a close **affinity** between Italian and Spanish
이탈리아 어와 스페인 어 사이의 밀접한 유사성

fort 힘(force)

forte 1. 강한 2. (음악) 포르테

모데라토, 아다지오, 안단테, 포르테는 음악 시간에 많이 들어 본 단어이다. 포르테(forte)는 악보에 f로 줄여서 적으며, 그것이 붙은 음을 세게 연주할 것을 지시하는 표현이다. f의 수가 많아지면 세기도 더해간다. 즉, ff는 포르티시모(매우 세게), fff는 포르티시시모(아주 세게)이다. 여기서 포르테는 force (힘)에서 변화된 표현이다. 사실 fort는 성(城)의 보루, 성채를 나타내는 표현이다.

Basic Words	
□ **force** [fɔːrs] 몡 힘 통 강요하다	forceful 혱 강제적인
□ **forte** [fɔːrtei] 혱 『음악』 포르테의, 강음의(≒loud)	
□ **effort** [éfərt] 몡 노력, 수고	

---

fort
[fɔːrt]

몡 성채, 보루, 요새 ● fortress
  fortify 통 견고하게 하다, 요새화하다 **fortification** 몡 요새화
  a massive fort 거대한 요새
  hold down the fort (원래 책임자가 자리를 비우는 동안) 업무를 맡아서 하다

> forte [fɔːrtei] : 음악에서 forte(세게, 강하게)는 fort(힘)의 변형이다. 프랑스어에서 왔기 때문에 '포르테'로 발음을 하는 것이다.

fortitude
[fɔːrtətjùːd]

몡 용기, 불굴의 정신
  [fort 힘센+itude 상태 = 힘센 상태—용기]
  one's fortitude in the battle 전투에서 보여준 용기

comfort
[kʌ́mfərt]

통 위문하다, 편안하게 하다 몡 위로, 편안함 **comfortable** 혱 편안한
  [com 함께+fort 강한 = 함께 마음을 강하게 하다 – 기운을 북돋우다]
  comfort the wounded 부상자들을 위문하다

enforce
[infɔːrs]

통 (법률을) 시행하다, 집행하다 **enforcement** 몡 시행
  [en 안에(in)+force 힘 = 내부의 힘을 강화하다]
  enforce a law 법을 집행하다
  police enforcement 경찰 단속

reinforce
[rìːinfɔːrs]

통 강화[증강, 보강]하다 **reinforcement** 몡 강화
  [re 다시+in 안에+force 힘 = 내부의 힘을 되풀이하여 강하게 하다]
  reinforce the barriers 장벽을 보강하다
  reinforce an army 군대를 증강하다

serv 간직하다(keep)

preservative 방부제

preserve, reserve, conserve, observe, deserve 등을 기억하려고 하면 혼란이 생길 수 있다. 여기에는 통일된 의미가 존재한다. preserve는 '보존하다'의 의미이며, 여기서 방부제(preservative) 라는 단어가 나왔다. serve는 방부제(preservative)의 -serve(keep)와 연결시켜 알아두자. 방부제 (preservative)는 음식을 지켜(keep)주니까!

Basic Words

- ☐ **observ**atory [əbzɔ́:rvətɔ̀:ri] 몡 천문대, 관측소, 전망대
- ☐ **reserv**oir [rézərvwὰ:r] 몡 저장소; 저수지

---

ob**serve**
[əbzɔ́:rv]

동 1. (법률·풍습·규정을) 지키다, 준수하다 2. 관찰하다, 관측하다

ob**serv**ance 몡 준수   ob**serv**ation 몡 관찰

[ob 위에서(over) + serve 지켜보다 = 위에서 지켜보다 – 관찰하다]

observe laws 법률을 준수하다
observe an eclipse 일식을 관측하다   *eclipse 일식, 빛의 상실

re**serve**
[rizɔ́:rv]

동 예약하다, 보유하다   몡 비축, 예비

re**serv**ation 몡 보존, 예비, 예약

[re 뒤로 + serve 간직하다 = 간직해 두다]

reserve rooms at a hotel 호텔에 방을 예약하다
a soldier in the **reserves** 예비역 군인

de**serve**
[dizɔ́:rv]

동 ~할 가치가 있다, ~을 할만하다

[de 완전히 + serve 간직하다 = 간직할 가치가 있다]

deserve a reward 보상을 받을 만도 하다
You **deserve** it. (비판의 경우) 자업자득이다.

con**serve**
[kənsɔ́:rv]

동 보존하다, 유지하다, 보호하다

con**serv**ative 혱 보수적인 몡 보수주의자

[con 함께 + serve 간직하다 = 보존하다]

conserve natural resources 천연자원을 보존하다

converse [kənvɔ́:rs] 동 서로 이야기하다 conversation 몡 대화

pre**serv**ation
[prèzərvéiʃən]

몡 보존

preserve 동 보존하다   **preservative** 몡 방부제

[pre 전에 + serv 간직하다 + ation 명사 = 상하지 않게 미리 지켜줌]

environmental **preservation** 환경 보존

form 형태, 형성하다

formal party 공식적인 파티

미국 사회가 화려하고 타락한 것으로 비춰지긴 하지만, 전통과 예의를 중시하는 문화를 갖고 있기도 하다. 그들은 반드시 formal party와 informal party를 구분한다. 우리말로 '폼'을 재고 정장 차림을 요구하는 파티가 formal party이고, 간단한 먹을거리와 간편한 옷차림의 파티가 informal party인데, 초대를 할 때 미리 구분을 하는 것이 상례이다. form은 '형태, 형식'을 의미한다.

Basic Words	
☐ uni**form** [jú:nəfɔ̀:rm] 몡 제복, (운동선수) 유니폼	
☐ **form**at [fɔ́:rmæt] 몡 (서적 따위의) 체제, 전체 구성; 〖컴퓨터〗 포맷, 초기화	
☐ in**form** [infɔ́:rm] 동 알리다, 통지하다	information 몡 정보

formal
[fɔ́:rməl]

형 형식상의, 정식의 ↔ informal 비공식의   formalize 동 형식화하다
[form 형태 + al 형용사 = 형식상]
a **formal** dress 정장

con**form**
[kənfɔ́:rm]

동 (규칙·관습에) 따르다, 순응하다   conformity 몡 순응
[con 함께 + form 형태 = 같은 형태로 하다]
conform to rules 규칙에 따르다

> **confirm** [kənfɔ́:rm] 동 확인하다

trans**form**
[trænsfɔ́:rm]

동 변형시키다, 변압하다   transformation 몡 변형
[trans 바꾸다 + form 형태 = 형태를 바꾸다→변형하다]
transform food into energy 음식을 에너지로 바꾸다

formula
[fɔ́:rmjulə]

몡 일정한 형식, 공식   formulate 동 공식화하다
[form 형태 + ula 명사 = 형태를 갖춘 것]
a mathematical **formula** 수학 공식

re**form**
[rifɔ́:rm]

동 개혁하다, 수정하다 ⊜ correct   몡 개혁, 수정
[re 다시 + form 형성하다 = 다시 형성하다→개정하다]
an educational **reform** 교육 개혁

formation
[fɔ:rméiʃən]

몡 형성; 구성, 〖군사〗 대형
[form 형성하다 + ation 명사 = 형성하는 것]
a battle **formation** 전투 대형

DAY 54-1

mini(micro) / maxi(mag, maj)
작은(small) / 큰(great)

miniskirt 미니스커트 & maximum 최대

minor league(마이너 리그)와 minimum wage(최저 임금)에서 등장하는 mini-는 미니스커트, 미니버스 등의 복합어로 이용되어 많은 단어를 만드는 뿌리인 셈이다. minimum(최소)과 maximum(최대)을 비교하면 mini와 maxi를 쉽게 기억할 수 있다. TV 광고에서 Max는 맥주 이름으로 등장하고, Maxcruse는 자동차 이름으로 등장한다.

Basic Words	
☐ **min**or [máinər] 형 작은, 중요하지 않은	minority 명 소수, 소수 민족
☐ **maj**or [méidʒər] 형 주요한, 중요한 동 전공하다 (in)	
☐ **mini**mum [mínəməm] 명 최소한도	minimize 동 최소화하다
☐ **maxi**mum [mǽksəməm] 명 최대, 최대한도	maximize 동 최대화하다

---

minute
[mínit / mainjú:t]

명 (시간, 각도의 단위) 분 형 자세한, 미세한 ● tiny, slight

[min 작게 하다＋ute 형용사＝작은]

in a minute 금세, 곧
minute amounts of water 아주 작은 양의 물

di**mini**sh
[dimíniʃ]

동 줄이다 ● reduce, lessen

[di 아래(down)＋mini 작은＋sh 동사＝작게 만들다]

diminish in speed 속력이 떨어지다
diminish by three percent 3% 감소하다

microscope
[máikrəskòup]

명 현미경   microscopic 형 현미경을 이용한; 아주 미세한

[micro 작은＋scope 보다＝작은 범위를 보는 것]

under a microscope 현미경으로

micro-: 「100만분의 1」의 뜻(↔ macro-: 큰, 대규모의)
microbus 작은 버스   microorganism 미생물

magnificent
[mægnífisənt]

형 장대한, 엄청난   magnify 동 확대하다

[magni 거대한＋fi 동사＋cent 형용사＝거대한 형태의]

a magnificent spectacle 장관, 멋진 광경

magnitude
[mǽgnətjù:d]

명 1. (엄청난) 크기, 양, 범위 2. 중대성, 중요함

[magni 거대한＋tude 명사＝거대함]

the magnitude of a problem 문제의 중요성

sta(sti, stan) 서 있다(stand)

The Statue of Liberty 자유의 여신상

New York의 바닷가 Liberty섬에 한 손에 횃불을, 한 손에 독립 선언서를 들고 있는 자유의 여신상 (The Statue of Liberty)은 무려 93.5m이며 30층 규모로 당당하게 서 있다. 미국의 독립 100주년을 축하하기 위해 프랑스가 선물로 준 것이다. statue는 '서 있다'의 어원에서 온 말로 '서 있는 동상' 정도로 기억하면 된다. 'sta'는 '서다(stand)'를 나타낸다.

Basic Words

- ☐ **sta**ff [stæf] 몡 1. 막대기   2. 참모, 부원
- ☐ **stand**ard [stǽndərd] 몡 표준, 기준
- ☐ **stand**point [stǽndpɔ̀int] 몡 입장, 견지, 관점
- ☐ **sta**tistic [stətístik] 몡 통계치, 통계량

---

state
[steit]

몡 1. 상태   2. 국가, 주   통 진술하다   **statement** 몡 진술
[state 서 있는 상태]
the United **States** of America 미합중국

station
[stéiʃən]

몡 위치, 정거장; 방송국
stay 통 머물다   **stationary** 혱 정지된
[sta 서다+tion 명사=머무는 곳]
a gas **station** 주유소

statue
[stǽtʃuː]

몡 상(像), 조각상
[statue 서 있는 상태=서 있는 조각물]
the **Statue** of Liberty 자유의 여신상

static
[stǽtik]

혱 정적인, 정지한 ⬌ dynamic 동적인
[sta 서 있다+tic 형용사=가만히 서 있는]
static electricity 정전기

stable
[stéibl]

혱 안정된, 견고한   **stability** 몡 안정, 안정성
[sta 서 있다+ble 형용사=안전하게 서 있는]
stable housing prices 안정된 주택 가격

> **stale** [steil] 혱 상한, 신선하지 않은

status
[stéitəs]

몡 1. 상태   2. 지위, 신분
[sta 서 있다+tus 명사=서 있는 상태]
the current **status** 현재의 상태

install
[instɔ́:l]

⊜ 설치하다, 설비하다　installation ⊜ 설치

[in 안 + stall 서 있는 장소 = 안에 시설을 세우다]

install a heating system　난방 장치를 설치하다

circumstance
[sə́:rkəmstæns]

⊜ 상황, 환경　⊜ surroundings

[circum 주변(around) + sta 서 있다 + (a)nce 명사 = 주변에 서 있는 것]

under the present **circumstances**　현 상황 하에서

establish
[istǽbliʃ]

⊜ 설치하다, 설립하다　establishment ⊜ 설치, 설립

[e 첨가어 + sta 서 있다 + blish 동사 = 서 있게 하다]

establish a university　대학을 설립하다

obstinate
[ábstənət]

⊜ 고집 센, 완고한　obstinacy ⊜ 고집

[ob 반대 + stin 서 있다 + ate 형용사 = 반대로 버티고 선]

an **obstinate** personality　완고한 성격

constitute
[kánstətjù:t]

⊜ 구성하다, 설립하다　constitution ⊜ 1. 구성　2. 헌법

[con 함께 + sti 서 있다 + tute 동사 = 함께 서 있다, 함께 구성하다]

constitute the majority of the workers　근로자의 다수를 구성하다
amend the **Constitution**　헌법을 개정하다
the **constitution** of cells　세포의 구조

> **substitute** [sʌ́bstitjù:t] ⊜ 대용하다, 대체하다
> **substitution** [sʌ̀bstitjú:ʃən] ⊜ 대용, 대체

institute
[ínstətjù:t]

⊜ (제도를) 설치하다　⊜ 이공 계열 대학, 기관, (대학 부속) 연구소　⊜ institution

[in 안에 + sti(tute) 세우다, 놓다 = 안에 세우다]

the **Institute** of Education　교육 연구소

statistics
[stətístiks]

⊜ (불가산 명사) 통계학; (복수 취급) 통계 수치

statistical ⊜ 통계의; 통계학의

[sta(te) 서 있다(state 국가) + ist 사람 + ics 학문 = (통계를 통해) 국정을 다룸]

the **statistics** of population　인구 통계

estate
[istéit]

⊜ 토지, 부동산

[e 첨가어 + state 서 있는 상태 = 서 있는 상태의 사람이나 물건]

a housing **estate**　주택 단지
real **estate**　부동산

obstacle
[ábstəkl]

⊜ 장애물

[ob 저항 + sta 서 있다 + cle 명사 = 반대로 서 있는 것]

an **obstacle** to success　성공의 장애

medi 중간

medium 중간

고기를 익힐 때 well-done(잘 익은), medium(중간 정도 구운), rare(살짝 익힌)라는 표현으로 익힘의 정도를 표현한다. medium은 옷 사이즈에서도 이용된다. 이러한 '중간'의 의미는 mid, med, medi로도 쓰인다. 통상적으로 옷 사이즈(size)는 Small, Medium, Large, X-Large로 나누어 진다. 그럼, 우리 덩치가 크신 체육 선생님이 입고 계신 X-Large는 어디서 온 표현일까?

Basic Words	
☐ **medi**um [míːdiəm] 명 중간, 매개(물)	
☐ **medi**a [míːdiə] 명 매스미디어, 매체(medium의 복수)	
☐ **medi**an [míːdiən] 형 중앙의, 중간의; 〖수학〗 중간 값의	

---

mediate
[míːdieit]

형 중간의, 중개의 동 중재하다 mediation 명 중재, 조정
[medi 중간 + ate 동사 = 중간에 서다]
mediate a strike 파업을 중재하다

medieval
[mìːdiíːvəl]

형 중세의
[medi 중간의 + eval 시대 = 중간 시대]
medieval Europe 중세 유럽

Mediterranean
[mèditəréiniən]

형 지중해의
[medi 중간의 + terra 토지 + nean 형용사 = 땅의 중간에 위치하고 있는 – 지(地)중해의]
the **Mediterranean** Sea 지중해

inter**medi**ate
[ìntərmíːdiət]

형 중간의, 중간에 일어나는 intermediary 명 중개자, 매개자
[inter 사이에 + medi 중간에 + ate 형용사 = 중간에 놓인]
an **intermediate** course 중급 과정

midterm
[mídtə̀ːrm]

형 중간의 명 중간시험
[mid 중간 + term 기간 = 중간의 기간]
midterm tests 중간고사

hemisphere
[hémisfìər]

명 (지구·천체의) 반구, 반구체(半球體)
[hemi 절반, 중간 + sphere 구, 원형 = 지구의 절반]
the Northern **Hemisphere** 북반구

> hemi-, semi-는 '반(half)'을 의미한다.
> semifinals 준결승

vers(vert) 돌다, 바꾸다(turn)

con**vert**ible 컨버터블

지붕을 열 수 있는 차를 '컨버터블'이라고 한다. 즉, 덮개를 열었다가 닫을 수 있는 전환 가능한 차 (convertible)이기 때문이다. 그리고 돌고 돌고, 또 도는 것이 오토리버스(auto reverse) 장치이다. 한 마디로 말해, 끝나면 저절로 거꾸로 돌아가는 장치를 의미하는 말이다. 이때 리버스는 re(거꾸로)+verse(돌다)를 나타낸다.

Basic Words
- □ con**vert** [kənvə́:rt] 통 전환하다
- □ con**vert**ible [kənvə́:rtəbl] 형 (자동차가) 접는 포장이 달린, 개조할 수 있는
- □ di**vert** [daivə́:rt] 통 (딴 데로) 돌리다, (물길 따위를) 전환하다

---

version
[və́:rʒən]

형 (원형에 대한) 변형, 번역, 판

　[vers 돌다+ion 명사 = 돌려 바꾸는 것 – 변형]

　the film **version** of a novel 소설의 영화판

re**verse**
[rivə́:rs]

통 거꾸로 가다　형 거꾸로의　명 후면, 뒤

　reversible 형 거꾸로 할 수 있는

　[re 뒤로(back)+verse 돌다 = 뒤로 돌다]

　reverse gear (차의) 후진 기어

　reverse the decision 결정을 뒤집다

con**verse**
[kənvə́:rs / ká:nvərs]

통 담화를 나누다　형 정반대의

　conversation 명 대화　conversely 부 반대로, 그 역으로

　[con 함께+verse 돌다 = 함께 돌다]

　converse with a queen 여왕과 담화를 나누다

　give the **converse** impression 정반대의 인상을 주다

di**verse**
[daivə́:rs]

형 다른, 다양한　diversity 명 다양성

　[di 떨어져+verse 돌다 = 딴 방향으로 구부러진 – 다른, 다양한]

　reflect **diverse** opinions 다양한 의견을 반영하다

vertical
[və́:rtikəl]

형 수직의 ⇔ horizontal 수평의

　[vert 도는 점, 가장 높은 점+ical 형용사 = 가장 높은 점에서 아래로 떨어지는 – 수직의]

　vertical stripes 수직선 *stripe 줄무늬, 줄

rupt 부수다, 깨다(break)

bank**rupt** 파산

은행이 무너진다면 많은 고객들도 피해를 보는데, 이러한 큰 파산을 bankrupt라고 한다. 다 함께 넘어지면 corrupt(타락하다), 나쁘게 넘어지면 disrupt(붕괴하다), 화산이 밖으로 깨져 나오면 erupt(화산이 분출하다), 그리고 은행이 깨지면 bankrupt가 되므로, 이젠 bankrupt의 -rupt는 「파(破)」의 의미라고 암기하자! 그럼 개인의 재정이 깨지면 뭐라고 할까? 그때는 "I am broke."이라고 한다.

Basic Words	
□ bank**rupt** [bǽŋkrʌpt] 형 파산한, 무일푼의　bankruptcy 명 파산, 파탄	
□ **rupt**ure [rʌ́ptʃər] 명 파열 동 파열시키다	

e**rupt**
[irʌ́pt]

동 깨뜨려서 나오다, 분출하다 ⊜ burst out

[e밖 + rupt 깨다 = 밖으로 깨져 나오다]

erupt from a crater 분화구에서 분출하다　*crater 분화구

cor**rupt**
[kərʌ́pt]

동 타락시키다, 오염시키다　형 타락한, 오염된　corruption 명 타락

[cor 함께 + rupt 부수다 = 함께 부서지다 – 타락시키다]

a **corrupt** official 부패한 관리
corrupt software 손상된 소프트웨어

inter**rupt**
[ìntərʌ́pt]

동 가로막다, (말을) 도중에 방해하다 ⊜ interfere with
interruption 명 방해

[inter 사이에서 + rupt 부수다 = 사이에서 부서져 가로막다 – 방해하다]

interrupt an electric current 전류를 (일시적으로) 차단하다
interrupt a view 시야를 막다

dis**rupt**
[dìsrʌ́pt]

동 붕괴시키다, 혼란에 빠뜨리다

[dis 떨어져 + rupt 부수다 = 부수어 떨어지게 하다]

disrupt society 사회를 혼란에 빠뜨리다

ab**rupt**
[əbrʌ́pt]

형 갑작스러운; 퉁명스러운　abruptly 부 갑자기 ⊜ suddenly

[ab 떨어져 + rupt 꺾다, 갑자기 그만두다(break off) = 갑작스럽게 꺾어버리는]

an **abrupt** question 갑작스러운 질문
an **abrupt** manner 퉁명스러운 태도

meter(mense, meas) 재다(measure)

meter 계량기, 미터

우리가 '미터기'로 부르는 meter는 '측정하다, 계량기, 측정기'의 의미로 쓰이므로, 기계를 의미하는 'device'를 붙일 필요가 없다. meter가 '자로 재다(measure)'의 의미를 가지므로, 온도계(thermometer)는 '열을 재다', 기하학(geometry)은 '땅을 재다', 그럼 centimeter는 무엇을 재는 것일까? centimeter는 100분의 1, 즉 1미터의 1/100을 나타내는 표현이다.

Basic Words	
☐ nano**meter** [nǽnəmiːtər] 몧 나노미터(10억분의 1미터)
☐ thermo**meter** [θərmámitər] 몧 온도계
☐ im**mense** [iméns] 혱 막대한, 거대한
☐ geo**metry** [ʤiámətri] 몧 기하학

measure
[méʒər]

동 재다, 측량하다 몧 1. 측정, 치수 2. 조치, 대책
[meas 재다 + ure 명사 = 측정하기]
measure a piece of ground 토지를 측량하다
measure distance 거리를 재다

di**mens**ion
[diménʃən]

몧 치수, 규모; (수학, 물리) 차원 dimensional 혱 차원의
[di 떨어져 있는(away) + mens 재다 + ion 명사 = 떨어져 있는 지점을 재는 것 – 치수]
measure the **dimension** of a room 방의 치수를 재다
a three-**dimensional** film 입체 영화(3–D picture)

baro**meter**
[bərámitər]

몧 기압계; (이론, 풍향 따위의) 척도, 지표
[baro 무게 + meter 재다 = 무게(압력)를 재는 것]
the **barometer** of public opinion 여론의 척도

dia**meter**
[daiǽmitər]

몧 직경, 지름
[dia 관통하여 + meter 재다 = 관통하여 재는 것]
6 meters in **diameter** 지름이 6미터

sym**metry**
[símətri]

몧 대칭, 균형
[sym 함께(with) + metry 재다 = 둘이 함께 재어보니 양쪽이 같음]
the **symmetry** between the two sides 양쪽의 균형

pel(pulse) 밀다(push), 추진하다

propeller 프로펠러, 추진기

전폭기나 경비행기에는 비행기를 추진하는 propeller(추진기)가 달려있다. 그 프로펠러가 비행기의 몸체 밖으로 나와 있어 비행기 동체를 추진하는 역할을 한다. pro(앞으로)+pel(push밀다)에서처럼 '앞으로 밀치다'는 의미를 가지며, pulse(맥박)도 '피를 밀어내다'는 의미에서 나온 말이다. 프로펠러는 앞으로(pro-) 미는(pel) 것을 기억하면 된다.

Basic Words
- **pulse** [pʌls] 몡 맥박, 고동 통 맥이 뛰다
- **repulse** [ripʌls] 통 되쫓아버리다, 물리치다(=repel)

---

propel
[prəpél]

통 추진하다, 나아가게 하다
[pro 앞으로 + pel 몰다 = 앞으로 몰다]
propel an aircraft forward 비행기를 앞으로 나아가게 하다

expel
[ikspél]

통 쫓아내다, 추방하다 expulsion 몡 추방
[ex 밖 + pel 쫓다 = 밖으로 쫓아버리다]
expel an invader 침입자를 내쫓다

compel
[kəmpél]

통 강제하다, 강요하다 compulsion 몡 강요
compulsory 혱 강제적인, 의무적인
[com 함께 + pel 추진하다, 밀다 = 함께 밀어버리다→강제하다]
compel obedience 복종을 강요하다

impel
[impél]

통 강제하다, 재촉하다
[im 향하여 + pel 몰다 = 어떤 방향으로 몰아가다]
an **impelling** force 추진력

repel
[ripél]

통 쫓아버리다, 물리치다
[re 뒤로 + pel 쫓다 = 되쫓아버리다]
repel mosquitoes 모기를 퇴치하다

impulse
[ímpʌls]

몡 1. 추진력 2. 충동 impulsive 혱 충동적인
[im 향하여 + pulse 몰아대다 = 어떤 방향을 향하여 몰고 가는 것]
resist the **impulse** to laugh 웃고 싶은 충동을 참다

part 부분, 부문

apartment 아파트

아파트는 윗집, 아랫집, 옆집과 건물을 공유하고 있기 때문에 사실상 전체가 다 '우리 집'이라고 할 수는 없다. 그래서 일부분만이 우리 집인 셈이므로 건물의 일부분(part)을 함께 공유한다는 의미로 apartment가 쓰인 것이다. 상하좌우를 다른 집과 공유하고 있기에 내 것은 없는 아파트 골격 그림을 상상해보라! 아파트는 apartments 또는 apartment complex가 정식 명칭이며, 그 의미는 '함께 나누어 사는 곳'이라는 의미이다.

Basic Words

- □ counterpart [káuntərpàːrt] 명 짝의 한 쪽, 상대물
- □ particle [páːrtikl] 명 극소량, 미립자
- □ department [dipáːrtmənt] 명 학과, 분야, 부서
- □ parcel [páːrsl] 명 꾸러미, 소포
- □ partition [paːrtíʃən] 명 칸막이, 경계벽; 분할, 분배, 구획

partial
[páːrʃəl]

형 부분적인, 불공평한　partiality 명 편파

[part 부분＋ial 형용사＝부분적인, 편파적인]

a **partial** agreement 부분적인 합의
a **partial** report 편파적인 보도

partake
[paːrtéik]

동 관여하다, 참여하다; 먹다 (of)

[part 부분＋take 차지하다＝자기의 몫을 차지하다]

partake of a meal 식사를 하다

participate
[paːrtísəpèit]

동 참가하다 ＝ take part in　participation 명 참가

[part(i) 부분＋cip 잡다＋ate 동사＝부분적으로 잡다]

participate in a fishing competition 낚시 대회에 참가하다

apartheid
[əpáːrtait]

명 (남아프리카의) 인종 차별 정책; 차별, 배타

[apart 분리하다＋heid(hood) 신분, 상태＝신분, 상태의 분리－차별]

apartheid in South Africa 남아프리카 공화국의 인종 차별 정책

compartment
[kəmpáːrtmənt]

명 (칸막이를 한) 객실; (나눠진) 공간; 구획, 구분

[com 완전히(강조)＋part 부분＋ment 명사＝완전히 부분으로 나눔－구분]

a smoking **compartment** 흡연실

para 나란히, 옆에(beside)

parallel 평행선

링컨과 존. F. 케네디 대통령의 parallel life(평행이론)는 유명하다. 두 사람은 성(surname)의 알파벳 수가 7개, 암살된 요일이 금요일, 대통령 직을 승계한 부통령 이름도 똑같이 존슨이다. 링컨은 1860년에 취임하여 1839년생의 암살범에게, 케네디는 1960년에 취임하여 1939년생 암살범에게 암살을 당했다. 두 사람의 나란히 평행선을 긋는 행적이 이채롭다. para는 이렇게 '나란히'를 의미한다.

Basic Words	
☐ **parallel** [pǽrəlèl] ⑧ 나란히 가다 ⑲ 평행하는 ⑲ 평행선	
☐ **Paralympics** [pæ̀rəlímpiks] ⑲ 장애인 올림픽	

---

parasite
[pǽrəsàit]

⑲ 기생 동·식물, 기생충, 식객

[para 옆에 + site 음식(food) = 옆에서 음식을 얻어먹는 것]

the malaria **parasite** 말라리아 기생충

---

paraphrase
[pǽrəfrèiz]

⑧ (쉽게) 바꿔 쓰다, 말을 바꿔서 설명하다

[para 옆에 + phrase 말하다 = 옆으로 돌려 말하다]

paraphrase one's speech 말을 바꾸어 설명하다

---

paralyze
[pǽrəlàiz]

⑧ 마비시키다, 활동 불능이 되게 하다　paralyzed ⑲ 마비된, 무력한

[para 옆에 + lyze 느슨하게 하다(loosen) = 옆을 느슨하게 하다–마비시키다]

paralyze the nerves 신경을 마비시키다
a **paralyzed** limb 마비된 팔다리

---

paragraph
[pǽrəgræf]

⑲ 1. 문단, 단락　2. (신문 등의) 짧은 기사

[para 나란히 + graph 글자를 쓰다 = 나란히 써놓은 글]

delete a **paragraph** 단락을 삭제하다
an introductory **paragraph** 도입 단락

---

paragliding(패러글라이딩)은 낙하산(parachute)과 행글라이딩(hang gliding)의 합성어이다. 프랑스의 등산가가 신속한 하산을 위해 고안한 데서 유래했다. 여기서 para는 저항(against)이나 반대의 의미를 담고 있다. 떨어지는 것을 막고, 일반적인 의견에 반대되는 의견이고, 햇빛을 막는 장치라는 뜻이다.

1. **parachute** ⑲ 낙하산
　[pǽrəʃùːt]　　a parachute descent 낙하산 강하

2. **paradox** ⑲ 역설(틀린 것 같으면서 옳은 이론)
　[pǽrədàks]　　a well-known paradox 잘 알려진 역설

3. **parasol** ⑲ (여성용) 양산, 파라솔
　[pǽrəsɔ̀ːl]　　shade oneself with a parasol 파라솔로 가리다

DAY 57-2

geo 땅, 지리   terr 땅, 흙

geography 지리학 & terrace 테라스

지리학과 지질학은 무엇이 다른가? 지리학(geography)은 인문 과학(文科) 영역으로서 인간 사회와 지리의 관계를 연구하며, 지질학(geology)은 이과(理科) 영역으로서 지구의 형성 구조를 연구한다. 이집트의 나일 강이 범람하여 제방을 축조하고, 피라미드를 세울 때 각도와 높이를 맞추면서 기하학(geometry)이 발전되고 성장했다고 한다. 이들의 공통점은 geo-이며, 이는 땅(흙)을 다룬다는 것이다.

Basic Words	
☐ **terrain** [təréin] 명 지형, 지대
☐ **terrace** [térəs] 명 테라스, 계단 모양의 뜰
☐ **inter** [intə́:r] 동 매장하다 ⊜ bury

geography
[dʒiágrəfi]

명 지리학   geographer 명 지리학자

[geo 땅 + graphy 그림 = 땅의 그림]

the **geography** of Korea 한국의 지리

지리학이 geography인 것은 -graphy가 그림, 글자를 의미하기 때문이다. 즉, '지형이나 지리를 연구한다'는 뜻이다.

geology
[dʒiálədʒi]

명 지질학, 지질   geologist 명 지질학자

[geo 땅 + logy 학문 = 땅과 관련한 학문]

marine **geology** 해양 지질학

geometry
[dʒiámətri]

명 기하학   geometric 형 기하학적인

[geo 땅 + metry 재다 = 땅을 재는 것]

plane **geometry** 평면 기하학

기하학은 수학의 한 분야이다. 이집트의 나일 강과 피라미드를 세우기 위해 필요했던 것이 각도를 재고 높이를 재는 일이었다. 바로 기하학은 땅(geo-)의 높이와 각도에서 출발했다.

terrestrial
[təréstriəl]

형 지구의; 지상의

[terr(e) 땅 + st(stand) + rial 형용사 = 땅에 서 있는]

terrestrial heat 지열(地熱)
terrestrial channels 〖방송〗 지상파 채널

territory
[térətɔ̀:ri]

명 영토   territorial 형 영토의

[terr(i) 땅 + tory 명사 = 땅덩이]

immense **territory** 방대한 영토

labor 노동 / manu(mani) 손

Labor Party 노동당 & manual 소책자

미국의 민주당이 Democratic Party, 공화당이 Republican Party라면, Labour Party는 영국의 노동당을 의미한다. labour는 labor(노동)의 영국식 표현이다. 그리고 가전제품의 경우 사용설명서가 붙어 있는데, 이러한 책자는 보관하기 쉽고 사용하기 쉽게 손에 쥐도록 작게 만들어지므로, manual (손에 쥐는 작은 책자)로 표현된다. manu-는 '손'을 의미하며, menu와는 관련이 없다.

Basic Words			
□ **labor** [léibər] 📖 노동	laborer 📖 노동자	labor union 노동조합
□ **labor**atory [lǽbrətɔ̀:ri] 📖 실험실(=lab)		physics laboratory 물리 실험실
□ **manu**al [mǽnjuəl] 📖 수동의 📖 소책자		manual worker 육체노동자
□ **manu**facture [mæ̀njufǽktʃər] 📖 제조하다		manufacturing business 제조업

laborious
[ləbɔ́:riəs]

📖 힘든, 고된

[labor 노동 + ious 형용사 = 노동을 하는]

a **laborious** job 고된 일

labor-saving

📖 노동 절약이 되는

[labor 노동 + saving 절약의 = 노동을 절약하는]

a **labor-saving** device 노동 절약 장치

collaboration
[kəlæ̀bəréiʃən]

📖 협력, 협동

collaborate 📖 협력하다 collaborative 📖 협력하는

[col 함께 + labor 노동 + ation 명사 = 함께 하는 노동]

the **collaboration** of four authors 네 사람의 공저

manifest
[mǽnəfèst]

📖 명백한, 분명한

[mani 손 + fest 잡힌 = 손에 잡힌, 분명한]

manifest errors 명백한 잘못

manipulate
[mənípjulèit]

📖 다루다, 조종하다 manipulation 📖 조작, 교묘히 다루기

[mani 손 + pul 당기다(pull) + ate 동사 = 손으로 당기다]

manipulate public opinion 여론을 교묘히 조종하다

bimanual
[baimǽnjuəl]

📖 두 손을 쓰는, 두 손이 필요한

[bi 둘 + manu 손 + al 형용사 = 두 개의 손을 쓰는]

bimanual activities, such as playing the piano
피아노 연주와 같이 두 손을 쓰는 일

DAY 58-1

jus(t)(leg) 법, 올바른

justice 정의

로마 신화 속의 정의의 여신은 유스티치아(Justitia)로, 현재의 '정의(justice)'란 단어가 여기서 생겨났다. 서양에서는 법과 정의의 연관성을 바탕으로 정의의 여신상을 법의 상징물로 여겼다. 영어의 just는 leg와 함께 법(정의)을 나타내는 어원이다. 우리나라 법무부를 Ministry of Justice로 표현하고, 검찰청 현관에는 저울을 들고 있는 정의의 여신상(Justitia)이 서 있다.

Basic Words	
□ **judge** [dʒʌdʒ] 통 판단하다 명 재판관, 판사	
□ **injure** [índʒər] 통 상처를 입히다	injury 명 부상, 상처, 상해
□ **justice** [dʒʌ́stis] 명 1.정의 2.사법, 재판	injustice 명 불의
□ **prejudice** [prédʒudis] 명 편견(=bias), 선입관	

just
[dʒʌst]

형 1. 올바른, 공정한 ⊜ fair 2. 정당한, 타당한

[jus(t)법(law)]

a just trial 공정한 재판
a just price 공정 가격
in just proportions 적당한 비율로

justify
[dʒʌ́stəfài]

통 (행위 · 주장 따위를) 옳다고 하다, 정당화하다
justification 명 정당화

[just 올바른 + ify 동사 = 정당하게 만들다]

justify one's actions 자신의 행동을 정당화하다

legal
[líːgəl]

형 1. 법률에 관한 ⊜ lawful 2. 합법의 ⊜ legitimate ⊕ illegal 불법의

[leg 법 + al 형용사 = 법률의]

the legal profession 법률업, 법조계

privilege
[prívəlidʒ]

통 특권을 주다 명 특권, 면책

[priv(i) 개인 + leg(e) 법 = 특정 개인을 위한 법]

parental privilege 친권

legislation
[lèdʒisléiʃən]

명 입법, 법률 제정 legislate 통 법률을 제정하다

[leg(is) 법 + late 제안하다(propose) = 법을 제안하다 – 법을 제정하다]

immigration legislation 이민 법안

termin 끝(end), 한계(limit)

terminator 해결사

term은 terminal(종점)의 term이 연상되며, 주인공이 온갖 총탄을 맞고도 죽지 않고 약을 처치하는 전형적인 할리우드식 영화 「터미네이터(Terminator 해결사)」가 떠오른다. term의 의미가 여러 가지 있지만, 어원으로서는 '터미네이터의 term'을 기억해 보자. term-은 '끝'을 의미한다.

Basic Words

- □ **term** [təːrm] 명 만료일, 기간, 학기
- □ **mid**term [mìdtə́ːrm] 형 중간의, (학기, 대통령 임기 등의) 중간의 명 중간시험
- □ **termin**ator [tə́ːrmənèitər] 명 해결사, 종결시키는 사람

---

terminate
[tə́ːrmənèit]

동 끝내다, 종결시키다　　**termination** 명 종료, 만기

[termin 끝 + ate 동사 = 끝내다]

terminate a contract 해약하다, 계약을 종료하다

---

terminal
[tə́ːrmənəl]

명 1. 말단, 종착역　2. (컴퓨터의) 단말기　형 끝의, 말단의

[termin 끝, 한계 + al 명사 = 끝]

rail freight **terminals** 철도 화물 터미널
a **terminal** stage of cancer 말기 암
develop portable **terminals** 휴대용 단말기를 개발하다

---

ex**termin**ate
[ikstə́ːrmənèit]

동 전멸시키다, 종결시키다　　**extermination** 명 근절, 박멸

[ex 밖으로 + termin 끝, 경계 + ate 동사 = 경계 밖으로 밀어버리다–없애다]

exterminate pests 해충을 박멸하다

---

de**termin**e
[ditə́ːrmin]

동 결심하다, 결정하다

determined 형 결단력 있는　　**determination** 명 결심

[de 떨어진, 멀리(off) + termin(e) 끝, 한계 = 멀리 끝을 정해두다–결정하다]

determine what to do 무엇을 할 지 결정하다
a **determined** look 결연한 표정

---

de**termin**ate
[ditə́ːrmənət]

형 결정적인, 한정된 = definite

[de 떨어진, 멀리(off) + termin 끝, 한계 + ate 형용사 = 멀리 끝을 정하는 – 한정된]

a **determinate** shape 확실한 모양
a **determinate** answer 확답

DAY 58.3

cide 죽이다 / viv 살다(生)

suicide 자살 & survival 생존

suicide(자살)은 라틴어의 sui(자기 자신)와 cide(죽이다)의 합성어이다. 피톤치드(phyton식
물+cide죽이다)는 해충이나 병균을 죽이기 위해 발산하는 분비물이다. 한편, 살아남기 위해 싸워야
하는 경우도 있다. 서바이벌 게임이란 표현에서 서바이벌(survival)의 의미는 살아남기[[sur위에+viv
생기, 삶(life)]이다.

Basic Words		
☐ **suicide** [súːəsàid] 명 자살 동 자살하다	commit suicide 자살하다
☐ **scissors** [sízərz] 명 가위	Rock, Scissors, Paper 가위, 바위, 보
☐ **revive** [riváiv] 동 재생하게 하다	revive the economy 경제를 되살리다

---

insecti**cide**
[inséktisàid]

명 살충제 ➡ pesticide

[insect(i)곤충 + cide 죽이다 = 살충제]

spray insecticide 살충제를 뿌리다

herbi**cide**
[hə́ːrbisàid]

명 제초제

[herb(i)풀, 약초 + cide 죽이다 = 제초제]

herbicide-resistant weeds 제초제에 내성이 생긴 잡초

vital
[váitəl]

형 생명 유지에 필요한, 생명의, 필수적인   **vitality** 명 생명력, 활력

[vita 생명 + (a)l 형용사 = 생명의]

vital signs 활력 징후(사람이 살아 있음을 보여주는 호흡, 체온, 심장 박동 등의 측정치)

vigor
[vígər]

명 활기, 원기   **vigorous** 형 활기 있는

[vig 생기 + or 명사 = 생기, 활기]

the vigor of mind 정신력

vivid
[vívid]

형 생생한   **vivify** 동 생기 있게 하다

[viv 살다 + id 형용사 = 살아 있는]

vivid description 생생한 묘사

in**vig**orate
[invígərèit]

동 기운 나게 하다, 상쾌하게 하다; 활성화하다

[in 안으로 + vigor 활기, 생명 + ate 동사 = 안으로 활기를 불어 넣다]

invigorate the debate 토론에 활력을 불어넣다

ped(pod, pus) 다리(leg)

octopus 문어, 낙지

외국인을 안내하는 가이드가 겪는 가장 힘든 일중 하나가 바로 한국 음식을 설명하는 일이다. 가이드가 발견한 오류는 식당 메뉴판에 코카콜라(Coca-Cola)를 'Cock Cola'라고 한 것, 동물원에서 동물들이 쉬는 공간을 'Resting Place'(묘지라는 뜻, Rest Area가 바른 표기), 발이 가늘다는 의미의 세발낙지를 three-leg octopus로 표기해 놓은 일 등이다. 문어든 낙지든 다리가 8개이므로 [octo 여덟＋pus다리(leg)]가 맞는 표현이다. 여기서 pus는 ped, pod와 함께 '다리(leg)'를 나타낸다.

Basic Words

- ☐ **deca**pod [dékəpàd] 몡 (다리가 10개인) 십각류, 오징어류
- ☐ **centi**pede [séntəpìːd] 몡 지네　cent 센트(100분의 1달러), (단위의) 100
- ☐ **bi**ped [báiped] 몡 두 발 동물
- ☐ **ped**icure [pédikjùər] 몡 발 치료, 발톱 가꾸기

tripod
[tráipɑd]

몡 삼각대, 세 다리 걸상
[tri 삼(3)＋pod발＝세 개의 발]
use a **tripod** and a zoom lens 삼각대와 줌렌즈를 사용하다

octopus
[áktəpəs]

몡 문어, 낙지
[octo 팔(8)＋pus발＝여덟 개의 발]
a live **octopus** 살아 있는 문어

expedition
[èkspədíʃən]

몡 긴 여행, 탐험, 원정
[ex밖＋ped(i)발＋tion 명사＝밖으로 걸어서 나감]
an Antarctic **expedition** 남극 탐험

pedal
[pédəl]

통 자전거 페달을 밟다 몡 페달, (자전거, 재봉틀 따위의) 발판
[ped발＋al 명사＝발로 밟기]
pedal hard up the hill 페달을 세게 밟아 언덕을 오르다

pedestrian
[pədéstriən]

몡 보행자 혱 도보의
[ped(estri)발＋an 사람＝보행자]
a bridge for bikes and **pedestrians** 자전거와 보행자를 위한 다리

pediatrician [pìːdiətríʃən] 몡 소아과 의사

DAY 59.2

prim, prin 으뜸, 최고
Premier League 프리미어 리그

한국의 K리그(Korean League)나 일본의 J리그(Japanese League)처럼, 영국에는 프리미어 리그(Premier League), 스페인에는 프리메라 리그(Primera Liga), 이탈리아에는 세리에 A리그(Serie A)가 있으며, 이들은 세계 3대 빅 리그로 꼽힌다. 하지만, 요즈음은 독일의 분데스리가(Bundesliga)가 세리에 A리그를 압도하는 인기를 누리고 있다. primera는 스페인 어로 '첫째의, 으뜸가는'이란 뜻이며, 영어의 'premier'와 같은 뜻이다. prim-은 '최고의, 으뜸의'라는 의미이다.

Basic Words		
□ **prin**ce [prins] 몡 왕자, 황태자	the prince royal 왕세자, 제1왕자
□ **prim**e [praim] 혱 제1의, 주요한	prime minister 수상
□ **prim**a [príːmə] 혱 제일의, 으뜸가는	prima donna 프리마 돈나(오페라의 여성 주역가수)

---

primate
[práimèit]

혱 영장류(靈長類)

[prim 으뜸, 제1의 + ate 명사 = 으뜸 위치의 동물]

stem cell experiments on **primates** 영장류에 대한 줄기세포 실험

primitive
[prímətiv]

혱 최초의, 원시의

[prim 제1의 + itive 형용사 = 제1의, 원시의]

primitive society 원시 사회

primary
[práimeri]

혱 최초의, 주요한　　primarily 匣 우선적으로

[prim 처음의 + ary 형용사 = 처음의]

a **primary** school 초등학교

prior
[práiər]

혱 앞서, 사전의　　priority 몡 우선권

[pri 처음의 + or 보다 더 = 보다 처음의]

a **prior** engagement 선약

posterior [pɑstíəriər] 혱 (시간·순서가) 뒤의

principal
[prínsəpəl]

혱 제1의, 주요한　　몡 교장

[prin 제1의 + cip 차지하다(take) + al 형용사 = 첫 번째 자리의]

the **principal** cause 주요한 원인

principle
[prínsəpl]

몡 원리, 원칙

[prin 제1의 + cip 차지하다 + le 명사 = 제일 앞에 차지함, 원칙]

stick to one's **principles** 원칙을 고수하다

port 운반하다(carry), 짐

porter 짐꾼

내가 아는 차 이름은 Grandeur(화려함), Sonata(소나타), 그리고 소형 트럭 Porter! porter는 '짐꾼'이라는 의미를 갖고 있어 소형 트럭의 이름으로는 딱 어울린다는 생각이 든다. 혹시 '짐꾼'이라 부르면 천박하게 들리고, '포터(porter)'라고 부르면 격이 올라가는 것으로 생각하는 것은 아닐는지! 여기서 port는 '짐'을 의미한다. 물론 er은 사람을 나타낸다.

Basic Words

- [ ] **ex**port [ikspɔ́ːrt] 통 수출하다
- [ ] **im**port [impɔ́ːrt] 통 수입하다
- [ ] **pass**port [pǽspɔːrt] 명 여권, 패스포트
- [ ] **sup**port [səpɔ́ːrt] 통 지지하다, 부양하다 명 지지, 부양

---

porter
[pɔ́ːrtər]

명 1. 문지기, 수위   2. 짐꾼, (호텔의) 포터

[port 운반하다 + er 사람]

a hall **porter** (호텔의) 짐 옮기는 사람

---

portable
[pɔ́ːrtəbl]

형 운반할 수 있는, 휴대용의

[port 운반하다 + able 할 수 있는 = 짐을 운반할 수 있는]

a **portable** TV 휴대용 텔레비전

---

portfolio
[pɔːrtfóuliòu]

명 1. 서류 가방; (구직 때 제출하는 사진 · 그림 등의) 작품집   2. 재산의 구성

[port 운반하다 + folio 종이 = 종이를 나르는 것–서류가방]

portfolio income (증권 등에 의한) 투자 소득

---

portal
[pɔ́ːrtəl]

명 대문, 정문, (건물 등의 웅장한) 입구

[port 운반하다 + al 명사 = 짐을 나르는 관문]

a **portal** site 포털 사이트

> **portal site**: portal은 '현관문'이라는 의미이다. 즉, 정보를 얻기 위해 들어가는 문이다. 인터넷 portal site는 정보 검색 서비스나 커뮤니티와 같이 사용자가 마음대로 이용할 수 있는 서비스를 제공한다.

---

trans**port**
[trǽnspɔ̀ːrt]

통 (화물을) 수송하다   transportation 명 수송

[trans 가로질러 + port (짐을) 운반하다 = 가로질러 운반하다–수송하다]

transport goods 화물을 수송하다
public **transportation** 대중교통

flex(flect) 구부리다(bend)

flexible 융통성 있는

Flexible Time 제도란 우리말로 탄력적 근로시간제이다. '탄력적 근로시간제'란 직원들이 개인 사정에 따라 업무 시간을 자유롭게 조정할 수 있는 제도이다. 대개 오전 7시부터 10시까지 언제든지 출근할 수 있으며, 하루 8시간 근무 시간만 채우면 된다. 출퇴근 시간을 고무줄처럼 마음대로 조절할 수 있다는 얘기이다. 바로 flex는 '구부리다, 탄력이 있다'의 의미이다.

Basic Words
- [ ] **reflect**ion [riflékʃən] 명 반사, 반영
- [ ] **deflect**ion [diflékʃən] 명 굴절, 편향, 꺾임   deflect 동 빗나가게 하다

---

flex
[fleks]

동 (관절 등을) 구부리다, 수축시키다

[flex 구부리다]

flex one's muscles (경고, 위협의 몸짓으로) 근육을 불룩거리며 과시하다
flex time 근무 시간 자유 선택제

---

reflex
[rí:fleks]

명 반사; 반사 운동

[re 거꾸로 + flex 구부리다 = 거꾸로 구부리는 것]

reflex reaction 반사 반응

---

flexible
[fléksəbl]

형 구부리기 쉬운, 융통성 있는

[flex 구부리다 + ible 할 수 있는 = 구부릴 수 있는]

flexible working hours 변경 가능한 근무 시간
a **flexible** plan 융통성 있는 계획

---

flexibility
[flèksəbíləti]

명 구부리기 쉬움, 융통성   flexible 형 융통성 있는

[flex 구부리다 + ibil 할 수 있는(can) + ity 명사 = 구부릴 수 있음]

the **flexibility** of joints 관절의 유연성
the **flexibility** of working time 근무 시간의 융통성

---

reflect
[riflékt]

동 반사하다, 반영하다, 반성하다   reflector 명 반사면

[re 거꾸로 + flect 굽다 = 거꾸로 굽다]

reflect one's opinion ~의 의견을 반영하다
reflect on the past 과거를 회상하다
reflect off a mirror 거울에 반사하다

chron(tempo(r)) 시간, 박자

synchronized swimming은 tempo가 일치한다!

코에 집게를 한 선수들이 물속에서 일치된 동작으로 무용을 하는 운동을 'synchronized swimming'이라고 부른다. 우리말로 수중 발레라고 하는데, 음악에 맞추어 서로의 동작을 일치시킨다는 의미이다. 동작이 서로 일치하지 않으면 당연히 감점이 된다. 동사 synchronize(시간을 일치시키다)는 [syn같은(same)+chron시간(time)+ize동사]이다.

Basic Words	
□ **tempo** [témpou] 뗑 빠르기, 박자, 템포, 속도	
□ **tempo**ral [témpərəl] 쥉 시간의	spatial 쥉 공간의
□ syn**chron**ize [síŋkrənàiz] 뜽 동시에 발생하다, 시간을 일치시키다	

---

temporary
[témpərèri]

쥉 일시의, 순간의, 임시의 ⟷ lasting, permanent 계속적인

[tempor 시간+ary 형용사=한때의]

temporary workers 비정규직 근로자
a **temporary** hospital 임시 병원

---

con**tempor**ary
[kəntémpərèri]

쥉 동시대의, 당대의

[con 함께+tempor 시간+ary 형용사=시대를 함께 하는]

our **contemporary** hero 우리 시대의 영웅
the **contemporary** novel 현대 소설

---

chronic
[kránik]

쥉 만성의, 고질의 ⟷ acute 날카로운, 급성의

[chron 시간(time)+ic 형용사=시간이 오래 가는]

a **chronic** disease 만성병

---

chronicle
[kránikl]

뗑 연대기(年代記), 역사

[chron 시간(time)+icle 명사=시대를 기록한 것]

the daily **chronicle** 일지(日誌)
a **chronicle** of life in Korea 한국 생활의 연대기(이야기)

---

ana**chron**ism
[ənǽkrənìzm]

뗑 시대착오; 시대에 뒤떨어진 사람

[ana 반대(against)+chron 시간(time)+ism 행위, 상태=시간을 모르는 것]

be seen as an **anachronism** 시대착오적인 것으로 여겨지다
a historical **anachronism** 역사적 시대착오

tort(tor) 비틀다(twist)

hare and tortoise 토끼와 거북이

토끼와 거북(Hare and Tortoise)의 우화에서, 거북은 바다거북(turtle)이 아니라 육지 거북(tortoise)을 의미한다. 물론, 토끼는 집토끼(rabbit)가 아니라 산토끼(hare)를 의미한다. 그럼, 횃불(torch), 토네이도(tornado), 비틀다(distort), 거북(tortoise)의 공통점은 무엇일까? 정답은 'tort(tor) 비틀다'이다. 이제 tort는 거북이가 몸을 비틀며 뒤뚱뒤뚱 걷는 모습을 의미한다고 기억하자!

Basic Words	
□ **tort**oise [tɔ́:rtəs] 명 (육상 · 민물 종류의) 거북	
□ **tor**rent [tɑ́:rənt] 명 급류, 억수	

---

re**tort**
[ritɔ́:rt]

동 보복하다, 말대꾸하다 명 말대꾸

[re뒤로 다시(back) + tort 비틀다 = 되비틀다, 앙갚음하다]

make a sharp **retort** 날카롭게 응수하다

dis**tort**
[distɔ́:rt]

동 비틀다, 왜곡하다　distortion 명 왜곡

[dis 완전히(completely) + tort 비틀다 = 완전히 비틀다→왜곡하다]

distort the truth 진실을 왜곡하다

torture
[tɔ́:rtʃər]

명 고문, 심한 고통

[tort 비틀다 + ure 명사 = 비틀기]

endure horrible **torture** 잔인한 고문을 견디다

torment
[tɔ́:rment / tɔ:rmént]

명 고통, 고뇌 동 괴롭히다

[tor 뒤틀다 + ment 명사 = 비틀어 냄]

suffer mental **torment** 정신적 고통을 겪다

tornado
[tɔ:rnéidou]

명 폭풍, 회오리바람 ● twister

a **tornado** warning 토네이도 경보

tornado는 그 모양이 깔때기 모양으로 비틀려 올라간다고 해서 붙여진 이름이다.

바람(wind)의 종류
breeze [bri:z] 명 미풍, 산들바람
blast [blæst] 명 돌풍(갑자기 부는 순간적인 바람); 폭발
storm [stɔːrm] 명 폭풍우
gale [geil] 명 강풍(a very strong wind)
gust [gʌst] 명 돌풍(a strong, sudden rush of wind)
typhoon [taifú:n] 명 태풍(남중국해에서 발생하여 북상하는 열대성 폭풍)

코(nose)에서 출발한다

코(nose)와 관련한 생리 현상으로는 재채기, 콧물, 코골기 등과 비웃음, 콧방귀 등의 표현이 있다. 이러한 표현의 영어 표현이 모두 코를 의미하는 nose에서 출발한다. 그리고 nose는 유럽 여러 나라에서 nasa, naham, nasu, nasus 등으로 변형되어 사용된다. snore(코를 골다)는 nose에서 발전하여 생긴 어휘로서, 'breathe through the nose with a harsh sound'의 의미를 지닌다. 그렇다면, 아래의 여덟 개 어휘를 별개로 암기하는 것이 좋을까, nose(코)를 연상하여 함께 암기하는 것이 좋을까?

☐ sneer
[sni*r*]

🔵통 냉소하다, 비웃다
sneer at a report 보고서를 비웃다

☐ snort
[snɔːrt]

🔵통 콧김을 뿜다, 콧방귀 뀌다
snort with laughter 코웃음을 치다

☐ snore
[snɔːr]

🔵통 코를 골다
snore loudly 코를 심하게 골다

☐ sneeze
[sniːz]

🔵통 재채기하다 🔵명 재채기
cough and **sneeze** 기침과 재채기를 하다

☐ sniff
[snif]

🔵통 코를 킁킁거리다, 냄새를 맡다
bomb-**sniff**ing dogs 폭발물 탐지견

☐ snooze
[snuːz]

🔵통 잠자다(=nap), 꾸벅꾸벅 졸다(=doze)
snooze on the sofa 소파에서 잠자다

☐ nostril
[nɑ́ːstrəl]

🔵명 콧구멍
lip and **nostril** piercing 입술과 콧구멍의 피어싱

☐ nasal
[néizl]

🔵형 코의; 콧소리의
nasal discharge 콧물

PART

04

EBS 빈출
수능 빈출

뿌리가 같은 단어

im**mig**rate 이주해 오다 & e**mig**rate 이주해 나가다

뿌리가 같다면 따로 살아갈 이유가 없다! 당장 만나게 해 보자. migrate(이주하다)는 emigrate (이주해 나가다)와 immigrate(이주해 오다)로 발전한다. 여기서 e-는 '밖外', im-은 '안內'을 의미하는 접두사이므로 의미가 분명하게 변한다. 그렇다면 immigrant(이주해 오는 사람)와 emigrant(이주해 나가는 사람)의 의미도 분명해진다. 출발은 '하나'이지만, 가족은 여러 개!

mig 움직이다(move)	**immigrate** [íməgrèit] 통 (국내로) 이주해 오다 **emigrate** [éməgrèit] 통 (타국으로) 이주하다	**immigrate** to Korea 한국으로 이주해 오다 **emigrate** to the U.S. 미국으로 이주해 나가다
quire 얻다, 구하다 (seek)	**acquire** [əkwáiər] 통 획득하다, 얻다 **require** [rikwáiər] 통 요구하다, 필요하다 **inquire** [inkwáiər] 통 묻다, 문의하다	**acquire** wealth 재산을 얻다 **require** time and money 시간과 돈을 요하다 **inquire** about costs 비용에 대해 문의하다
pend 매달다(hang)	**suspend** [səspénd] 통 매달다, 중지시키다 **expend** [ikspénd] 통 소비하다, 비용을 들이다	be **suspended** from school 정학당하다 **expend** one's energy 힘을 쏟아붓다
sert 결합하다(join)	**insert** [insə́:rt] 통 끼워 넣다, 삽입하다 **desert** [dizə́:rt] 통 버리다	**insert** a CD 시디를 삽입하다 a **deserted** town 버려진 마을
sist 서다(stand)	**persist** [pərsíst] 통 고집하다, 주장하다 **assist** [əsíst] 통 원조하다, 돕다 **resist** [rizíst] 통 저항하다; 격퇴하다	**persist** in one's opinion 자신의 의견을 고집하다 **assist** a person in his work 일을 돕다 **resist** temptation 유혹에 저항하다
sol 혼자(alone)	**solitude** [sálətjùːd] 명 고독, 홀로 삶 **isolate** [áisəleit] 통 고립시키다, 격리하다	life in **solitude** 고독한 삶 **isolate** a patient 환자를 격리시키다
care 관심	**carefree** [kɛ́ərfrìː] 형 걱정 없는 **careless** [kɛ́ərləs] 형 부주의한	a **carefree** attitude 걱정 없는 태도 a **careless** action 부주의한 행동
cord 마음(heart)	**accord** [əkɔ́:rd] 통 일치하다 **discord** [dískɔ:rd] 명 불화, 불일치 **concord** [káŋkɔ:rd] 명 일치, 화합	**according** to plan 계획에 맞게 domestic **discord** 가정불화 family **concord** 집안의 화목

volve
돌다, 회전하다
(roll)

evolve [iválv] 통 발전하다, 진화하다
revolve [riválv] 통 회전하다, 회전시키다
involve [inválv] 통 끌어들이다, 관련시키다

evolve from ~에서 진화하다
revolve around ~주위를 돌다
be **involved** with ~와 관련되다

sume
취하다(take)

presume [prizú:m] 통 추정하다
resume [rizú:m] 통 다시 시작하다
assume [əsú:m] 통 (책임을) 떠맡다

presume the cause 원인을 추정하다
resume one's work 일을 다시 시작하다
assume command 지휘권을 떠맡다

hum
낮은(low)

humble [hʌ́mbl] 형 겸손한, 비천한
humiliate [hju:mílièit] 통 창피를 주다

a **humble** request 겸손한 요구
humiliate oneself 창피를 당하다

tribute
나누어주다(give)

attribute [ətríbjù:t] 통 ~탓으로 돌리다
contribute [kəntríbju:t] 통 기부하다
distribute [distríbju(:)t] 통 분배하다

attribute A to B A를 B탓으로 돌리다
contribute A to B A를 B에게 기부하다
distribute gains 소득을 분배하다

break
깨다

breakthrough [bréikθrù:] 명 돌파구
breakdown [bréikdàun] 명 (기계의) 고장

a scientific **breakthrough** 과학적인 돌파구
frequent equipment **breakdown**
잦은 기기 고장

flict
치다(strike)

conflict [kánflikt] 명 투쟁, 충돌
inflict [inflíkt] 통 (고통을) 가하다

a **conflict** among friends 친구 사이의 마찰
inflict damage 손상을 입히다

fuse
녹이다(melt)

confuse [kənfjú:z] 통 혼동하다
diffuse [difjú:s] 통 분산시키다

confuse one's name 이름을 혼동하다
diffuse power 권력을 분산시키다

struct
세우다(build)

construct [kənstrʌ́kt] 통 조립하다, 세우다
instruct [instrʌ́kt] 통 가르치다, 지시하다

construct a bridge 교량을 세우다
instruct students 학생들을 가르치다

vade
가다(go)

invade [invéid] 통 ~에 침입하다
evade [ivéid] 통 피하다

invade one's home ~의 집에 침입하다
evade an attack 공격을 피하다

ject
던지다(throw)

eject [idʒékt] 통 몰아내다
inject [indʒékt] 통 주사하다

eject a video tape 비디오테이프를 꺼내다
inject medicine 약물을 주사하다

짝을 이루어 기억한다

home appliance 가전제품

어원이 같은 어휘나 파생어는 혼동된다. 이러한 혼동 어휘는 함께 짝을 이루어 기억해야 한다. apply의 파생어로서 application(신청, 적용)과 appliance(기구, 기계)가 있다. 혼동을 줄이기 위해 application form(지원 양식)과 home appliance(가전제품)로 구분한다.

apply 신청, 지원하다	**application** [æpləkéiʃən] 명 신청(서) **appliance** [əpláiəns] 명 기구, 기계	an **application** form 신청서 the home **appliance** market 가전제품 시장
solve 풀다	**resolve** [rizálv] 통 용해하다; 해결하다 **dissolve** [dizálv] 통 녹이다, 용해시키다; 녹다	**resolve** conflict 분쟁을 해결하다 **dissolve** in water 물에 녹다
destine 향하다	**destiny** [déstəni] 명 운명(fate) **destination** [dèstənéiʃən] 명 목적지	follow one's **destiny** 운명을 따르다 the **destination** in life 인생의 목적지
awe 경외, 두려움	**awesome** [ɔ́:səm] 형 최고의, 멋진 **awful** [ɔ́:fəl] 형 끔찍한	an **awesome** sight 어마어마한 광경 How **awful!** 안됐구나!
affect 영향을 주다; 감동시키다; ~인 체하다	**effect** [ifékt] 명 결과, 영향, 효과 **affection** [əfékʃən] 명 애정 **affectation** [æ̀fektéiʃən] 명 ~인 체함	cause and **effect** 원인과 결과 **affection** for the country 조국에 대한 애정 the **affectation** of charm 매력 있는 체함
value 가치	**valuable** [væljuəbl] 형 귀중한 **valueless** [væljuləs] 형 가치가 없는 **invaluable** [invæljuəbl] 형 매우 귀중한	a **valuable** lessons 귀중한 교훈 a **valueless** rock 가치가 없는 돌멩이 **invaluable** advice 매우 귀중한 충고
attend 관심 갖다, 출석하다	**attention** [əténʃən] 명 주의, 주의력 **attendance** [əténdəns] 명 출석, 출석자	have one's **attention** 주의를 끌다 perfect **attendance** 개근
identify 동일시하다, 확인하다	**identical** [aidéntikəl] 형 동일한 **identification** [aidèntəfəkéiʃən] 명 신원 확인	**identical** twins 일란성 쌍둥이 an **identification** card 신분증
extend 뻗다	**extent** [ikstént] 명 넓이, 정도, 범위 **extension** [iksténʃən] 명 연장, 확대	a vast **extent** of land 광대한 토지 a time **extension** 시간 연장

다의어: 뿌리가 하나!
odd and even 홀수와 짝수[홀짝]

odd는 다양한 의미를 갖지만, 사실은 짝이 맞지 않는다는 의미의 '홀수'에서 출발한다. even도 마찬가지 '짝수'에서 출발한다. 결국 하나의 뿌리에서 출발하여 다양한 의미로 발전한 어휘이다. 다의어의 의미가 전혀 별개의 의미가 아님을 안다면 부담이 줄어든다.

charge
[tʃɑːrdʒ]

load(짐을 싣다, 탄환을 장전하다)에서 출발한다. 금전적으로 부담을 주고, 일을 실어주고, 에너지를 실어주고, 총알을 장전하는 행위를 나타낸다.

1. 충전하다   a **charging** station 충전소
2. 책망하다 명 책임   be in **charge** of ~를 담당하다, 책임지다
3. 부담; 요금   free of **charge** 무료로, 공짜로
4. (몸으로) 돌격하다, 공격하다   goalkeeper **charging** [축구] 골키퍼 저지

conduct
동[kəndʌ́kt]
명[kándʌkt]

guide(이끌다, 안내하다)에서 출발한다. 사람을 안내하고, 악단을 안내하고, 전기의 흐름을 안내한다는 의미이다. 이것은 명사로 '행동'을 의미한다.

1. 인도하다, 안내하다   **conduct** a guest to his room 손님을 방으로 안내하다
2. 지휘하다   **conduct** an orchestra 악단을 지휘하다
3. (열·전기를) 전도하다   a **conducting** wire 열을 전도하는 철사
4. 행위, 행동   a prize for good **conduct** 선행상

content
형 동[kəntént]
명[kántent]

contain(포함하다, 담고 있다)에서 출발한다. 갖고 있는 것은 '내용'이며, 책의 경우는 '목차'이다. 갖고 있음으로써 만족하게 되므로 '만족하는'의 의미를 나타낸다.

1. 만족하는   be **content** with ~에 만족하다
2. 만족시키다(satisfy)   **content** oneself with ~에 만족하다
3. 내용, 알맹이   the **contents** of a box 상자 속의 내용물
4. (서적 따위의) 목차   the **contents** page 목차 페이지

capital
[kǽpitəl]

cap(머리, 모자)에서 출발한다. 머리는 우두머리와 처음, 목숨, 죽음을 나타낸다. 이것은 오늘날 '수도', '대문자', '원금', '사형' 등을 나타내고 있다.

1. 수도, 중심지   the **capital** of the United States 미국의 수도
2. 대문자, 머리글자   fill in your name in **capitals** 대문자로 이름을 적다
3. 자본, 원금   foreign **capital** 외국 자본
4. 주요한, 으뜸의   a **capital** error 치명적인 실수
5. 사형의   a **capital** sentence 사형 선고

even
[íːvən]

even은 level과 equal(같은 수준)에서 출발한다. 홀수(odd)의 반대 의미로 생각하면 간단하며, 짝수가 갖는 다양한 의미를 포함하고 있다.

1. ~조차   **Even** I can do it. 심지어 나도 할 수 있다.
2. (비교급 앞) 훨씬   **even** more interesting 훨씬 더 흥미로운
3. 짝수의(↔odd)   an **even** number 짝수
4. 평평한   **even** land to build an airport 비행장을 지을 평평한 땅

bill
[bil]

bill은 list(목록), sealed document(봉한 서류)를 의미한다. 이것이 발전하여 종이 서류의 일종인 '계산서', '지폐', '법률안', '전단' 등을 의미하기에 이르렀다.

1. 계산서, 청구서   an electricity **bill** 전기 요금 청구서
2. 법안   pass the **bill** 법률안을 통과시키다
3. 포스터, 전단   Post No **Bills** 벽보를 붙이지 마시오.
4. 지폐   a two-dollar **bill** 2달러짜리 지폐 한 장

fair
[fɛər]

fair는 기본적으로 beautiful(아름다운)에서 출발한다. 처음에 좋은 날씨를 의미했지만, 점차 '공평한', '상당한', '머리카락 색이 멋있는'의 의미로 발전했다.

1. 공평한   **fair** play 공정한 경기
2. 상당한   a **fair** amount 상당한 양
3. (날씨가) 맑은   It will be **fair** tomorrow. 내일은 맑을 것이다.
4. 금발의   **fair** hair 옅은 색의 머리

board
[bɔːrd]

board는 두꺼운 판자를 의미한다. 이 판자는 식탁과 회의용으로 사용되면서 '위원회'와 '식사하다'는 의미로 발전했다.

1. 판   a wooden **board** 나무판
2. 위원회   the school **board** 학교 운영 위원회
3. 하숙하다   a **boarding** house 하숙집, 기숙사
4. 타다   **board** a shuttle bus 셔틀버스를 타다

spot
[spɑt]

spot은 speck(점, 얼룩)에서 출발하여, place(넓은 장소)를 의미하게 되었다. 장소도 일종의 넓은 점임을 기억한다. 동사로서는 '장소를 발견하다'는 의미를 갖는다.

1. 반점   **spots** on her hands 그녀 팔에 있는 반점
2. 얼룩   a **spot** on her dress 옷에 있는 얼룩
3. 지점, 장소   from this **spot** 이 장소에서   on the **spot** 현장에서
4. 발견하다   I **spotted** him in the crowd. 군중 속에서 그를 발견했다.

figure
[fígjər]

figure는 shape(모양)에서 출발한다. 이것은 '모양', '숫자', '인물', '도형'으로 의미가 확대되었다. 또한, 마음속에 그림을 그리는 것은 '생각하다'를 나타낸다.

1. 모양, 외모   a good **figure** 멋진 외모
2. 숫자, 계수   a three-**figure** number 세 자리의 수
3. 인물   the central **figure** of a group 그룹의 중심인물
4. 이해하다, 계산하다   **figure** out word meaning 단어의 의미를 파악하다

odd
[ɑ:d]

odd는 even과 상반되는 의미로서, '홀수'의 의미에서 출발한다. 짝이 맞지 않는 홀수는 '잉여의', '나머지의', '어색한', '불평등의', '이상한' 등의 의미와 연관되어 있다.

1. 이상한   one's **odd** behavior ~의 이상한 행동
2. 홀수   **odd** numbers 홀수
3. (~s) 가능성; 어려움; 불평등; 차이   against all **odds** 모든 어려움을 무릅쓰고

flat
[flæt]

flat는 말 그대로 '평평한'을 의미한다. 이는 모양이 평평하고 평면적인 것을 의미하지만, 주로 부정적으로 '단조로운', '맛없는', '활기 없는', '쌀쌀한' 등의 의미를 나타낸다.

1. 평평한   **flat** feet 평발
2. (음식이) 맛없는, 김빠진   **flat** beer 김빠진 맥주
3. 단호한, 쌀쌀한   a **flat** refusal 단호한 거절

apply
[əplái]

apply는 attach(달라붙다)에서 출발한다. '달라붙다'는 어딘가에 끈기 있게 매달리거나 접촉한다는 의미이다. 그래서 '적용하다'와 '신청하다', '바치다'는 의미가 생겨났다.

1. 적용하다, 응용하다   **apply** to beginners 초보자에게 적용되다
2. 신청하다, 지원하다   **apply** for a job 일자리에 응모하다
3. (몸을) 바치다, 쏟다   **apply** oneself to one's studies 연구에 전념하다

abuse
[əbjú:s]

abuse는 use up과 misuse에서 출발한다. 즉, 물건을 다 써 버리고(남용하다), 손을 잘못 사용하고(학대하다), 입을 마구 사용하는(욕설하다) 의미로 발전되었다.

1. 남용, 오용   **abuse** of power 권력의 남용
2. 학대, 학대하다   **abuse** one's eyesight 눈을 혹사하다
3. 욕, 욕설   verbal **abuse** 막말, 악담

character
[kǽrəktər]

character는 mark(표시)에서 출발한다. 사람이나 기록을 표시하는 내용은 '성격', '인물', 그리고 '문자'를 나타내는 말이 되었다.

1. 성격   a strong **character** 강한 성격
2. 인물   a cartoon **character** 만화 등장인물
3. 글자, 문자   Chinese **characters** 한자

civil
[sívəl]

civil은 life(삶)에서 출발한다. 삶은 서민의 삶을 말하며, 서민은 공손함과 민간인임을 동반한다.

1. 시민의   **civil** life 시민 생활
2. 정중한, 예의 바른   a **civil** reply 정중한 회답
3. 민간의, 일반인의   a **civil** war 내란

beat
[bi:t]

beat는 strike(치다)에서 출발한다. 북을 치고, 게임에서 상대방을 격파하고, 심장이 쿵쿵 뛰는 의미를 담고 있다.

1. 치다, 두드리다   **beat** a drum 북을 두드리다
2. 이기다, ~보다 낫다   **beat** him at chess 체스에서 그를 이기다
3. (심장·맥박이) 뛰다(= throb)   one's fast **beating** heart 빨리 뛰는 심장

★혼동어휘

다의어: 뿌리가 완전히 다르다!
You can't **help** it. 어쩔 수 없다.

'You can't help it.'은 '피할 수 없다'고 해석되지만, '어쩔 수 없는 일이니 잊어버려라!'라는
의미를 지닌다. 이것은 help가 '돕다'는 의미와 '피하다'는 의미를 갖고 있기에 가능하다. 이렇게
다의어로서 어원과 의미가 다양한 경우들은 실제 사용되는 표현 덩어리를 기억하면 쉽다.

appreciate
[əprí:ʃièit]

1. 이해하다   **appreciate** the importance 중요성을 이해하다
2. 진가를 인정하다   **appreciate** the value 가치를 인정하다
3. 감상하다   **appreciate** music 음악을 감상하다
4. 감사하다   **appreciate** one's advice 충고에 감사하다

help
[help]

1. 도움   need **help** 도움을 필요로 하다
2. 피하다   cannot **help** laughing 웃지 않을 수 없다

row
[rou; BrE rau]

1. 열, 줄   in a **row** 일렬로, 연속적으로
2. (노로 배를) 젓다   **row** against the stream 강을 거슬러 저어가다
3. 법석, 소동   have a **row** with one's brother 형제와 말다툼하다

property
[prápərti]

1. 재산, 소유물   private **property** 사유 재산
2. (고유한) 성질, 특성   the **properties** of metal 금속의 특성

firm
[fə:rm]

1. 굳은, 단단한   **firm** ground 굳은 지면
2. 상사(商社), 회사   a private **firm** 개인 회사

lot
[lɑt]

1. 제비뽑기; 추첨, 당첨   decide by **lot** 추첨으로 정하다
2. 땅, 부지   a parking **lot** 주차장
3. 운, 운명(destiny)   be dissatisfied with one's **lot** 운명에 만족하지 않다
4. 많음, 듬뿍   a **lot** of = **lots** of 많은

suit
[su:t]

1. 어울리다, 만족시키다   **Suit** yourself! 알아서 좋을 대로 해라!
2. 양복 (한 벌)   a **suit** of clothes 한 벌의 옷
3. 소송   a **suit** against one's boss 사장에 대한 소송

fit
[fit]

1. 알맞은, 적합한   be **fit** for ~에 적합하다
2. 건강한 🔁 fitness   a **fitness** center 헬스클럽
3. 발작   in a **fit** of anger 홧김에
4. 어울리다   **fit** well in the environment 분위기에 잘 어울리다

due
[djuː]

1. 당연한   **due** punishment 당연한 벌
2. 예정된   be **due** to + 동사 ~할 예정이다
3. ~ 때문에 (to)   be **due** to + 명사 ~ 때문이다   *due to = because of
4. 기한이 된   The bill is past **due**. 고지서 지급 기한이 지났다.

term
[təːrm]

1. 기간, 학기   a long-**term** tour 장기 여행
2. 용어   many grammatical **terms** 많은 문법적 용어들
3. 교제, 관계   be on good **terms** with ~와 관계가 좋다
4. 관점   in **terms** of ~의 관점에서

mean
[miːn]

1. 의미하다   What do you **mean** by this word? 이 단어는 무슨 뜻이야?
2. ~할 작정이다   **mean** to buy it 그것을 살 작정이다
3. 비열한   a **mean** trick 비열한 속임수
4. 중간의   in the **meantime** 그 동안에   a **mean** age 평균 연령
5. 수단   the **means** of communication 통신 수단
6. 재산   a man of **means** 자산가

account
[əkáunt]

1. 설명(하다) (for)   **account** for ~를 설명하다
2. (은행) 계좌   a bank **account** 예금 계좌
3. 참작, 고려   take into **account** 참작하다, 고려하다
4. 이유   on **account** of ~때문에(because of)
5. 말, 설명   eyewitness **accounts** 목격자 진술

but
[bʌt]

1. 그러나   He is poor **but** cheerful. 가난하지만 명랑하다.
2. 단지, 다만(only)   He is **but** a child. 그는 그저 어린아이에 불과하다.
3. ~를 제외하고   All **but** him are present. 그를 제외하고 모두 참석했다.
4. 반드시 ~하다   It never rains, **but** it pours. 불행은 겹쳐온다.
   ~를 수반하지 않고는
   ~하지 않다(that ~ not)

mind
[maind]

1. 마음   complete peace of **mind** 완전한 마음의 평화
2. 조심하다   **mind** the step 계단을 조심하다
3. 꺼리다   Would you **mind** opening it? 그것을 좀 열어 주실래요?

tear

1. 눈물 [tiər]   shed **tears** 눈물을 흘리다
2. 찢다 [tɛər]   **tear** a letter to pieces 편지를 갈기갈기 찢다

bark
[bɑːrk]

1. (개가) 짖다
2. 나무껍질

bark at strangers 낯선 사람에게 짖다
strip the bark off a tree 나무의 껍질을 벗기다

attribute

1. 특성, 속성 [ǽtribjuːt]
2. ~탓으로 돌리다 [ətríbjuːt]

an essential attribute 필수 자질
attribute one's success to good luck
자신의 성공을 운이 좋았던 것으로 여기다

fine
[fain]

1. 훌륭한, 정교한
2. 벌금

command a fine view 경치가 좋다
a fine for violating the speed limit 속도위반에 대한 벌금

grave
[greiv]

1. 무덤
2. 중대한, 근엄한

from the cradle to the grave 요람에서 무덤까지
a grave international issue 중대한 국제적 문제

object
[ábdʒikt]

1. 물건
2. 대상
3. 목적
4. 반대하다 (to) [əbdʒékt]

the external skin of an object 물체의 외부
an object of envy 부러움의 대상
attain one's object 목적을 달성하다
object to my smoking 내가 담배 피는 것에 반대하다

well
[wel]

1. 우물
2. 건강한
3. 잘, 바르게

an oil well 유정(油井)
look well 건강해 보이다
behave well 예의 바르게 행동하다

still
[stil]

1. 여전히
2. 조용한, 고요한
3. 그럼에도 불구하고

It is still hot. 여전히 덥다.
still water 고요한 물[정수된 물]
Still, I love him. 그럼에도 불구하고 나는 그를 좋아한다.

yield
[jiːld]

1. 생산하다
2. 항복하다
3. 양보하다

yield fruit 열매를 생산하다
yield to temptation 유혹에 굴복하다
yield to another car 다른 차에게 양보하다

bow

1. 활 [bou]
2. 절하다 [bau]
3. 뱃머리 [bau]

a bow and arrow 활과 화살
bow to each other 서로 머리 숙여 인사하다
over the bow of the ship 뱃전에[뱃머리에]

scale
[skeil]

1. 저울 통 저울질하다
2. 규모
3. 음계

weigh on a scale 저울에 올려놓다
a huge scale 대규모
a major scale 장조

합성어: Spanish + English
Spanglish 스페인식 영어

단어와 단어가 성형 수술 없이 자연 그대로 만나서 새로운 어휘를 만들거나 혹은 내 것 절반과 상대방 것 절반을 공평하게 버린 후에 만나서 새로운 어휘를 만들기도 한다. [breakfast(아침)= break(깨다)+fast(단식, 굶다)], [brunch(아점)=breakfast(아침)+lunch(점심)] 등이 그 예이다. 히스패닉 계열 이민자들의 역할이 증대됨에 따라 이들을 위해 공공 서비스나 금융 서비스도 바뀌고 있다. 현재 스페인 어는 실질적인 미국의 제2국어로서, 국경 지대에선 영어와 스페인 어가 뒤섞인 스페인식 영어가 통용되는데 이를 '스펭글리시(Spanglish)'라고 하며, 이는 합성어의 좋은 예이다. 그럼 Konglish는?

Basic Words			
	☐ **nameplate** [néimpleit] 몡 명찰	[name+plate]	
	☐ **footbed** [fútbèd] 몡 신발 밑창	[foot+bed]	
	☐ **daydream** [déidrì:m] 통 공상에 잠기다	[day+dream]	
	☐ **workday** [wə́:rkdei] 몡 근무일, 평일	[work+day]	
	☐ **lighthouse** [láithaus] 몡 등대	[light+house]	

blackmail
[blǽkmèil]

몡 갈취(한 돈), 공갈, 협박 통 협박해서 빼앗다
　[black 어두운, 사악한+mail 우편]
　commit **blackmail** 공갈을 치다

drawback
[drɔ́:bæ̀k]

몡 결점
　[draw 당기다+back 뒤로, 되]
　the only **drawback** 유일한 결점

courtroom
[kɔ́:rtrù(:)m]

몡 법정
　[court 법원+room 방, 공간]
　in the **courtroom** during a trial 재판 중 법정에서

lightweight
[láitwèit]

형 표준 무게 이하의 몡 표준 무게 이하의 사람; 하찮은 사람
　[light 가벼운+weight 무게]
　a **lightweight** material like aluminum 알루미늄 같은 가벼운 물질

downfall
[dáunfɔ̀:l]

몡 1. (비·눈 따위가) 쏟아짐 2. 낙하, 몰락
　[down 아래로+fall 떨어지다]
　the economic **downfall** 경제적 몰락

setback
[sétbæk]

명 방해, 좌절, 역류

[set 놓다+back 뒤, 거슬러]

a political **setback** 정치적 좌절

a diplomatic **setback** 외교상의 차질

guesswork
[géswə̀:rk]

명 어림짐작

[guess 추측+work 일]

by pure **guesswork** 순전히 어림짐작으로

breakthrough
[bréikθrù:]

명 적진 돌파, 돌파구, 획기적인 일

[break 부수다+through 관통하여]

a political **breakthrough** 정치적 돌파구

trademark
[tréidmà:rk]

명 (등록) 상표, 대표적인 특징

[trade 장사, 무역+mark 표, 기호]

apply for **trademark** rights 상표권을 신청하다

secondhand
[sèkəndhǽnd]

형 중고(품)의, 간접적인 ↔ firsthand 직접의

[second 두 번째+hand 손, 방향]

a **secondhand** car 중고차

secondhand news 전해 들은 뉴스

handicap
[hǽndikæ̀p]

명 불이익, 신체장애 동 불리한 입장에 두다, 방해하다

[handi 손+cap 모자]

a physical **handicap** 신체장애

overcome a **handicap** 핸디캡을 극복하다

> 상대방을 해치려는 의사가 없음을 보여주기 위해 모자 속에 손을 넣은 데서 유래한다. 손을 숨김으로 인해 불리해진 입장을 나타낸다.

by-product
[by-product]

명 부산물, 부작용

[by 옆+product 생산품]

a **by-product** of farming 농업의 부산물

peephole
[pí:phòul]

명 들여다보는 구멍

[peep 엿보다+hole 구멍]

look through a **peephole** 구멍으로 보다

Medicare
[médikɛə̀r]

명 노인 의료 보험

[medical 의료의+care 관리]

join a **Medicare** program 노인 의료 보험에 가입하다

landmine
[lǽndmain]

명 지뢰

[land 땅+mine 광산, 채굴하다]

a **landmine** explosion 지뢰 폭발

landmark [lǽndmà:rk] 명 경계표, 획기적인 사건; 명소

합성어 : brain 두뇌 + storming 폭풍이 치는

brainstorming 브레인스토밍

도대체 brainstorming이란 무슨 의미인가? 어휘의 의미를 모를 때는 전후 문맥을 보거나, 어휘의 형태를 보고 유추하라! 여기서 brain(두뇌)이 storm(폭풍)처럼 돌진을 한다면 무슨 뜻으로 이해해야 할까? 여러 사람의 머릿속 생각을 불러내서 해결책을 얻어낸다는 의미로 발전된 것이다.

Basic Words		
☐ life-saving 형 목숨을 구하는 명 인명 구조		[life + saving]
☐ household [háushòuld] 명 세대, 한 집안		[house + hold]
☐ nobleman [nóublmən] 명 귀족		[noble + man]
☐ sitcom [sítkàm] 명 시트콤		[situation + comedy]
☐ aircraft [éəkræft] 명 항공기		[air + craft]

---

sidestroke
[sáidstròuk]

명 옆으로 하는 수영, 횡영

[side 옆 + stroke 치다]

switch to **sidestroke** 옆으로 하는 수영으로 바꾸다

mastermind
[mǽstərmàind]

명 지도자, 주도자 동 ~를 주도하다

[master 주인 + mind 마음]

terror **mastermind** 테러 주모자

shoplift
[ʃáplìft]

동 (가게 물건을) 슬쩍하다 명 들치기

[shop 가게 + lift 들어 올리다, 집다]

be arrested for **shoplifting** 물건 훔쳐서 체포되다

playwright
[pléiràit]

명 각본가, 극작가

[play 연극 + wright 제작자]

an imaginative **playwright** 상상력 풍부한 극작가

doomsday
[dú:mzdèi]

명 최후의 심판일, 세계의 마지막 날

[dooms 운명, 판결 + day 날]

doomsday films 지구의 운명을 주제로 한 영화

pinpoint
[pínpɔ̀int]

명 핀 끝, 아주 작은 물건 동 정확히 위치를 지적하다

[pin 핀으로 꽂다 + point 끝]

pinpoint accuracy 오차 없는 정확성

pinpoint a location 위치를 정확히 찾아내다

treadmill
[trédmìl]

명 (다람쥐가 돌리는) 쳇바퀴, 회전식 벨트 위를 달리는 운동 기구[러닝머신]

[tread 밟다 + mill 단순한 동작을 반복하는 기계]

walk on a **treadmill** at the gym 헬스클럽에서 러닝머신을 하다

합성어: egg ^{계란} + plant ^{식물}

eggplant 가지

두 명사의 특징과 형태를 이용하여 새로운 어휘를 만드는 경우이다. 외우지 않더라도 특징을 연상하면 기억된다. 우리말의 방울뱀, 벌집, 사진광 등은 두 단어가 결합되어 만들어진 표현이다. 마찬가지 영어에서도 rattlesnake, beehive, shutterbug 등으로 합성어가 탄생한 것이다.

Basic Words		
☐ **eggplant** [égplæ̀nt] 명 【식물】 가지		[egg 계란, 알]
☐ **seaweed** [síːwìːd] 명 해초, 바닷말		[weed 잡초]
☐ **shotgun** [ʃátgʌ̀n] 명 산탄총, 엽총, 새총		[shot 발포, 탄환]
☐ **shutterbug** [ʃʌ́tərbʌ̀g] 명 사진광(狂), 아마추어 사진사		[bug 곤충, 벌레]

---

standpoint
[stǽndpɔ̀int]

명 입장, 견지, 관점   [point 요점]
from a commercial **standpoint** 상업적인 관점에서

beehive
[bíːhàiv]

명 (꿀벌의) 벌집, 벌통   [bee 벌]
beehive-shaped homes 벌집 모양의 집

soybean
[sɔ́ibìːn]

명 콩   [soy 간장]
soybean oil 대두유(油), 콩기름

toothpaste
[túːθpèist]

명 치약   [paste 풀, 반죽]
a tube of **toothpaste** (짜서 쓰는) 치약 한 통

fingerprint
[fíŋgərprìnt]

명 지문   [print 자국, 흔적]
a **fingerprint** identification scanner 지문 인식 스캐너

hairdo
[hέərdùː]

명 머리 모양   [do 모양]
one's **hairdo** ~의 머리모양

silverware
[sílvərwὲər]

명 식탁용 은제품   [ware 상품, 제품]
ancient **silverware** 고대 은제품

rattlesnake
[rǽtlsnèik]

명 방울뱀   [rattle 딸랑이, 방울]
a **rattlesnake's** tail 방울뱀의 꼬리

sandstorm
[sǽndstɔ̀ːrm]

명 (사막의) 모래 폭풍   [storm 폭풍]
a massive **sandstorm** 거대한 모래 폭풍

pothole
[páthòul]

명 깊은 구멍, (도로의) 둥근 웅덩이   [pot 항아리, 독]
a deep **pothole** 도로의 깊은 구멍

합성어: kinder^{어린이} + garten^{정원}

kindergarten 유치원

유치원은 kindergarten이 아니라 childrengarden이 되어야 하는 것 아닌가? 사실, kindergarten은 kinder(어린이)와 garten(정원)이 결합하여 생긴 독일어가 출발점이다. 독일어로 morgen(-morning), mutter(-mother), guten(-good) 등을 보면 영어에는 독일어에서 따온 표현이 많다는 것을 알 수 있다. 어쨌든 언어는 별개의 두 단어가 결합하여 복합적인 의미를 만들어 내는 경우가 많다. 그래서 "외우지 마라, 분석하라!" 하지만, 반복이 필요하다.

Basic Words	
☐ **catfish** [kǽtfiʃ] 명 메기의 일종
☐ **swellfish** [swélfiʃ] 명 복어
☐ **landlord** [lǽndlɔ̀ːrd] 명 지주, 집주인
☐ **watchman** [wátʃmən] 명 (건물 따위의) 경비원
☐ **toothpick** [túːθpìk] 명 이쑤시개

---

afterthought
[ǽftərθɔ̀ːt]

명 나중에 생각이 나서 덧붙인 말; 때늦은 생각

[after 후에 + thought 생각]

as an **afterthought** 나중에 생각이 나서

swearword
[swéərwə̀ːrd]

명 욕설, 천한 말

[swear 욕설 + word 말]

a four-letter **swearword** 저질 욕설

workaholic
[wə̀ːrkəhɔ́ːlik]

명 일벌레, 일중독인 사람

[work 일 + (a)holic 중독자]

holic은 '중독자'를 의미한다. 이 어원은 workaholic(일벌레)뿐만 아니라, shopaholic(쇼핑 중독자), alcoholic(알코올 중독자)이란 표현을 만든다.

workaholic habits 일중독 습관
one's **workaholic** husband 일중독 남편

jet lag

명 시차로 인한 피로

[jet 제트기 + lag 운동의 지체]

overcome **jet lag** 시차로 인한 피로를 극복하다

shutter lag

명 카메라의 셔터와 촬영되는 것의 시간 차이

[shutter 셔터 + lag 지연]

a digital camera's **shutter lag** (= shutter delay times)
(디지털카메라의) 셔터 지연

feedback
[fíːdbæ̀k]

명 (질문 · 서비스 등을 받는 측의) 반응, 의견

[feed 공급하다 + back 되돌아]

positive **feedback** 긍정적인 반응

carjack
[káːrdʒæk]

통 자동차를 강탈하다　hijack [háidʒæk] 통 공중 납치하다

[car + jack(jack light로 밤사냥하다)]

the crime of **carjacking** 차량 강도 범죄

meantime
[míːntàim]

명 그동안(meanwhile)

[mean 중간의 + time 시간]

in the **meantime** 그사이에

thoroughfare
[θə́ːroufɛ̀ər]

명 통로, 주요 도로; 통행

[thorough 처음부터 끝까지(through의 옛 표현) + fare 통행료, 승객]

a busy **thoroughfare** 사람의 통행이 잦은 대로
No **Thoroughfare** 통행금지

snapshot
[snǽpʃàːt]

명 스냅 (사진), 함부로 쏘아대기

[snap 급히 행하는 + shot 촬영, 발사]

a quick **snapshot** 빠른 사진 찍기, 간단한 스냅사진

bloodstream
[blʌ́dstrìːm]

명 혈류(량), 대동맥

[blood 피 + stream 흐름]

cholesterol levels in the **bloodstream** 혈류 속의 콜레스테롤 수치

kindergarten
[kíndərgàːrtn]

명 유치원

[kinder 어린이 + garten 정원 = 유치원(독일어에서 온 어휘)]

a **kindergarten** teacher 유치원 선생님

playmate
[pléimèit]

명 놀이 친구

[play 놀이 + mate 친구]

a childhood **playmate** 어린 시절 놀이 친구

broomstick
[brú(ː)mstìk]

명 빗자루

[broom 비 + stick 막대기]

a witch's **broomstick** 마녀의 빗자루

bureaucracy
[bjuərákrəsi]

명 관료 정치

[bureau 사무소, 관청의 국 + cracy 정치, 제도]

a government **bureaucracy** 정부 관료

democracy [dimákrəsi] 명 민주주의
autocracy [ɔːtákrəsi] 명 독재 정치; 독재권

212

합성어 : center 중심 + piece 조각, 작품

centerpiece 중심부 장식, 가장 중요한 작품

piece는 조각, 낱개 단위, 작품 등을 나타내는 의미로 사용된다. 귀와 결합하면 earpiece(이어폰, 수화기), 입과 결합하면 mouthpiece(입대는 부분, 대변인), 눈과 결합하면 eyepiece(접안 렌즈), 그리고 머리카락과 결합하면 hairpiece(가발)를 만들 수 있다. 합성어의 의미는 다양할 수 있다는 점과 의미를 유추할 수 있다는 특징이 있다.

Basic Words

- ☐ **pastime** [pǽstàim] 몡 취미, 오락
- ☐ **painkiller** [péinkìlər] 몡 진통제
- ☐ **landfill** [lǽndfil] 몡 쓰레기 매립지
- ☐ **quarrelsome** [kwɔ́(ː)rəlsəm] 혱 싸우기를 좋아하는
- ☐ **backbone** [bǽkbòun] 몡 등뼈, 척추

---

copyright
[kápiràit]

몡 판권, 저작권
[copy 원고, 초고+right 권리]
a **copyright** holder 판권 소유자

warfare
[wɔ́ːrfɛ̀ər]

몡 전쟁, 전투 (행위)
[war 전쟁+fare 상태]
chemical **warfare** 화학전

artifact
[áːrtifæ̀kt]

몡 (천연물과 대비되는) 가공품, 문화 유물
[arti 예술+fact 일, 물건]
sell **artifacts** and souvenirs 공예품과 기념품을 팔다

breastplate
[bréstplèit]

몡 (갑옷·마구 따위의) 가슴받이, (거북 따위의) 가슴패기
[breast 가슴+plate 금속 판]
a metal **breastplate** 금속으로 된 가슴받이

pesticide
[péstisàid]

몡 (살충제·살균제·제초제 따위의) 농약
[pest 해충+(i)cide 죽임]
pesticide-free cabbage 농약 없는 양배추

shipwreck
[ʃíprèk]

몡 배의 조난 사고, 난파
[ship 배+wreck 난파, 파괴]
survive a **shipwreck** 난파를 당하고도 살아남다

합성어: pig 돼지 + let 작은 것

piglet 아기 돼지

우리말에서 명사 뒤에 '새끼'를 붙이면 모든 동물의 어린 것을 지칭하긴 하지만, 송아지, 망아지, 강아지처럼 접미사를 붙여 별도의 명칭을 만들기도 한다. 영어에서는 '작은 것'이란 의미로 -let을 쓰기도 한다. booklet(소책자), bullet(총알-작은 공 모양), cutlet(얇게 저민 고기), droplet(작은 물방울), eyelet(옷, 신발 등에 끈을 꿰는 작은 구멍), leaflet(작은 잎, 전단) 등이 그 예들이다.

Basic Words	
☐ **cheekbone** [tʃíːkbòun] 몡 광대뼈	
☐ **bookshelf** [búkʃèlf] 몡 서가 (pl. -shelves)	
☐ **theatergoer** [θí(ː)ətərgòuər] 몡 연극 구경을 자주 가는 사람, 연극을 좋아하는 사람	
☐ **piglet** [píglət] 몡 새끼 돼지, 작은 돼지	

leaflet
[líːflit]

몡 작은 잎, 낱장으로 된 인쇄물, 전단(광고용)

[leaf 나뭇잎＋let 작은 것]

a propaganda **leaflet** 광고용 전단, 선전용 전단

carbohydrate
[kàːrbouháidreit]

몡 탄수화물

[carbo 탄소(carbon)＋hydrate 수화물(水化物)]

high-protein, low-**carbohydrate** diets 고단백, 저탄수화물 식이 요법

> **protein** [próutiːn] 몡 단백질
> **fat** [fæt] 몡 지방, 지방질

make-believe

몡 가장, 거짓

[make＋believe 믿다 = 믿게 만들다, ~인 체하다]

a **make-believe** story 가공의 이야기

billboard
[bílbɔ̀ːrd]

몡 광고[게시]판

[bill 벽보, 광고＋board 판자, 게시판]

a **billboard** campaign 게시판 광고

airway
[éərwèi]

몡 항공로, (방송의) 채널

[air 항공, 방송＋way 길]

British **Airways** 영국 항공(회사)

jailhouse
[dʒéilhàus]

몡 감옥, 교도소

[jail 감옥＋house 집]

jailhouse interviews 교도소 면회

framework
[fréimwə̀ːrk]

명 뼈대, 구조, 구성

[frame 뼈대 + work 일, 구조]

a basic **framework** 기본 구조

skyrocket
[skáirɑ̀kit]

통 급속히 증가하다

[sky 하늘 + rocket 로켓]

skyrocketing housing prices 치솟는 집값

wholesome
[hóulsəm]

형 건강에 좋은, 위생적인

[whole 건강한 + some 특징을 지닌]

wholesome food 건강에 좋은 식품

prototype
[próutətàip]

명 원형, 표준, 모범

[proto 처음 + type 형태]

the **prototype** of the modern plane 현대 비행기의 원형

fortune-teller

명 점쟁이

[fortune 운, 행운 + teller 말하는 사람]

consult a **fortune-teller** 점을 보다

charcoal
[tʃáːrkòul]

명 숯, 목탄

[char 태우다, 숯 + coal 석탄]

burn wood into **charcoal** 나무를 구워 숯을 만들다

potluck
[pɑ̀tlʌ́k]

명 사람들과 나눠먹으려고 각자 집에서 가져온 음식

[pot 항아리, 단지 + luck 행운]

a **potluck** dinner 각자가 음식을 지참하여 하는 저녁 식사 모임

shepherd
[ʃépərd]

명 양치는 사람, 목자

[shep 양(sheep) + herd 목자, 가축지기]

a scene of **shepherds** 목자들이 있는 장면

worthwhile
[wə̀ːrθhwáil]

형 ~할 보람이 있는, 시간을 들일 만한

[worth 가치 + while 시간, 동안]

a **worthwhile** book 읽을 만한 책

layman
[léimən]

명 아마추어, 문외한 ⟷ expert 전문가

[lay 전문가가 아닌 + man 사람]

for professionals and **laymen** alike 전문가와 비전문가 모두를 위해

bystander
[báistændər]

명 행인, 방관자 ⊜ onlooker

[by 옆에 + stander 서 있는 사람]

a passive **bystander** 수동적 방관자

besiege
[bisíːdʒ]

통 포위 공격하다, ~을 에워싸다

[be 널리, 전부에 + siege 둘러싸다, 포위하다]

besiege the city of Troy 트로이 시를 포위하다

합성어: step ^{잃어버린} + mother ^{어머니}

stepmother 새엄마, 계모

영화 대사 '당신 아이와 내 아이가 우리 아이를 괴롭히네요.'를 듣고 떠오르는 단어는 친엄마(birth mother), 친아빠(birth father), 새엄마(stepmother), 새아빠(stepfather)일 것이다. 그럼 'foster mother'라는 단어를 들어 본 적이 있는가? foster mother는 나를 길러 준 엄마이다. foster가 '기르다'이기 때문이다. 말과 말이 결합하여 또 다른 말을 낳는다.

Basic Words	□ **afterlife** [ǽftərlàif] 몡 내세; 여생
	□ **steadfast** [stédfæ̀st] 혱 확고부동한, 고정된
	□ **nightmare** [náitmèər] 몡 악몽
	□ **welfare** [wélfɛ̀ər] 몡 복지, 후생

---

paperback
[péipərbæ̀k]

몡 종이 표지의 (염가판) 책 ⇔ hardcover 두꺼운 표지의 책
[paper 종이 + back 등]
my favorite **paperback** books 내가 좋아하는 문고판 책

spacecraft
[spéiskræ̀ft]

몡 우주선(spaceship)
[space 공간, 우주 + craft 비행기]
an alien **spacecraft** 외계의 우주선

cosmopolitan
[kàzməpálitn]

혱 세계적인, 국제적인 몡 세계인, 세계주의자
[cosmo(s) 우주 + politan 도시인]
a **cosmopolitan** atmosphere 국제적인 분위기

snowplow
[snóuplàu]

몡 눈 치우는 가래, 제설기(snowplough)
[snow 눈 + plow 쟁기]
a **snowplow** vehicle 제설차

bypass
[báipæ̀s]

몡 우회로, 보조도로 동 우회하다 *passer-by 통행인
[by 옆 + pass 통과하다]
take a **bypass** 우회로를 이용하다

warlike
[wɔ́:rlàik]

혱 전쟁의, 군사의, 호전적인
[war 전쟁 + like 좋아하다]
a **warlike** tribe 호전적인 부족
a **warlike** nature 호전적 본성

lawsuit
[lɔ́:sù:t]

몡 소송, 고소
[law 법 + suit 소송]
a **lawsuit** against one's employer 고용주를 상대로 한 소송

viewpoint
[vjú:pɔ̀int]

명 견해, 견지, 관점(point of view)

[view 시각, 시야+point 점]

from the author's **viewpoint** 저자의 입장에서
from an objective **viewpoint** 객관적으로 볼 때

stepmother
[stépmʌ̀ðər]

명 의붓어머니, 계모

[step 잃어버림+mother 어머니]

accept one's **stepmother** 새엄마를 받아들이다

foster mother 양모(養母), 유모
offspring [ɔ́ːfsprìŋ] 명 자식, 자녀, 생겨난 것
stepsister [stépsìstər] 명 배다른 자매, 이복 자매

caretaker
[kɛ́ərtèikər]

명 (공공시설 등의) 관리인, (집을) 지키는 사람

[care 관심, 주의+taker 잡는 사람]

act as a **caretaker** 관리인 역할을 하다

mindset
[máindset]

명 사고 방식, 심적 경향

[mind 마음+set 모양, 자세]

a positive **mindset** 긍정적인 사고방식

horseshoe
[hɔ́ːrsʃùː]

명 편자, U자형의 물건

[horse 말+shoe 신발]

a semicircle like a **horseshoe** 말발굽처럼 반원 모양

likewise
[láikwàiz]

부 똑같이, 마찬가지로

[like 같은, 닮은+wise 방법, 방향]

do **likewise** 똑같이 하다

otherwise
[ʌ́ðərwàiz]

부 1. 다르게, 달리   2. 만약 그렇지 않으면

[other+wise 방법, 방향]

know **otherwise** 그렇지 않다는 것을 알다
Otherwise, I won't forgive you. 그렇지 않으면 용서하지 않겠다.

clockwise
[klákwàiz]

형 (시계 바늘처럼) 오른쪽으로 도는

[clock 시계+wise 방법, 방향]

a counter-**clockwise** rotation 시계 반대 방향의 회전

nonetheless
[nʌ̀nðəlés]

접 부 그럼에도 불구하고, 그렇지만 ⊜ nevertheless

[none+the+less]

Cathy had plenty of money. **Nonetheless**, she suffered.
Cathy가 돈이 많았음에도 불구하고 고생을 했다.

forthright
[fɔ́ːrθràit]

형 솔직한

[forth 앞으로+right 올바른]

one's **forthright** statement 솔직한 진술

분사(동명사)를 활용한 합성어
EBS 교육방송(Educational Broadcasting System)

KBS(한국방송)는 Korea Broadcasting System, MBC(문화방송)는 Munhwa Broadcasting Corporation, EBS(교육방송)은 Educational Broadcasting System이다. 마찬가지로 SBS(서울방송)는 Seoul Broadcasting System을 나타내는 말이다. Broadcasting (broad 넓은 + casting 던지기)은 넓게 방송을 전파한다는 의미이다.

Basic Words
- ☐ shortsighted [ʃɔːrtsàitəd] 형 근시(안)의; 근시적인(near-sighted)
- ☐ farsighted [fáːrsàitəd] 형 멀리 볼 수 있는, 원시

---

widespread
[wáidsprèd]

형 널리 보급되어 있는, 넓게 펼친   *spread-spread-spread
[wide 넓은 + spread 퍼진]
widespread rumors 널리 퍼진 소문

shortcoming
[ʃɔ́ːrtkʌ̀miŋ]

형 결점, 단점 ● drawback
[short + coming]
take advantage of one's **shortcomings** 약점을 잡다

wrongdoing
[rɔ́ːŋdùːiŋ]

명 나쁜 짓을 함, 비행
[wrong + doing]
evidence of **wrongdoing** 위법 행위의 증거

worn-out
[wɔ́ːrnàut]

형 닳아빠진, 기진맥진한   *wear-wore-worn 닳게 하다, 지치게 하다
[worn 지친, 닳아버린 + out]
worn-out trousers 입어서 낡은 바지

breathtaking
[bréθtèikiŋ]

형 깜짝 놀랄 만한, 매우 훌륭한
[breath 호흡 + taking 앗아가는]
a **breathtaking** performance 놀랄 만한 공연

frostbitten
[frɔ́(ː)stbìtn]

형 동상에 걸린; 냉담한   *bite-bit-bitten 깨물다
[frost 서리 + bitten 깨물린]
frostbitten feet 동상 걸린 발

downtrodden
[dáuntrɑ̀dn]

형 짓밟힌, 유린된; 억압된   *tread-trod-trodden 밟다
[down + trodden 밟히는]
downtrodden poor blacks 억압받는 가난한 흑인

waterborne
[wɔ́ːtərbɔ̀ːrn]

형 물 위에 뜨는; (전염병이) 수인성(水因性)의   *bear-bore-borne 지니다
[water + borne 지니게 된]
waterborne disease 수인성 질병

합성어 : sound 소리 + proof 막는, 견뎌내는

soundproof room 방음이 되는 방

방수는 '방(防) + 수(水)'가 만나서 만든 어휘이다. proof는 복합어를 만들 때 '막는, 견뎌내는'의 의미를 만들어 낸다. 물을 막으면 waterproof(방수의), 총알을 막으면 bulletproof(방탄의)가 된다. 존재하지 않는 표현을 만들어 낼 때 사용하는 방법이 두 개의 어휘를 묶어서 하나의 어휘를 만드는 것이다.

Basic Words
- ☐ **see-saw game** 시소게임(접전, 엎치락뒤치락 싸움)
- ☐ **middle-aged** 중년의
- ☐ **brand-new** 새로운, 신품의   [brand: 상표, 품질]

---

up-to-date 최신의 ⬌ out-of-date 구식의
up-to-date information 최신의 정보

large-scale 대대적인   *scale 눈금, 저울눈, 규모
large-scale production 대규모의 생산

must-see 꼭 보아야 할 것   *must 필수적인 것
must-see movies 반드시 보아야 할 영화

cure-all 만병통치약 ⊜ panacea
a **cure-all** for ~에 대한 만병통치약

hand-me-down 중고품, 헌 옷
a **hand-me-down** PC 중고 PC

forget-me-not 물망초
forget-me-not and touch-me-not 물망초와 봉선화

know-it-all 모든 것을 다 아는 체하는 사람
a **know-it-all** fool 모든 것을 다 아는 체하는 바보

easy-going 성격이 원만한, 태평스러운
an **easy-going** attitude 원만한 성격의 태도

on-the-job 직장에서의
on-the-job training 직장 연수

would-be ~이 되려 하는
a **would-be** author 작가 지망자

bulletproof 방탄의   *proof 막는
a **bulletproof** vest 방탄조끼

state-of-the-art 최신의
state-of-the-art technology 최신의 기술

high-rise 고층
high-rise buildings 고층 빌딩

around-the-clock 24시간 영업하는
around-the-clock service 24시간 영업하는 서비스

do-it-yourself 스스로 만들기 ⊜ DIY
a **do-it-yourself** shop 스스로 만드는 물건을 파는 가게

all-out 총력적인   *all-outer 극단론자(extremist)
an **all-out** war against crime 범죄와의 전면전

early-retirement 조기 퇴직
early-retirement benefits 조기 퇴직의 혜택

air-to-surface 공중에서 땅으로
an **air-to-surface** missile 공대지 미사일

go-between 매개자, 중개자(middleman)

the **go-between** for Romeo and Juliet
로미오와 줄리엣의 중개자

well-to-do 유복한, 넉넉한 살림의

a **well-to-do** family 유복한 가족

drive-in 차를 탄 채로 영화를 볼 수 있는 극장

drive-in movies 자동차 극장

jack-of-all-trades 무엇이든 대충은 아는 사람, 팔방미인

jack-of-all-trades and master of none
다 잘하지만 어느 것도 완벽하지 않는 사람

risk-taker 모험을 좋아하는 사람

risk-takers and risk-avoiders
모험을 좋아하는 사람과 모험을 피하는 사람

mid-term 중간의　*term 기간

a **mid-term** election 중간 선거

follow-up 뒤따르는, 후속의

a **follow-up** story (신문 등의) 추적 기사

over-the-counter 의사 처방 없이 파는 (약 등); 장외(場外) 거래의

over-the-counter sales 처방전 없는 직접 판매
[장외 판매]

Break Time!

-free와 자주 결합하는 표현

- ☐ **alcohol-free** 알코올이 포함되지 않은
- ☐ **debt-free** 빚이 없는
- ☐ **customs-free** 무관세의
- ☐ **duty-free** 면세의
- ☐ **smoke-free** 금연의
- ☐ **toll-free** 무료의
- ☐ **sugar-free** 무설탕의
- ☐ **caffeine-free** 카페인이 없는
- ☐ **care-free** 근심이 없는
- ☐ **risk-free** 위험이 없는
- ☐ **interest-free** 무이자의
- ☐ **fat-free** 무지방의
- ☐ **trouble-free** 고장이 없는
- ☐ **wrinkle-free** 주름 없는, 구김 없는

가족을 나타내는 명칭

영어에는 고모, 이모, 외숙모를 구분하는 표현이 없다. 물론, 고모부, 이모부, 삼촌, 외삼촌을 통틀어 uncle이라고 표현한다. 친인척 관계는 주로 '~ in-law'로 만든다.

- ☐ **mother-in-law** 장모, 시어머니
- ☐ **father-in-law** 장인, 시아버지
- ☐ **son-in-law** 사위
- ☐ **daughter-in-law** 며느리
- ☐ **parents-in-law** 시부모 (장인, 장모)
- ☐ **sister-in-law** 시누이, 처제
- ☐ **brother-in-law** 시아주버니, 처남
- ☐ **sibling** [síbliŋ] 형 명 형제(의), 자매(의)
- ☐ **paternal** [pətə́ːrnəl] 형 부모의
- ☐ **offspring** [ɔ́(ː)fspriŋ] 명 자식, 자녀; 자손
- ☐ **maternal** [mətə́ːrnəl] 형 어머니의, 모성의

합성어: newly 새로이 + married 결혼한
a newly-married couple 신혼 부부

영어에서 -ed는 과거분사로서 형용사 역할을 할 수 있다. 하지만 명사에 -ed를 붙여 형용사의 형태를 만들기도 한다. 이러한 형태는 주로 사람의 성격을 나타내는 표현에서 자주 등장한다. 이 경우 명사 뒤에 -ed를 붙여 형용사적 표현을 만드는 것이므로, 수동적 의미와는 무관하다. 먼저, 해석의 원리를 잘 이해하고, 그리고 기억하라!

Basic Words		
□ well-**deserved** 받아 마땅한	deserved [dizə́:rvd] 형 (상·벌·보상 등이) 당연한
□ well-**informed** ~에 박식한	informed [infɔ́:rmd] 형 정보통의, 소식에 밝은
□ well-**paid** 돈을 잘 버는	paid [peid] 형 유료의, 지급을 끝낸

an open-**minded** attitude　　　열린 마음의[개방적인] 태도
a broad-**minded** fellow　　　　도량이 큰 친구
a narrow-**minded** man　　　　편협한 사람
an absent-**minded** professor　얼빠진, 건망증이 있는 교수님

well-**mannered** people　　　교양 있는[예의 바른] 사람들
mild-**mannered** folks　　　　태도가 부드러운 사람들
well-**behaved** kids　　　　　예의 바른 아이들
warm-**hearted** friends　　　마음이 따뜻한 친구들

a good-**natured** woman　　　마음씨 고운 여자
an ill-**natured** person　　　천성적으로 못된 사람
hot-**tempered** behavior　　다혈질의 행동
a cold-**blooded** murderer　냉혈적인 살인자

well-**nourished** children　　영양 상태가 좋은 아이들
a hen-**pecked** husband　　　공처가
a jam-**packed** bus　　　　　꽉 들어찬 버스　　　　*packed 만원인
a hard-**nosed** officer　　　고집 센 관리, 콧대 높은 관리

an empty-**headed** consumer　머리가 빈 소비자
strong-**willed** cops　　　　의지가 강한 경찰
a time-**honored** tradition　유서 깊은 전통
a state-**run** company　　　국영 기업

합성어: hard 단단한 + boiled 끓여진
a hard-boiled egg 완숙 계란

완숙 계란과 반숙 계란을 좋아하는 취향은 서로 다르다. steak도 취향에 따라 well-done, medium, rare(설익은)를 좋아하는 사람으로 나뉜다. 현재분사는 '(직접) ~하는'의 능동적인 의미를, 과거분사는 '~되는'의 수동적인 의미를 지닌다. 그러한 분사가 형용사적 의미를 지닐 뿐만 아니라, 하나의 형용사가 되기도 하며, 다른 명사와 결합하여 새로운 표현을 만들기도 한다. 언어는 살아 있는 생물이므로, 다양한 형태와 다양한 의미를 갖는다. 해석의 원리를 잘 이해하자.

Basic Words		
☐ soft-**boiled** 반만 익힌, 반숙의	soft-boiled eggs 반숙 계란	
☐ angel-**faced** 천사 얼굴을 한	an angel-faced girl 천사 얼굴의 한 소녀	
☐ old-**fashioned** 구식의	an old-fashioned method 구식 방법	

family-**oriented** creatures	가족 중심적 동물	
left-**handed** pitchers	왼손잡이 투수들	*right-handed 오른손잡이의
a two-**handed** hitter	양손잡이 타자(a switch hitter)	
a newly-**wed** player	최근 결혼한 선수	
sun-**dried** fruit	햇볕에 건조한 과일	
a solar-**heated** greenhouse	태양열로 난방이 되는 온실	*solar 태양의
a man-**made** lake	인공 호수	*man-made = artificial 인공적인
a high-**powered** engine	고출력 엔진	
a **built**-in bookshelf	붙박이 책장	
a cone-**shaped** roof	원뿔 모양의 지붕	*cone 원뿔체
an oval-**shaped** face	계란형 얼굴	
horse-**drawn** wagons	말이 끄는 마차	
a newly-**hired** engineer	새로 고용된 엔지니어	
a half-**smoked** cigarette	반쯤 피운 담배	
a tongue-**tied** student	긴장해서 말이 안 나오는 학생	
a stone-**faced** politician	무표정한 정치가	
far-**sighted** national policy	장기적인 국가 정책	*near-sighted 근시의
a deep-**rooted** plant	뿌리 깊은 식물	
Let by**gones** be by**gones**.	과거는 잊어버려라.	*bygone 지나간 일
well-**timed** actions	시기가 잘 맞는 동작(timely)	

합성어 : good 멋있는 + looking 보이는
a good-looking boy 멋있어 보이는 소년

「동사+-ing」 형태의 단어는 다른 단어와 하이픈(-)으로 연결되어 일종의 형용사처럼 쓰일 뿐만 아니라, 다른 명사와 결합하여 새로운 단어를 생성하기도 한다. 예를 들어 looking이 good과 하이픈으로 연결되면 good-**looking**(잘 생긴)이라는 형용사가 된다. 'a good-looking man(잘 생긴 남자)'에서처럼 명사를 수식하는 형용사로 쓸 수 있다. 언어는 자연스러운 의미를 파악하는 것이 가장 중요하므로 결합된 단어의 의미를 잘 유추해 보자.

Basic Words

- ☐ a tired-**looking** man 피곤해 보이는 사람
- ☐ the best-**selling** book 가장 잘 팔리는 책
- ☐ a house-**warming** party 집들이 파티

a film-**editing** room	필름 편집실(a room for editing film)
a money-**saving** device	돈을 절약하는 장치
a well-**meaning** advice	선의(善意)의 충고
ever-**growing** markets	계속 성장하는 시장
a far-**reaching** effect	광범위한 효과
a hard-**working** labor force	열심히 일하는 노동자[력]
a life-**threatening** emergency	생명을 위협하는 응급 상황
a fund-**raising** party	기금 모금 파티

a thought-**provoking** lecture　　(지적으로) 매우 흥미로운 강연　　*provoke [prəvóuk] 통 일으키다

a belt-**tightening** policy　　긴축 정책　　*tighten [táitən] 통 죄다

a time-**consuming** job　　시간이 오래 걸리는 일

an eye-**catching** slogan　　시선을 끄는 슬로건

an eye-**opening** experience　　놀라운 경험

a fact-**finding** committee　　진상 조사 위원회

a fence-**sitting** stockbroker　　형세를 관망하는 증권 중개인　　*fence [fens] 명 울타리

a heart-**breaking** experience　　마음을 아프게 하는 경험

a heart-**rending** scene　　가슴이 찢어질 듯한 현장　　*rend [rend] 통 찢다

a mouth-**watering** smell　　군침 돌게 하는 냄새

a penny-**pinching** businessman　　한 푼이라도 아끼는 사업가　　*pinch [pintʃ] 통 꼬집다

a self-**effacing** captain　　자신을 내세우지 않는 지휘관　　*efface [iféis] 통 지우다

성(gender)을 구분하는 표현

freshman or newcomer 신입생

대학교 1학년은 freshman, 2학년은 sophomore, 3학년은 junior, 4학년은 senior로 부른다. 1학년을 왜 newcomer, freshpeople, fresher 또는 fresh student로 부르지 않고 -man으로 표현할까? 페미니스트는 성을 구별하지 않고 통합하여 부르거나, man과 woman으로 구분할 것을 주장하며, freshman, bushman, cameraman, housewife, manpower 같은 남녀 차별적 표현의 부당함을 외친다. 그렇다면, son에서 유래한 Peterson, Adamson, Thomson이라는 성씨의 존속은 어떻게 할까!

Basic Words

☐ steward [stjú(:)ərd] 명 지배인, 남자 승무원
  stewardess [stjú(:)ərdəs] 명 여자 승무원

☐ prince [prins] 명 왕자, 황태자
  princess [prínsəs] 명 공주, 왕녀, 왕비

☐ god [gɑd] 명 신, 하느님
  goddess [gɑ́dis] 명 여신

---

hero [híərou] 명 영웅, 남자 주인공   a **hero** and a **heroine** 남녀 영웅
heroine [hérouin] 명 여걸, 여장부, 여주인공

bridegroom [bráidgrù(:)m] 명 신랑   a **bridegroom** and a **bride** 신랑과 신부
bride [braid] 명 신부, 새색시

landlord [lǽndlɔ̀:rd] 명 지주, 집주인   a **landlord** and a **landlady** 주인
landlady [lǽndlèidi] 명 (여관·하숙의) 여주인, 안주인

widower [wídouər] 명 홀아비   a **widower** and a **widow** 홀아비와 과부
widow [wídou] 명 미망인, 홀어미, 과부

monk [mʌŋk] 명 수사(修士)   a **monk** and a **nun** 수사와 수녀
nun [nʌn] 명 수녀

wizard [wízərd] 명 남자 마법사   a **wizard** and a **witch** 마법사와 마녀
witch [witʃ] 명 마녀, 여자 마법사

nephew [néfju:] 명 조카   a **nephew** and a **niece** 조카와 질녀
niece [ni:s] 명 조카딸, 질녀

heir [eər] 명 상속인, 법정 상속인   an **heir** and an **heiress** 상속인 남녀
heiress [ɛ́əris] 명 여자 상속인

직업 – 남녀를 구별하지 말라

chef와 chauffeur 요리사와 운전사

chef[ʃef]는 프랑스어에서 유래한 '요리사'이다. 집에서 요리하는 cook과는 달리 레스토랑이나 고급 식당의 전문 요리사이다. chauffeur는 프랑스어로 개인 운전사를 말한다. 이 표현은 주로 영국에서 사용되는 표현이며, 고급스러운 의미를 담고 있다. 이들 표현은 남녀를 구분하지 않는다. 다양한 직업 명칭을 기억하는 페이지이다.

Basic Words

- ☐ librarian [laibrɛəriən] 몡 (도서관) 사서
- ☐ technician [tekníʃən] 몡 기술자
- ☐ principal [prínsəpəl] 몡 교장 선생님

architect [á:rkitèkt]	몡 건축가, 설계사	contemporary **architects** 현대 건축가
broker [bróukər]	몡 중개인, 중매인	real estate **brokers** 부동산 중개업자
chef [ʃef]	몡 요리사	**chefs** in a kitchen 부엌의 요리사
instructor [instrʌ́ktər]	몡 강사	a swimming **instructor** 수영 강사
receptionist [risépʃənist]	몡 접수계원	a **receptionist** at a hotel 호텔의 접수원
mechanic [məkǽnik]	몡 정비공, 수리공	a good auto **mechanic** 훌륭한 차량 정비공
minister [mínistər]	몡 목사(preacher), 장관	a **minister** of a church 교회의 목사
diplomat [dípləmæ̀t]	몡 외교관	a former U.S. **diplomat** 전직 미국 외교관
carpenter [ká:rpəntər]	몡 목수	an apprentice **carpenter** 수습 목수
secretary [sékrətèri]	몡 비서, 장관	the **Secretary** of Defense 국방 장관
official [əfíʃəl]	몡 공무원	a senior **official** in China 중국의 고위 공무원
teller [télər]	몡 은행원(bank clerk)	ATM (automated **teller** machine) 현금 자동 인출기
electrician [ilektríʃən]	몡 전기 기사	hire **electricians** 전기공을 고용하다
politician [pàːlətíʃən]	몡 정치가	one's virtue as a **politician** 정치가로서의 미덕
journalist [dʒə́:rnəlist]	몡 언론인	a freelance **journalist** 자유 계약 언론인

★ 빈출어휘

어린 동물을 부르는 말

kid: 새끼 염소; 아이(child), 짐승의 새끼

돼지를 나타내는 표현인 hog, swine, pig 등이 각각 어감을 달리하듯이, 우리말의 병아리, 망아지, 송아지, 강아지처럼 그 새끼를 부르는 표현도 어감을 달리한다. 새끼를 나타내는 말이 우리말에는 주로 '-아지'를 붙이지만 영어에서는 별도로 부르는 귀여운 이름을 두고 있다. 원래 동물의 새끼를 지칭하는 표현이지만, 그 뒤에 숨은 의미도 들어있다.

calf
[kæf]
> 몡 송아지(pl. calves[-vz]), (코끼리, 고래의) 새끼　*[비유] 바보
> **the meat of the calf** 송아지 고기

cub
[kʌb]
> 몡 (곰·이리·여우·사자·호랑이 따위 야수의) 새끼　*[비유] 애송이, 젊은이
> **a bear cub and a lion cub** 곰 새끼와 사자 새끼

kit
[kit]
> 몡 새끼 고양이 ㊌ kitty　　　　　　　　　*kitten의 간략형
> **as weak as a kitten** 연약한, 체력이 쇠약해진[새끼 고양이만큼 약한]

pup
[pʌp]
> 몡 강아지 ㊌ puppy; (여우·바다표범 따위의) 새끼　*[비유] 건방진 풋내기
> **run like a puppy** 강아지처럼 달리다

chick
[tʃik]
> 몡 병아리, (새의) 새끼　　　　　　　　　*[비유] 아가씨 〖속어〗
> **an unborn chick** 알 속의 병아리

lamb
[læm]
> 몡 어린 양; 양고기　　　　　　　　　　*[비유] 천진난만한 사람
> **as innocent as a lamb** 어린 양만큼 순진한

kid
[kid]
> 몡 새끼 염소　　　　　　　　　　　　　*[비유] 젊은이
> **kids and lambs** 새끼 염소와 새끼 양

동물의 성별 구분

만화영화 'Tom and Jerry'에서 Tom은 수컷 고양이(tomcat)를 나타내는 표현이다. 암컷(a tabby cat)은 tabby로 줄여서 표현하며 얼룩무늬 고양이를 의미하기도 한다. *ox, horse, dog 등은 암·수 구분 없이 사용한다.

	female	male
☐ 닭	hen [hen]	cock [kɑːk], rooster [rúːstər]
☐ 소	cow [kau]	ox [ɑːks], bull [bul]
☐ 말	mare [mɛər]	horse [hɔːrs]
☐ 염소	she-goat [ʃiːgóut]	he-goat [híːgóut]
☐ 칠면조	turkey hen	turkey cock
☐ 개	bitch [bitʃ]	dog [dɔːg]

동사와 명사가 한 몸!

fake money 1. 위조지폐 2. 돈을 위조하다

fake는 동사(위조하다)와 형용사(가짜의, 위조의)가 모두 가능하므로, fake money는 '위조지폐'라는 뜻과 '돈을 위조하다'라는 뜻으로 해석될 수 있다. 이처럼 많은 어휘가 동사로 사용될 수도 있고, 명사로 사용될 수도 있으므로 문장의 구조를 보고 어떤 품사로 사용되었는지 판단을 할 수 있어야 한다. 독해에 자주 등장하는 '동사와 명사가 한 몸'인 어휘를 잘 알아두자.

shelter
[ʃéltər]

동 숨기다; 피난하다 명 피난 장소, 은신처; 보호

shelter oneself from the rain under a tree 나무 밑에서 비를 피하다
bomb **shelter** 공습 대피소, 방공호

manufacture
[mæ̀njufǽktʃər]

동 제조하다, 제품화하다 명 제조; 제조업

manufacture the first airplane 첫 비행기를 제조하다
date of **manufacture** 제조 일자

trigger
[trígər]

동 방아쇠를 당기다, 일으키다, 유발하다 명 (총의) 방아쇠; 자극

trigger sleeplessness 불면증을 유발하다
trigger laughter 웃음을 자아내다
pull the **trigger** 방아쇠를 당기다

fracture
[frǽktʃər]

동 부수다; (뼈 따위를) 부러뜨리다 명 골절

fracture one's arm 팔을 부러뜨리다
suffer a **fracture** 골절상을 입다

urge
[ə:rdʒ]

동 재촉하다, 주장하다 명 (강한) 충동

urge him to follow 그에게 따라오라고 재촉하다
have an **urge** to travel 여행하고 싶은 충동을 갖다

petition
[pətíʃən]

동 청원하다 명 청원, 탄원

petition the mayor 시장에게 청원하다[청원서를 보내다]
a **petition** to the king 국왕에 보내는 탄원서

fake
[feik]

동 위조하다 ⊜ counterfeit
형 가짜의, 위조[모조]의
명 위조품, 가짜 ⊜ sham

fake illness 꾀병부리다
fake money 위조지폐
prove to be **fakes** 위조품으로 판명되다

sacrifice
[sǽkrəfàis]

동 희생하다, 제물로 바치다　명 희생, 희생적인 행위, 헌신
sacrifice oneself for one's country 조국을 위해 몸을 바치다
at the **sacrifice** of one's own life 자신의 목숨을 희생하여

rebel
[ribél / rébəl]

동 배반하다, 반란을 일으키다　rebellion 명 반란
명 반역자, 모반자
rebel against the social order 사회 질서에 반항하다
rebel forces 반란군

lease
[li:s]

동 빌리다, 임대[임차]하다　명 (토지·건물 따위의) 차용 계약, 임대차 (계약)
lease the land 땅을 임차하다
the terms of a **lease** 임대차 계약 조건

supplement
[sʌ́pləmənt]

동 보충하다, 추가하다　명 보충, 추가
supplementary 형 보충의, 추가의
supplement one's income 수입을 보충하다
vitamin **supplements** 비타민 보충제

plot
[plɑt]

동 계획하다, 이야기의 줄거리를 만들다, 음모를 꾸미다
명 음모; (극·소설 따위의) 줄거리
plot to rob a bank 은행을 털기로 모의하다
the **plot** of a story 소설의 줄거리

spiral
[spáirəl]

동 나선형으로 하다; 나선상으로 움직이다　형 나선[나사] 모양의　명 나선; 나선형의 것
spiral down to the ground 나선형을 그리며 땅으로 내려오다
a **spiral** line 나선
A **spiral** is a symbol. 나선형은 하나의 상징이다.

guarantee
[gæ̀rəntí:]

동 보증하다, 보장하다, 장담하다 ➡ affirm　명 보증 (➡ security); 담보(물)
guarantee a person's debts ~의 빚보증을 서다
a one-year **guarantee** 1년간의 품질 보증서

boost
[bu:st]

동 (뒤나 밑에서) 밀어 올리다, 후원하다; 경기를 부양시키다
명 밀어 올림; 로켓 추진, 후원
boost exports 수출을 신장시키다
the **boost** in car sales 자동차 판매 증가

certificate
[sərtífəkèit /
　sətífikət]

동 증명서를 주다; 증명하다　명 증명서; 면허장
a teacher with a **certificate** 자격증이 있는 교사
a birth **certificate** 출생증명서
a teacher's **certificate** 교사 자격증

share
[ʃɛər]

통 분배하다, 나누다, 공유하다　명 몫, 지분; 시장 점유율

share joys and sorrows of life 인생의 즐거움과 슬픔을 함께하다
a 10% market **share** 10%의 시장 점유율

ally
[əlái]

통 동맹하다, 연합하다　명 동맹국, 연합국

ally with the United States 미국과 동맹을 맺다
not an enemy but an **ally** 적이 아니라 동맹

sprout
[spraut]

통 싹이 트다, 발아하다　명 싹, 종자의 발아

sprout from trees 나무에서 싹이 돋다
bean **sprouts** 콩나물

estimate
[éstəmèit / éstəmət]

통 어림잡다, 견적하다　명 평가, 견적

estimate the value 가치를 어림잡다[견적하다]
the **estimate** sheet 견적서

form
[fɔːrm]

통 구성하다, 조직하다, 형성하다　= shape　명 모양, 형상, 외형

form bonds with other humans 다른 사람과 유대감을 형성하다
forms of transport 운송 수단

force
[fɔːrs]

통 강제하다, 시키다　명 힘, 병력; (종종 pl.) 군대

force a door 문을 억지로 열고 들어가다
the labor **force** 노동력

fold
[fould]

통 접다; 접어 포개다　명 주름, 접은 자리

fold cards 카드를 접다
the **folds** of a dress 드레스의 주름

cripple
[krípl]

통 불구가 되게 하다; 무능케 하다　명 불구자

be **crippled** by a car accident 자동차 사고로 불구가 되다
a mental **cripple** 정신 장애자

challenge
[tʃǽlindʒ]

통 도전하다　명 도전, 힘든 일

challenge the champion 챔피언에게 도전하다
face an enormous **challenge** 큰 도전을 받다

형용사와 명사가 한 몸!

hybrid car 하이브리드 차

hybrid는 잡종이나 혼합물을 의미한다. 이것이 car에 적용되면, 두 가지의 동력원을 함께 사용하는 차를 의미한다. 일반적으로 기존 자동차에 사용되던 연료(휘발유, 경유)에 전기 모터(배터리)를 결합한 형태를 말한다. 전기 모터는 차량 내부에 장착된 고전압 배터리부터 전원을 공급받고, 배터리는 자동차가 움직일 때 다시 충전되는 시스템이다. 이 경우 하이브리드는 형용사와 명사의 기능을 갖고 있다.

---

intellectual
[ìntəléktʃuəl]

형 지적인　명 지식인, 인텔리　intellect 명 지성
intellectual curiosity 지적 호기심
the role of **intellectuals** 지식인의 역할

alien
[éiljən]

형 외국의, 이질적인, 우주의　명 따돌림 받는 사람; 우주인; 외국인　= foreigner
an **alien** environment 생소한 환경
an **alien** spacecraft 외계의 우주선
aliens from another planet 다른 행성에서 온 외계인

intent
[intént]

형 (시선·주의 따위가) 집중된, 열중해 있는　명 의향, 의지, 의도
be **intent** on reading his book 독서 몰두해 있다
with good **intent** 선의로써

explosive
[iksplóusiv]

형 폭발하기 쉬운, 폭발성의　명 폭약; 폭발성 물질
explode 동 폭발하다
an **explosive** substance 폭발성 물질
a high **explosive** 고성능 폭약

hybrid
[háibrid]

형 잡종의, 혼혈의　명 잡종, 혼혈아; 혼성물
hybrid tomatoes 잡종 토마토
a **hybrid** of acting and animation 실제 연기와 애니메이션의 혼합

potential
[pəténʃəl]

형 잠재적인, 가능한　명 잠재력, 가능성
a **potential** danger 잠재적 위험
realize one's full **potential** 잠재력을 충분히 발휘하다

oval
[óuvəl]

형 달걀 모양의, 타원형의　명 달걀 모양, 타원체
an **oval** face 계란형 얼굴
form a small **oval** 작은 타원형을 형성하다

acid
[ǽsid]

형 산성의, 신맛의 명 산성; 신 것

acid rain 산성비

stomach **acids** 위산

subordinate
[səbɔ́:rdineit / səbɔ́:rdinət]

동 하위에 두다; 종속시키다 (to)

형 하위의 사람, 부하 명 하위의; 종속하는 (to)

subordinate work to pleasure 일보다도 즐거움을 중시하다

a **subordinate** officer 부하 장교

a **subordinate** state 속국

the relationship between superiors and **subordinates** 상하 관계

editorial
[èditɔ́:riəl]

형 편집의; 사설의, 논설의 명 (신문의) 사설, 논설 edit 동 편집하다

an **editorial** page 사설란

an **editorial** in *The Times* 타임스지(紙)의 사설

original
[ərídʒənəl]

형 최초의, 본래의, 독창적인 명 원형, 원문 origin 명 기원, 유래

the **original** plan 원안

the **original** inhabitants 원주민

compare the **original** and the fake 원형과 가짜를 비교하다

digestive
[daidʒéstiv]

형 소화의, 소화력이 있는 명 소화제 digest 동 소화하다

digestive pills 알약 소화제

be prescribed **digestive** medication 소화제를 처방받다

plain
[plein]

형 명백한, 꾸밈없는, 간소한, 쉬운 명 평지, 평야, 평원

in **plain** English 쉬운 영어로

a **plain** manner 꾸밈없는 태도

across the grassy **plain** 풀 덮인 평원을 가로질러

initial
[iníʃəl]

형 처음의, 최초의, 머리글자의 명 머리글자, 고유 명사의 머리글자

initiate 동 시작하다

the **initial** stage 초기, 제 1기(期)

carve one's **initials** in the rock 바위에 머리글자를 새기다

blank
[blæŋk]

형 공백의, 텅 빈, 멍청한 명 공백, 여백; (제비뽑기의) 꽝

a **blank** sheet of paper 백지

fill in the **blanks** (문제의) 빈칸을 채우다

adhesive
[ædhí:siv]

형 접착성의, 들러붙어 떨어지지 않는 명 접착제; 접착테이프, 반창고

adhere 동 부착하다

waterproof **adhesive** 방수 접착제

adhesive tape 접착테이프

with a strong **adhesive** 강력 접착제로

동사와 형용사가 한 몸!

spare tire 여분의 타이어

차에는 반드시 여분의 타이어(spare tire)를 보관하고 있다. '시간을 좀 내 주세요'를 'Spare me a few minutes.'라고 표현한다. 여기서 spare는 동사와 형용사를 겸하고 있음을 알게 된다. 여러 가지 품사의 기능을 갖고 있는 어휘들과 친해지려면 실제 사용되는 표현을 만나야 한다.

spare
[spɛər]

통 절약하다, 떼어 두다 형 여분의, 예비의
Spare the rod and spoil the child. 매를 아끼면 자식을 버린다.
spare parts 예비 부속품

limp
[limp]

통 절뚝거리다, 느릿느릿 걷다 형 기운 없는, 축 처진; 유연한
a **limping** child 절뚝거리는 아이
a **limp** body 축 늘어진 몸

alert
[ələ́:rt]

통 경계시키다, 경보를 발하다 형 방심 않는, (동작이) 기민한, 민첩한
명 경계; 경보 ⊜ alarm
alert a person to danger 아무에게 위험을 경고하다
an **alert** player 민첩한 선수

long
[lɔ(:)ŋ]

통 간절히 바라다, 열망하다 형 (시간이) 오래 걸리는; 길이가 긴
long to go home 집에 몹시 가고 싶다
before **long** 머지않아 곧

deliberate
[delíbəreit / delíbərət]

통 잘 생각하다, 숙고하다 형 고의의; 신중한
deliberately 분 고의로
deliberate for a long time 오랫동안 숙고하다
a **deliberate** action 신중한 행동

narrow
[nǽrou]

통 좁게 하다, 좁히다 형 폭이 좁은 ⬌ wide, broad 넓은
narrow one's eyes 눈을 가늘게 뜨다
a **narrow** path 좁은 길

bare
[ber]

통 벌거벗기다; 드러내다; (비밀·마음 등을) 폭로하다 형 벌거벗은; 부족한, 겨우 ~한
bare one's head 모자를 벗다
bare feet 맨발

correct
[kərékt]

통 바로잡다, 정정하다; 교정하다 형 옳은, 정확한 ⊜ accurate, exact
correction 명 정정, 수정
correct errors 실수를 정정하다
a **correct** judgment 정확한 판단

나는 프랑스가 고향이다!

mortgage loan 주택 담보 대출

mortgage는 '저당 잡히다'라는 의미를 지닌다. 이것은 대출 거래를 할 때 집을 담보를 잡아 두고 대출 거래를 하는 것을 의미한다. 우리는 이를 '모기지론' 또는 '모기지'라고 부른다. 이는 프랑스에서 건너온 영어 표현이다. 일본이 우리나라를 지배하는 동안 언어의 지배력이 강화되었듯이, 프랑스가 1066년 노르만 정복(Norman Conquest) 이후 약 300년간 영국을 지배하면서 영어는 서민들의 언어로 전락하고 프랑스어가 공용어(official language)의 지위를 차지했다.

Basic Words		
☐ fiancé [fiːaːnséi] 명 약혼자(남자)	her fiancé 그녀의 약혼자
☐ gourmet [gúərmei] 명 미식가	gourmet food 고급 식료품
☐ recipe [résəpìː] 명 조리법, 비법	the recipe for a cake 케이크 만드는 법

résumé
[rézumèi]

명 이력서
résumé writing services 이력서 작성 서비스

mortgage
[mɔ́ːrgidʒ]

명 저당, 저당권
pay off a **mortgage** 모기지론을 갚다

cuisine
[kwizíːn]

명 요리(법), 요리 솜씨
French **cuisine** 프랑스 요리

bureau
[bjúərou]

명 사무소, (관청의) 국
the **Bureau** of Information 안내소
the Travel **Bureau** 여행 안내소

sculpture
[skʌ́lptʃər]

명 조각(술)   동 조각하다
a **sculpture** by Rodin 로댕의 조각

plague
[pleig]

명 1.역병(疫病), 전염병 2.재앙, 흑사병
a **plague** of burglaries 절도의 만연

ecstasy
[ékstəsi]

명 환희, 황홀
shouts of **ecstasy** 환희의 외침

parliament
[páːrləmənt]

명 의회, 국회
a member of **Parliament** 국회 의원

phenomenon
[finá:mənàn]

🅟 현상, 사건 (pl. phenomena [finá:mənə])
a natural **phenomenon** 자연 현상

delinquency
[dilíŋkwənsi]

🅟 과실, 범죄, (청소년의) 비행
juvenile **delinquency** 청소년 범죄

harass
[hərǽs]

🅥 괴롭히다, 애먹이다
be **harassed** by other students 다른 학생들에게 괴롭힘을 당하다

patent
[pǽtənt]

🅟 (전매) 특허, 특허권
apply for a **patent** 특허를 출원하다

prestige
[prestí:ʤ]

🅟 위신, 명성
national **prestige** 국위

majesty
[mǽʤəsti]

🅟 장엄, 권위, 위엄 ⊜ dignity majestic 🅐 장엄한
the **majesty** of the law 법의 권위

영어-프랑스어의 동의어

프랑스어에서 새로 유입된 단어도 대중화하여 필수적인 표현이 되었다. 새로 들어온 어휘가 형태나 발음상으로 다소 기억하기 어렵지만, 기억해야 할 표현이다.

		English	French
1	방	room [ru(:)m]	chamber [tʃéimbər]
2	자택, 가정	home [houm]	residence [rézidəns]
3	소책자, 안내서	handbook [hǽndbùk]	manual [mǽnjuəl]
4	자유	freedom [frí:dəm]	liberty [líbərti]
5	우정, 친목	friendship [fréndʃip]	amity [ǽməti]
6	깊은	deep [di:p]	profound [prəfáund]
7	성심성의의	hearty [há:rti]	cordial [kɔ́:rdʒəl]
8	집, 주택	house [haus]	mansion [mǽnʃən]

발음이 어려워

insomnia 불면증

우리말의 kimchi, taekwondo, tea, 중국어의 china(도자기), 폴리네시아어의 tattoo(문신), taboo(금기), 호주어의 kangaroo, boomerang이 영어 사전에 등장했다. 영어에는 프랑스어, 북유럽 언어, 이태리어 등도 많이 유입되었다. 특히, 프랑스어에서 영어로 유입된 어휘는 발음이 강하고 길이가 긴 경우가 많다. 영어는 외래어의 영향으로 철자와 발음이 변형된 경우가 많다.

Basic Words

- ☐ fiancée [fiːɑːnséi] 몡 약혼자(여자) ☐ encyclopedia [insàikləpíːdia] 몡 백과사전
- ☐ authority [əθɔ́ːrəti] 몡 권위, 당국 ☐ insomnia [insámniə] 몡 불면증

---

naive
[nɑíːv]

몡 천진난만한, 순진한 ● ingenuous, innocent
  a **naive** young girl 천진난만한 어린 소녀

panacea
[pæ̀nəsíːə]

몡 만병통치약
  a **panacea** for world hunger 세계 기아의 만능 해결책

placebo
[pləsíːbou]

몡 위약, 가짜 약(환자를 안심시키기 위해 주는 약)
  the **placebo** effect 가짜 약 효과(가짜 약을 진짜라고 속이고 주었을 때의 치료 효과)

caterpillar
[kǽtərpìlər]

몡 애벌레
  from a **caterpillar** to a butterfly 애벌레에서 나비로

phase
[feiz]

몡 1. (발달 · 변화의) 단계, 국면 2. (물건 · 문제 따위의) 면(面)
  the first **phase** of construction 공사의 1단계

criterion
[kraitíəriən]

몡 (비판 · 판단의) 표준, 기준 (pl. criteria [kraitíriə])
  the **criterion** for beauty 미의 판단 기준

chaos
[kéiɑs]

몡 혼돈, 무질서, 대혼란 ⊖ cosmos 우주, 질서
  a state of **chaos** 혼돈 상태

catastrophe
[kətǽstrəfi]

몡 대이변; 큰 재해
  an environmental **catastrophe** 자연 재해

stingy
[stíndʒi]

몡 물건을 너무 아끼는, 인색한 ⊖ generous 관대한, 후한
  a **stingy** lord 인색한 주인

numb
[nʌm]

몡 (추위 따위로) 감각을 잃은, 마비된
  numb with cold 추워서 감각을 잃은

salute
[səlúːt]

동 ~에게 인사하다, ~에 경례하다
  salute the flag 국기에 대하여 경례를 하다

-s가 붙는 어휘

A Farewell to **Arms**! 무기여 잘 있거라!

노벨 문학상을 탄 미국의 헤밍웨이의 소설이다. arm은 '팔'이지만, arms는 '무기'를 의미한다. 영어에서는 sometime(언젠가)-sometimes(때때로)처럼 의미나 형태의 변화를 나타낼 때 -s를 사용하기도 한다. -s가 붙어서 의미가 바뀌는 경우는 새로운 표현을 만드는 하나의 방법이다.

manner	명 방법, 태도	his **manner** of speaking 그의 말투
manners	명 예의범절(courtesy)	He has no **manners**. 그는 예의범절을 모른다.
arm	명 팔	**arm**-in-**arm** 서로 팔짱을 끼고
arms	명 무기(weapon)	**arms** control 군비 제한
mean	형 1. 비열한 2. 초라한	one's **mean** behavior 그의 비열한 행동
means	명 1. 수단, 방법 2. 재산, 수입	justify the **means** 수단을 정당화하다
		a man of **means** 자산가
custom	명 관습, 풍습, 관행	**customs** of a country 한 나라의 풍속
customs	명 관세, 세관	a **customs** office 세관
pain	명 고통, 괴로움	**pain** killers 진통제
pains	명 노력, 노고	No **pain**, no gain. 수고가 없으면 이득도 없다.
good	형 좋은 명 이익	do **good** 이익을 주다; 선행을 베풀다
goods	명 1. 상품(wares) 2. 소유물	canned **goods** 통조림 제품
term	명 용어; 조건	a scientific **term** 과학 용어
terms	명 관계, 사이	be on good **terms** with ~와 사이가 좋다
time	명 시간	for a long **time** 오랫동안
times	명 시대	**Times** have changed. 시대가 변했다.
people	명 사람들	the village **people** 마을 사람들
peoples	명 민족	the **peoples** of Asia 아시아의 여러 민족들
beside	전 옆에	**beside** a tree 나무 옆에
besides	부 그 이외에도, 게다가	and **besides** 게다가 또

-s로 끝나는 학문이나 질병

mathematics(=math) 수학

학과의 명칭이나 질병의 이름에 -s가 붙는 경우 단수 취급을 하게 된다. 이것은 학문이나 질병을
나타내는 일반적인 -s에 불과하다. -s는 복수의 의미가 아니기 때문에 단수 취급을 한다는 것이다.

linguistics
[liŋgwístiks]

명 언어학　linguistic 형 어학의; 언어학의
the Master's degree in **Linguistics** 언어학 석사 학위

politics
[pálitiks]

명 정치; 정치학　political 형 정치학의
be engaged in **politics** 정치에 관여하다

ethics
[éθiks]

명 윤리학　ethical 형 윤리학의
strict professional **ethics** 엄격한 직업적 윤리
the **ethics** of humanity 인간의 도덕성

electronics
[ilèktrániks]

명 전자공학　electronic 형 전자(학)의
a used **electronics** store 중고 전자제품 가게
major in **electronics** at university 대학에서 전자공학을 전공하다

diabetes
[dàiəbíːtiːz]

명 당뇨병　diabetic 형 당뇨병의 명 당뇨병 환자
a cure for **diabetes** 당뇨병 치료법

■ 그 외 학문 명칭들
economics [ìːkənámiks] 명 경제학
statistics [stətístiks] 명 통계학
physics [fíziks] 명 물리학, 물리적 현상
mathematics [mæ̀θəmǽtiks] 명 수학(=math)
aerobics [ɛəróubiks] 명 에어로빅스
athletics [æθlétiks] 명 운동경기(track과 field 종목)

주로 -s를 붙여 사용하는 명사

☐ **surroundings** [səráundiŋz] 명 (주위) 환경, 주위의 상황
☐ **headquarters** [hédkwɔ̀ːrtərz] 명 본부, 사령부
☐ **contents** [kənténts] 명 (서적 따위의) 목차
☐ **outskirts** [áutskə̀ːrts] 명 (시가지에서 떨어진) 변두리, 교외　　*suburb: 시가지에 연속되는 변두리

줄임말 – 약어가 아니라 원래의 표현을 익힌다! GM Food 유전자 변이 식품

듣기평가에 'I've been to vet's.'이라는 표현이 등장한다. 도대체 어디를 갔다 왔다는 말인가? 여기서 vet은 수의사(veterinarian)의 줄임말이다. 그리고 식단을 위협하는 유전자 변형 식품을 'GM Food'라고 한다. 유전자(gene)를 변형한(modified) 식품이라는 의미인데, GM food로 불린다. 약어(abbreviation)란 원래 단어의 일부만 남은 경우를 말한다.

gym	명 체육관	gymnasium [dʒimnéiziəm]	in **gym** class 체육 시간에
dorm	명 기숙사	dormitory [dɔ́ːrmətɔ̀ːri]	cost of living in **dorms** 기숙사 생활비
lab	명 실험실	laboratory [lǽbrətɔ̀ːri]	a chemical **lab** 화학 실험실
undergrad	명 학부생	undergraduate [ʌ̀ndərgrǽdʒuət]	**undergrad** students 학부 대학생
co-ed	명 남녀 공학	co-educational	a **co-ed** school 남녀공학 학교
sub	명 대체, 대리자	substitute [sʌ́bstətjùːt]	a **sub** in English class 영어 수업 대체 교사
specs	명 세부 사항	specification [spèsəfəkéiʃən]	**specs** for a computer 컴퓨터 설명서
co	명 회사	company [kʌ́mpəni]	www.ebs.co.kr
Corp.	명 회사	corporation [kɔ̀ːrpəréiʃən]	ABC **Corp.** ABC 회사
Inc.	명 [미국] 주식회사	incorporated [inkɔ́ːrpəreitid]	ABC **Inc.** ABC 주식회사
Ave.	명 길	avenue [ǽvənùː]	on Fifth **Ave.** 5번가에서
gas	명 석유	gasoline [gǽsəlìːn]	a **gas** station 주유소
cell phone	명 휴대 전화	cellular phone	use **cell phones** 휴대 전화를 사용하다
fridge	명 냉장고	refrigerator [rifrídʒərèitər]	some juice in the **fridge** 냉장고에 있는 약간의 주스
veggie	명 채식주의자	vegetarian [vèdʒətɛ́əriən]	a **veggie** burger 채식주의용 버거
vet	명 수의사	veterinarian [vètərənɛ́əriən]	take dogs to the **vet** 개를 병원에 데리고 가다
pro	명 프로 선수	professional [prəféʃənəl]	a golf **pro** 프로 골프 선수
pop	명 대중음악	popular music	a **pop** concert 팝 콘서트
fan	명 팬	fanatic [fənǽtik]	movie **fans** 영화 팬
sci-fi	명 공상 과학 영화	science fiction	a **sci-fi** writer 공상 과학 소설가
ad	명 광고	advertisement [ædvərtáizmənt]	an **ad** in the paper 신문 광고
perm	명 파마	permanent wave	get a **perm** 파마하다

THIS IS

VOCA

VOCABULARY

Workbook

EXERCISE

A 영어는 우리말로, 우리말은 영어로 옮기시오.

1 intake	_____	8 본능	_____
2 interval	_____	9 감염	_____
3 inclusion	_____	10 관련시키다; 열중시키다	_____
4 inhabitant	_____	11 기울기, 성향, 좋아함	_____
5 invade	_____	12 내부의, 안의	_____
6 interdependence	_____	13 중간에서 붙잡다, 가로채다	_____
7 interpretation	_____	14 직감, 직관	_____

B 다음을 우리말로 옮기시오.

1 invade my privacy _____

2 keen insight _____

3 one's inherent genius _____

4 investigate a crime _____

5 interfere with memory _____

6 an initiation fee _____

7 intervene in the elections _____

8 insert a key in a lock _____

C 다음 [   ] 안에서 적절한 어휘를 고르시오.

1 We will provide simultaneous [interpretation / interval] from English to French of the debates.

2 Companies must [innovate / incubate] new products if they want to grow and prosper.

3 Rumors report that Cathy was [involved / revolved] in the kidnapping of her own baby.

4 The keyboard and mouse are used to [input / intake] data into the computer.

5 By listening to our hearts, we know by [intuition / infection] that loving action leads to happiness.

6 Even a child can [interpret / intercept] a dream by knowing how to translate the symbols.

7 Music is an [inactive / instinctive] sound to which people dance naturally.

EXERCISE

A 영어는 우리말로, 우리말은 영어로 옮기시오.

1 exclusion _____
2 explode _____
3 expansion _____
4 excess _____
5 excel _____
6 extinct _____
7 extraordinary _____

8 외부의, 피상적인 _____
9 제외하다, 방출하다 _____
10 표현하다, 나타내다 _____
11 개척하다, 이용하다, 착취하다 _____
12 (공기 따위를) 내쉬다 _____
13 광범위한, 넓은 _____
14 폭발적인 _____

B 다음을 우리말로 옮기시오.

1 without exception _____
2 expand the territory _____
3 exotic place _____
4 the expiration of a contract _____
5 exaggerate the size _____
6 exhaust the resources _____
7 eccentric clothes _____
8 evoke laughter _____

C 다음 [   ] 안에서 적절한 어휘를 고르시오.

1 A road [emerges / submerges] from a tunnel through the mountainside.

2 If they [expand / extend] the deadline, make a new plan on how you will finish the job accordingly.

3 Employers could not [evade / invade] their responsibility for workplace safety.

4 Caves are dangerous, so no one should [explore / exploit] caves on their own.

5 Why would your dentist [exhaust / extract] a tooth instead of trying to save it?

6 [Extinguish / Distinguish] a candle if the flame becomes too high or flickers repeatedly.
(*flicker v. 깜박이다)

7 How long does it take two cups of water to [evoke / evaporate] at 100 degrees C?

A 영어는 우리말로, 우리말은 영어로 옮기시오.

1 outgo	_____	8 미신	_____
2 surface	_____	9 사교적인, 외향적인	_____
3 outspoken	_____	10 시대에 뒤떨어지게 하다	_____
4 surtax	_____	11 눈에 띄는, 중요한, 돌출한	_____
5 outrun	_____	12 ~보다 낫다, 물리쳐 이기다	_____
6 outskirts	_____	13 나머지, 잔여, 흑자	_____
7 surpass	_____	14 전망, 예측	_____

B 다음을 우리말로 옮기시오.

1 the outbreak of war _____

2 outgrow one's clothes _____

3 the Supreme Court _____

4 outlive one's son _____

5 outweigh its economic benefits _____

6 conduct a survey _____

7 outnumber females _____

8 agricultural output _____

C 다음 [ ] 안에서 적절한 어휘를 고르시오.

1 The questioning led to an [output / outburst] of laughter by one of the jurors.

(*juror 배심원)

2 The new soldier was arrested because he had shown disrespect to his [superior / superficial] officer.

3 In the end, one hundred votes determined the [outcome / income] of the election.

4 By effectively managing it, manufacturers can [outthrow / outperform] their competitors tremendously.

5 We saw our country [surrender / surmount] to the enemy without demonstrating our power.

6 There's no doubt that Mr. Flack will debate the issues very well and [outspeak / outreach] his opponent.

7 After laughing at his [outdoor / outlandish] idea and nodding, she said, "It was a good surprise."

EXERCISE

A 영어는 우리말로, 우리말은 영어로 옮기시오.

1 downtrend _____
2 onlooker _____
3 offspring _____
4 downsize _____
5 on-off _____
6 on the run _____
7 offstage _____

8 낙담한 _____
9 전진하는, 진행하는 _____
10 아래층에; 아래층 _____
11 비번의, 휴식의 _____
12 업무 시간 이외의, 실직 중인 _____
13 육지의, 육상의 _____
14 중심을 벗어난, 균형을 잃은 _____

B 다음을 우리말로 옮기시오.

1 seasonal downpours _____
2 the onset of the enemy _____
3 off-the-record comments _____
4 the oncoming generation _____
5 on-the-spot inspections _____
4 an economic downcycle _____
7 offload their cargo _____
8 during off-peak hours _____

C 다음 [   ] 안에서 적절한 어휘를 고르시오.

1 In most cases, bus system is superior to automobile travel within the [downtown / downfall] area.

2 Wine sales in Korea are experiencing a sharp [downpour / downturn] due to economic difficulties.

3 I also started to flash my lights to warn the [ongoing / oncoming] cars.

4 Safety experts are not comfortable about [off-peak / off-brand] toys sold in discount stores.

5 Welcome [onboard / onshore]. Our spacious ships make it easy for you to travel in comfort.

6 The castle walls were built thick to hold back the [onrushing / onlooking] tide.

7 Korea's coastal and [offshore / offstage] fisheries have experienced a reduction in their catch.

EXERCISE

A 영어는 우리말로, 우리말은 영어로 옮기시오.

1 descendant _____
2 denial _____
3 despise _____
4 degrade _____
5 defer _____
6 detective _____
7 depiction _____

8 파괴 _____
9 황폐한, 쓸쓸한, 황폐화하다 _____
10 우울; 불경기 _____
11 ~에도 불구하고 _____
12 분해, 부패 _____
13 세제 _____
14 낙담, 실의 _____

B 다음을 우리말로 옮기시오.

1 lie detecting machine _____
2 his decayed tooth _____
3 delay payment of salaries _____
4 deduce a conclusion _____
5 declare independence _____
6 deposit money in the bank _____
7 delude oneself _____
8 deliver a package _____

C 다음 [　] 안에서 적절한 어휘를 고르시오.

1 I [detect / detest] dishonest people no matter what favors they would show me.

2 Protest marchers have gathered across the city to [denounce / degrade] terrorists.

3 Managers can [depress / deny] a request to telework, based on business reasons.

4 A steady [decline / deject] in Japanese visitors worries Hawaiian tourism officials.

5 I do not underestimate nor [destroy / depreciate] his ability to write essays.

6 The sudden downpour [depicted / deterred] us from playing golf.

7 Even the healthiest people are [deficient / desolate] in vitamin D in the winter months.

EXERCISE

A 영어는 우리말로, 우리말은 영어로 옮기시오.

1 overall   _____

2 underestimate   _____

3 uprising   _____

4 overtake   _____

5 underdevelopment _____

6 uplift   _____

7 overwhelming   _____

8 (약의) 지나친 투여, 과량 _____

9 더 위의, (계급이) 높은 _____

10 내려다보다, 간과하다 _____

11 과대평가하다 _____

12 대학 학부 재학생 _____

13 뿌리 뽑다, 근절하다 _____

14 하복부, 아랫배 _____

B 다음을 우리말로 옮기시오.

1 undergo surgery

2 overthrow the government

3 turn the box upsidedown

4 pay overdue interest

5 undertake an experiment

6 uphold the economy

7 an underpaid employee

8 upset the balance

C 다음 [　] 안에서 적절한 어휘를 고르시오.

1 Research shows that people generally [underlie / underrate] the abilities of black youngsters.

2 I was so [overwhelmed / overestimated] with shame that I dreaded to show my face.

3 He asked if the introduction of modern technologies is harmful to [underpaid / underdeveloped] areas.

4 If you are going to read, it is best to sit up and remain in an [upright / uphill] position.

5 He will not lie, [undercharge / overcharge] customers, or do anything else immoral and unethical.

6 The 3D screen may have two [overlapping / overlooking] scenes without 3D glasses.

7 Good [upkeep / upbringing] is all about training a child to be a good citizen and an asset to society.

EXERCISE

A 영어는 우리말로, 우리말은 영어로 옮기시오.

1 subjective   _____

2 suspension   _____

3 forefront   _____

4 substitution   _____

5 foreteller   _____

6 submarine   _____

7 forefather   _____

8 정기 구독; 기부   _____

9 차후의, 연속적인   _____

10 이마; 물건의 전면   _____

11 의식이 없는, 무의식의   _____

12 상속   _____

13 선견지명이 있는   _____

14 빼기, 공제   _____

B 다음을 우리말로 옮기시오.

1 a substantial victory   _____

2 for three successive days   _____

3 the foremost task   _____

4 a suspended game   _____

5 a government subsidy   _____

6 economic forecasts   _____

7 subside into a hole   _____

8 required subject   _____

C 다음 [ ] 안에서 적절한 어휘를 고르시오.

1 A mirror not only reflects your character but also highlights your [subconscious / successive] desires.

2 As we did not have any more bottled wine, we [subscribed / substituted] fresh water for it.

3 A weak person is [subject / subsequent] to colds which are likely to recur and to resist being cured.

4 The doctor [forewarned / forearmed] us that the patient had less than a 10 percent chance of survival.

5 When the vehicle began to [subtract / submerge] into the lake, Jenny Thompson was wearing a seat belt.

6 Argentina [suspended / suspected] payments on its external and internal debts.

7 Poplar trees may be a valuable resource to remove poisonous [substances / subsequence] from the soil.

EXERCISE

A 영어는 우리말로, 우리말은 영어로 옮기시오.

1 preschooler _____
2 preferable _____
3 anticipation _____
4 precaution _____
5 preview _____
6 preservation _____
7 prefix _____

8 선입관, 편견 _____
9 선사 시대의 _____
10 (사전) 준비, 대비 _____
11 가정, 추정 _____
12 위신, 명성 _____
13 널리 유행하는 _____
14 연기 _____

B 다음을 우리말로 옮기시오.

1 a preface of the book _____
2 a necessary prerequisite _____
3 premature conclusions _____
4 a preliminary game _____
5 an antique shop _____
6 postpone a performance _____
7 presume innocence _____
8 a postgraduate student _____

C 다음 [   ] 안에서 적절한 어휘를 고르시오.

1 Public transportation is usually utilized on these field trips to [preserve / persevere] the environment.

2 Currently, all cholesterol-lowering drugs require a doctor's [preference / prescription].

3 This type of person will probably [prevail / pretend] to be ill to get attention.

4 [Ancestor / Antique] worship is an essential part of the Chinese religious culture.

5 The book was written [prehistoric / posterior] to the year 2002, in the twenty-first century.

6 The most [prestigious / preliminary] award she won in 2002 was also the most controversial.

7 We sometimes find ourselves [preoccupied / premature] with our own thoughts.

EXERCISE

A 영어는 우리말로, 우리말은 영어로 옮기시오.

1 confirmation _____
2 competitive _____
3 commuter _____
4 concession _____
5 colleague _____
6 collision _____
7 collaboration _____

8 일관성 _____
9 남녀 공학 _____
10 (우연의) 일치, 동시 발생 _____
11 기여, 기부, 기고 _____
12 상업적인, 무역의 _____
13 특파원 _____
14 공존하다 _____

B 다음을 우리말로 옮기시오.

1 an apartment complex _____
2 contribute to a newspaper _____
3 cohere with each other _____
4 commute between Seoul and Daejeon _____
5 confirm one's reservation _____
6 compound substance _____
7 concede defeat _____
8 economic collapse _____

C 다음 [   ] 안에서 적절한 어휘를 고르시오.

1 The [composition / community] of soil is mostly determined by the location.

2 He examined the new proposal to find a way to make a [compromise / conflict] with his creditors.

3 The government devoted more resources to [compete / combat] terrorism.

4 Countries can solve international problems in [compound / concord] with each other.

5 Helen, my English teacher, helped me improve my writing and [collect / correct] errors in grammar.

6 How can I [correspond / collide] with soldiers in Iraq?

7 You can find a [correlation / cooperation] between climate and crop growth in regional areas.

EXERCISE

A 영어는 우리말로, 우리말은 영어로 옮기시오.

1 repent _____   8 번식 _____

2 resume _____   9 추천, 추천장 _____

3 resistant _____   10 반환, 환불 _____

4 remission _____   11 거절 _____

5 recession _____   12 조정, 화해 _____

6 recollection _____   13 기록[등록]하다; 기록[등록]부 _____

7 restraint _____   14 석방시키다, 놓아주다; 석방, 해방 _____

B 다음을 우리말로 옮기시오.

1 his reflection in the mirror _____

2 an effective remedy for the flu _____

3 relieve one's pain _____

4 recruit volunteers _____

5 school lunch recess _____

6 a retail dealer _____

7 renounce friendship _____

8 release one's hand _____

C 다음 [   ] 안에서 적절한 어휘를 고르시오.

1 How much will it cost to build my own house, or to [reproduce / renovate] my old house?

2 If Grace dies without cancelling her will, nobody can [rebuke / revoke] her will after her death.

3 Is it unhealthy to [restrain / reject] oneself from sneezing?

4 The coaches are discussing methods and tactics not to [regress / remit] to the old ways.

5 Employers cannot [reconcile / reprimand] workers for exercising their right to refuse unsafe work.

6 People [responded / reflected] to the news of World War II in many different ways.

7 Mary is ready to [repulse / recede] an attack of any creature such as an alien.

EXERCISE

A 영어는 우리말로, 우리말은 영어로 옮기시오.

1 symbolize _____
2 sympathetic _____
3 enlightening _____
4 enrollment _____
5 simile _____
6 synthesis _____
7 reinforce _____

8 유사, 비슷함 _____
9 멸종위기에 처한 _____
10 좌우 대칭, 균형 _____
11 강제, 시행 _____
12 약속; 약혼; 고용 _____
13 증대, 증강, 향상 _____
14 ~인 체함, 모의실험 _____

B 다음을 우리말로 옮기시오.

1 be broadcast simultaneously _____
2 assimilate immigrants _____
3 a synergy effect _____
4 enroll children in schools _____
5 jet lag syndrome _____
6 synthetic fiber _____
7 enhance efficiency _____
8 a symptom of a cold _____

C 다음 [   ] 안에서 적절한 어휘를 고르시오.

1 David sent a messenger to express his [sympathy / symphony] over her father's death.

2 A laser weapon system is used worldwide in training to [stimulate / simulate] actual battle.

3 He found it nearly impossible to [synthesize / synchronize] music with action in the game.

4 "Dad" is a [synonym / antonym] for "father" in English, as "mom" is for "mother."

5 The ultimate goal of good education is to [ensure / enroll] a good job.

6 It is estimated that only 6 percent of the adult male population was [entitled / entailed] to vote.

7 If you feel tired during the day, try to stay awake and [enforce / engage] yourself in some exercise.

DAY 12 EXERCISE

A 영어는 우리말로, 우리말은 영어로 옮기시오.

1 antibody   _____
2 transcription   _____
3 transatlantic   _____
4 transmission   _____
5 antipathy   _____
6 transformation   _____
7 transgression   _____

8 공해 방지의   _____
9 원자력에 반대하는   _____
10 번역   _____
11 주입, 수혈   _____
12 (화물을) 다른 배에 옮기다   _____
13 반의어   _____
14 수송   _____

B 다음을 우리말로 옮기시오.

1 overuse antibiotics
2 heart transplant
3 mass transit
4 transmit electricity
5 a transparent window
6 transgress the limits
7 develop an antitoxin
8 transient life

C 다음 [　] 안에서 적절한 어휘를 고르시오.

1 Patients may commit [antibiotic / antisocial] acts such as shoplifting, violence and fighting.

2 Humans have the power to [transcend / translate] the limits of the natural environment.

3 They knew every word of the book, for they had not only read but [transcribed / transacted] the book.

4 The American flag was raised at the South Pole after their [Antarctic / Arctic] Expedition.

5 Doctors were unable to [transform / transfuse] blood into him because of his damaged veins.

6 We had to suffer under massive construction that [transfigured / transplanted] the city thoroughly.

7 When I tried to call Susie, I accidentally [transported / transposed] the order of the numbers.

EXERCISE

A 영어는 우리말로, 우리말은 영어로 옮기시오.

1 profession _____
2 contradict _____
3 proficiency _____
4 counterattack _____
5 procrastination _____
6 provocation _____
7 contrast _____

8 선전 _____
9 진행과정 _____
10 방해, 반작용 _____
11 논쟁의 여지가 있는 _____
12 발음 _____
13 상대편 _____
14 예언자 _____

B 다음을 우리말로 옮기시오.

1 a flight prohibited area _____
2 a legal procedure _____
3 beyond controversy _____
4 profound depths _____
5 proclaim a state of emergency _____
6 in contrast _____
7 a prompt reply _____
8 on the contrary _____

C 다음 [   ] 안에서 적절한 어휘를 고르시오.

1 The comic titles were aiming to amuse readers and [provide / provoke] a laughter.

2 He had supernatural powers which enabled him to [prophesy / profess] the future accurately.

3 For 30 years, Bill Simpson has undoubtedly been a [prompt / prominent] artist in his native country.

4 He was arrested for allegedly helping the criminals circulate [controversial / counterfeit] money.

5 The advances of modern medical science [prolonged / propelled] the human life span by many years.

6 I'm in China. I speak Mandarin fluently, and am now [proficient / profound] in English, too.

7 If you [procrastinate / proceed] too long, the plane will leave without you, and your ticket will be worthless.

EXERCISE

A 영어는 우리말로, 우리말은 영어로 옮기시오.

1 perceive   _____

2 selection   _____

3 seclusion   _____

4 affectation   _____

5 separation   _____

6 approval   _____

7 segregation   _____

8 인내   _____

9 박해   _____

10 접착제   _____

11 안전, 보안   _____

12 고소인, 고발인   _____

13 배열, 정돈   _____

14 채택, 입양   _____

B 다음을 우리말로 옮기시오.

1 a permanent tooth

2 adhere to his decision

3 the public sector

4 perish from thirst

5 accuse A of B

6 segregate boys and girls

7 accumulate a fortune

8 bisect a line

C 다음 [　] 안에서 적절한 어휘를 고르시오.

1 I dropped the bottle, and the water we got to drink [persecuted / permeated] the sand quickly.

2 Like all other industries, the rose business must [adopt / adapt] to changing conditions in the marketplace.

3 It is not easy to [persist / persevere] in one's belief; sometimes you must suffer to do so.

4 Break a [section / segment] of an orange and you will see fluid-filled pulp fibers.

5 According to research, slow websites [affect / arrange] business negatively.

6 Our restaurant is located at a [secluded / segmental] place on southern Georgia Bay.

7 You have the right to be [accompanied / approved] by an interpreter during the hearing.

EXERCISE

A 영어는 우리말로, 우리말은 영어로 옮기시오.

1 reunion _____

2 triviality _____

3 unification _____

4 octopus _____

5 monotony _____

6 multimedia _____

7 multiplication _____

8 독백 _____

9 10년 _____

10 독점하다 _____

11 통일, 일관성, 조화 _____

12 여러 나라 말을 하는 _____

13 세 배의, 3중의 _____

14 우주의, 보편적인 _____

B 다음을 우리말로 옮기시오.

1 carbon monoxide _____

2 a bimonthly magazine _____

3 multipurpose dam _____

4 Don't duplicate. _____

5 a centennial anniversary _____

6 speak in a monotonous voice _____

7 a multitude of girls _____

8 multinational corporation _____

C 다음 [   ] 안에서 적절한 어휘를 고르시오.

1 As a government [monorail / monopoly], the industry has many advantages in scale and efficiency.

2 Students of Sky Flying School must have 22 hours of [dual /duel] flying training.

3 Korea is a linguistically [homogeneous / monotonous] nation.

4 Certain countries in the world don't have laws against [polygamy / monogamy], which is their right.

5 It took time for the child to understand that [unifying / multiplying] four by nothing is nothing.

6 The Opera House looks like sails, and Australians are proud of its [trivial / unique] design.

7 It is not desirable but possible to cram for [multiple / united] choice questions.

EXERCISE

A 영어는 우리말로, 우리말은 영어로 옮기시오.

1 undoubtedly   _____

2 unceasing   _____

3 unaware   _____

4 nonprofit   _____

5 unwilling   _____

6 unjust   _____

7 non-attendance   _____

8 실직, 실업   _____

9 열다, 드러내다   _____

10 불가피한, 피할 수 없는   _____

11 무의식, 의식이 없는 상태   _____

12 (수기, 자서전, 기행문 등의) 실화   _____

13 비중독성의   _____

14 고의가 아닌   _____

B 다음을 우리말로 옮기시오.

1 an unfurnished apartment

2 a non-official meeting

3 unload goods from a truck

4 unconvertible currency

5 a non-violence movement

6 unfold a map

7 undue use of power

8 unavailable resources

C 다음 [ ] 안에서 적절한 어휘를 고르시오.

1 Mahatma Ghandi led [non-attendance / non-resistance] campaigns against England in India.

2 [Non-commercial / Non-essential] advertising is sponsored by civic groups or religious or political organizations.

3 I have been trained by the manager to deal with [unreasonable / unconvertible] demands from customers.

4 Water in this lake is so salty that it is [unfit / unfair] for human consumption.

5 A UFO is an [unconscious / unidentified] flying object that is believed to be an alien spacecraft.

6 A woman who was injured because of an [untidy / uneven] road surface is seeking compensation.

7 He used to have an [unusual / unlikely] hobby of observing dinosaur footprints on rocks.

A 영어는 우리말로, 우리말은 영어로 옮기시오.

1 disappear _____
2 disclose _____
3 disburden _____
4 discharge _____
5 distinction _____
6 disapprove _____
7 disadvantage _____

8 무장 해제하다 _____
9 불구가 된 _____
10 무질서, 혼란 _____
11 분배 _____
12 주의 산만 _____
13 의견이 다르다 _____
14 역겨운 _____

B 다음을 우리말로 옮기시오.

1 disposable diaper _____
2 in disgust _____
3 distribute mail _____
4 dispatch troops _____
5 dissolve salt in water _____
6 discomfort index _____
7 discriminate against foreigners _____
8 distinct difference _____

C 다음 [　] 안에서 적절한 어휘를 고르시오.

1 Randy, a public servant, resigned in [distress / disgrace] after admitting to taking bribes.

2 There is constant [discord / discard] between the new boss and the employees.

3 [Dispense / Disagree] with a car and save the expense, care, and anxiety of maintaining it.

4 Over one hundred police officers were there to [disperse / distrust] the crowd.

5 He shook his head in [dismay / dishonor] as he scanned the headline news of war.

6 Governments use wars to [distribute / distract] people's attention from events that they want to conceal.

7 Children can [disapprove / distinguish] between good and evil as they mature.

EXERCISE

A 영어는 우리말로, 우리말은 영어로 옮기시오.

1 misjudge _____
2 amoral _____
3 mishap _____
4 misfire _____
5 misdeed _____
6 mislay _____
7 misleading _____

8 잘못 발음하다 _____
9 해로운, 장난기 있는 _____
10 오해하다, 오역하다 _____
11 유산하다 _____
12 무정부 _____
13 폐지하다 _____
14 가명, 작자 불명 _____

B 다음을 우리말로 옮기시오.

1 momentary misbehavior _____
2 a misapplication of the rules _____
3 approve of abortion as birth control _____
4 by repeated misfortune _____
5 asexual reproduction _____
6 commit misconduct _____
7 the argument about atheism _____
8 keep him out of mischief _____

C 다음 [   ] 안에서 적절한 어휘를 고르시오.

1 Arriving at the airport, I was upset to find out that the airline had [misplaced / misbehaved] my bags.

2 An [anonymous / atonal] user can be identified through his/her IP address.

3 A common [misfortune / misconception] is that the earth is further from the sun in winter than in summer.

4 Political [apathy / abolition] is public or individual indifference towards political events and movements.

5 The twins appear the same; those who meet them are [misled / misconducted] by their appearance.

6 I'm opposed to [atheism / anarchism]. I'm in favor of "limited government," not "no government."

7 Some complain that nurses and doctors in government-owned facilities [mistreat / mislay] patients.

EXERCISE

DAY 19

A 영어는 우리말로, 우리말은 영어로 옮기시오.

1 malice	_____	8 (기계의) 기능 불량	_____
2 impure	_____	9 영양실조	_____
3 improper	_____	10 불완전한	_____
4 impolite	_____	11 악취	_____
5 imprudent	_____	12 먼 옛날의, 태고로부터의	_____
6 immodest	_____	13 죽지 않는	_____
7 impatient	_____	14 미숙한, 미성숙한	_____

B 다음을 우리말로 옮기시오.

1 an impartial judgment _____

2 immoderate drinking _____

3 a malnourished infant _____

4 from time immemorial _____

5 cause immeasurable damage _____

6 layers of impermeable rock _____

7 the maltreated children _____

8 impersonal treatment _____

C 다음 [　] 안에서 적절한 어휘를 고르시오.

1 The poor children suffered [maltreatment / malediction] from their parents.

2 Sixty million years ago, the whole area was an [imminent / immense] desert.

3 It was a slow, almost [imperfect / imperceptible] movement of soil, so we couldn't feel the earthquake.

4 Mary and I looked for an [immovable / immodest] rock to sit on and have a snack.

5 Socially [maladjusted / malicious] students view rule breaking as normal and acceptable.

6 The use of violence on TV can be a cause of children's [immortal / immoral] behavior.

7 The parliament attempted the [impracticable / impermeable] scheme of reducing the cost of labor.

EXERCISE

A 영어는 우리말로, 우리말은 영어로 옮기시오.

1 insecurity _____

2 incapacity _____

3 inconvenience _____

4 incomplete _____

5 intolerable _____

6 inhumane _____

7 incomprehensible _____

8 미숙련자 _____

9 무관심, 냉담 _____

10 무효의, 효과 없는 _____

11 같지 않음, 불평등 _____

12 무죄 _____

13 접근하기 어려운 _____

14 미친, 제정신이 아닌 _____

B 다음을 우리말로 옮기시오.

1 Independence Day _____

2 an innocent victim _____

3 an incessant noise _____

4 indispensable nutrients _____

5 his inability to make decisions _____

6 inconsistent behavior _____

7 an incredible story _____

8 an incompetent worker _____

C 다음 [   ] 안에서 적절한 어휘를 고르시오.

1 There are some brave journalists who risked their lives to fight [injustice / inaction].

2 Moving our company from the countryside to the capital would require an [innocent / incredible] cost.

3 Many have come to believe that loss of memory is the [inevitable / invaluable] result of aging.

4 Nobody expects that Mr. Smith will be hired as sales manager because of his [infamous / infinite] behavior.

5 World hunger is not due to an [innumerable / insufficient] supply of food, but to other economic factors.

6 The service will be free of charge for an [incorrect / indefinite] period of time.

7 An [inanimate / inexact] thing is an object that has no life bearing parts, like a teddy bear.

EXERCISE

A 영어는 우리말로, 우리말은 영어로 옮기시오.

1 irrecognizable _____
2 abuse _____
3 irreversible _____
4 irrecoverable _____
5 irreconcilable _____
6 withhold _____
7 abrupt _____

8 불규칙한 _____
9 정상이 아닌; 변칙의 _____
10 대체할 수 없는 _____
11 비논리적인 _____
12 관계없는, 관련 없는 _____
13 결단력 없는, 우유부단한 _____
14 책임이 없는, 무책임한 _____

B 다음을 우리말로 옮기시오.

1 an illiterate farm worker _____
2 withstand temptation _____
3 an illegal sale _____
4 withdraw an offer _____
5 irrevocable youth _____
6 an illiberal and undemocratic policy _____
7 an abstract idea _____
8 an abnormal condition _____

C 다음 [　] 안에서 적절한 어휘를 고르시오.

1 Mr. Kohler is a great teacher despite his [illegible / illegal] handwriting and soft-spoken voice.

2 Swimming is a sport anyone can play [irresponsible / irrespective] of age.

3 The professor asked me to [abstain / abstract] the ten-page scientific report into one page.

4 Both intellectual property and criminal laws restrict [illogical / illegitimate] trade only, not trade itself.

5 I was attracted by the woman as if she had an [irresistible / irritable] force.

6 I forgot my PIN. Is it possible to [withdraw / withhold] money from my bank account?

7 If a child is abandoned in the wild, he/she is not different from [irrational / irrevocable] beasts.

EXERCISE

A 영어는 우리말로, 우리말은 영어로 옮기시오.

1 autocracy   _____
2 afloat   _____
3 enable   _____
4 intense   _____
5 displeasure   _____
6 unfortunately   _____
7 uncomfortable   _____

8 세부, 상세   _____
9 가라앉히다   _____
10 잘못 세다, 오산하다   _____
11 해변에   _____
12 깨어 있는   _____
13 무수한, 셀 수 없는   _____
14 배에, 배를 타고   _____

B 다음을 우리말로 옮기시오.

1 an autograph session   _____
2 the twilight of his life   _____
3 street signs   _____
4 Local Autonomy Law   _____
5 curtail spending   _____
6 go on shore   _____
7 a bulletin board   _____
8 float downstream   _____

C 다음 [　] 안에서 적절한 어휘를 고르시오.

1 One of the basic responsibilities of a leader is to [assign / resign] work properly to team members.

2 We will have to [enact / react] a new law to keep our country safe.

3 When you walk four [breast / abreast], leave a space between the companies.

4 I have had a goldfish for the last 13 years, and she is [aboard / alone] in her tank.

5 You shouldn't [emerge / merge] with a company that has a lot of debt.

6 If you are planning to live [abroad / broad], you should learn the country's language.

7 The twins are [like / alike] two peas in a pod, but Chuck is by far nicer than Mike.

EXERCISE

A 영어는 우리말로, 우리말은 영어로 옮기시오.

1 facedown　＿＿＿＿＿＿＿

2 closedown　＿＿＿＿＿＿＿

3 broken-down　＿＿＿＿＿＿＿

4 pop-up　＿＿＿＿＿＿＿

5 mix-up　＿＿＿＿＿＿＿

6 payoff　＿＿＿＿＿＿＿

7 chin-up　＿＿＿＿＿＿＿

8 감속, (속도, 활동의) 둔화　＿＿＿＿＿＿＿

9 성인, 어른　＿＿＿＿＿＿＿

10 절단, 차단　＿＿＿＿＿＿＿

11 일시 해고　＿＿＿＿＿＿＿

12 출발, 이륙　＿＿＿＿＿＿＿

13 뒷받침, 후원　＿＿＿＿＿＿＿

14 쉬는 날　＿＿＿＿＿＿＿

B 다음을 우리말로 옮기시오.

1 a pipeline shutdown　＿＿＿＿＿＿＿＿＿＿＿＿＿＿＿＿＿

2 military build-up　＿＿＿＿＿＿＿＿＿＿＿＿＿＿＿＿＿

3 a nervous breakdown　＿＿＿＿＿＿＿＿＿＿＿＿＿＿＿＿＿

4 a seven-second countdown　＿＿＿＿＿＿＿＿＿＿＿＿＿＿＿＿＿

5 the break-up of their marriage　＿＿＿＿＿＿＿＿＿＿＿＿＿＿＿＿＿

6 a pull-up bar　＿＿＿＿＿＿＿＿＿＿＿＿＿＿＿＿＿

7 run-off from the land　＿＿＿＿＿＿＿＿＿＿＿＿＿＿＿＿＿

8 a trade-off between quality and quantity　＿＿＿＿＿＿＿＿＿＿＿＿＿＿＿＿＿

C 다음 [　] 안에서 적절한 어휘를 고르시오.

1 The only person who could give a "[Standdown / Standout] Order" was the Commander -in-Chief.

2 If the [set-up / sit-up] program asks you to reboot Windows after installation, you must do so.

3 Alabama beach towns already have seen a sharp [drop-off / dropout] in tourism revenue.

4 They're the same size as Jerry, so his [run-off / cast-off] clothes fit them.

5 A [push-up / pick-up] truck is a light motor vehicle with an open back and rear cargo area.

6 This year, no major changes were made to the [make-up / thumbs-up] of the committee.

7 The storekeepers presume our company will have a [knockdown / letdown] in sales due to hot weather.

EXERCISE

A 영어는 우리말로, 우리말은 영어로 옮기시오.

1 giveaway _____   8 통로; 〖항공〗활주로 _____
2 payout _____   9 난파한; 표류자 _____
3 turnout _____   10 바람에 날리기 쉬운 _____
4 lookover _____   11 감시, 경계; 전망 _____
5 checkout _____   12 연습, 연습경기; 격한 운동 _____
6 getaway _____   13 사라져 버림, 소실 _____
7 takeaway _____   14 도중하차; 잠시 방문 _____

B 다음을 우리말로 옮기시오.

1 a hostile takeover
2 receive a handout
3 the company's high turnover
4 towaway zone
5 high school dropouts
6 a changeover to energy-efficient lighting
7 wear a pullover
8 the burnout of the engine

C 다음 [   ] 안에서 적절한 어휘를 고르시오.

1 The children were placed in the care of Count Olaf, a [faraway / flyaway] cousin.

2 In many cases, [runway / runaway] teenagers want to escape the regulations of their families.

3 Especially vulnerable individuals may suffer a [checkout / blackout] every time they drink.

4 The engineer who repaired the car bears responsibility for causing the [pullover / rollover] accident.

5 The temple's [layout / takeout] follows several Buddhist principles of temple architecture.

6 She ate [leftover / crossover] food from restaurants and slept any place she felt safe.

7 [Throwaway / Takeaway] diapers are the third-most common thing in our landfill spaces.

EXERCISE

A 영어는 우리말로, 우리말은 영어로 옮기시오.

1 stalker _____
2 absorber _____
3 plumber _____
4 murderer _____
5 beholder _____
6 trailer _____
7 stroller _____

8 벽돌공 _____
9 사회자, 주재자 _____
10 침입자, 난입자 _____
11 솔, 수세미 _____
12 편집자, (신문의) 주필 _____
13 폭격기 _____
14 청정기, 정화 장치 _____

B 다음을 우리말로 옮기시오.

1 a forest ranger _____
2 the successor to the throne _____
3 the prosecutor's office _____
4 a vacuum sweeper _____
5 a web surfer _____
6 an arctic navigator _____
7 a shoe polisher _____
8 a computer cracker _____

C 다음 [   ] 안에서 적절한 어휘를 고르시오.

1 A ticket [instructor / inspector] struggled with some ticketless passengers.

2 We should appeal to our government to make rigid laws to punish the [briber / bride].

3 Thorough knowledge of the piano would be very useful to a music [employer / director].

4 I wonder if good command of one's native language is a strong [predictor / predator] of his/her foreign language proficiency.

5 The car [bomber / bumper] is designed to reduce damage to the front and rear ends of a vehicle.

6 This equipment is merely the [booster / beholder] rocket to launch the shuttle into orbit.

7 You need a pair of basketball [scrubbers / sneakers] that rise above your ankles.

EXERCISE

A 영어는 우리말로, 우리말은 영어로 옮기시오.

1 examinee   _____
2 opponent   _____
3 appointee   _____
4 guardian   _____
5 resident   _____
6 descendant   _____
7 dischargee   _____

8 보조자   _____
9 훈련생   _____
10 마술사   _____
11 원고   _____
12 인도주의자   _____
13 외과 의사   _____
14 폭군, 압제자   _____

B 다음을 우리말로 옮기시오.

1 kidney donee
2 a flight attendant
3 a refugee camp
4 a war correspondent
5 the original inhabitants
6 consult a physician
7 civilian clothes
8 a tutor and a tutee

C 다음 [　] 안에서 적절한 어휘를 고르시오.

1 Okinawa, Japan has seen a large number of [emigrants / immigrants] moving to Hawaii and South America.

2 Although many people prefer our grilled beef, there are many [vegetarian / veterinarian] dishes to choose from.

3 I would like my name placed on the permanent [absentee / employee] voter list.

4 A CPA is a professional [pediatrician / accountant] who has passed the examination held by the government.

5 The police chief [adoptee / nominee] became very emotional when discussing his family history.

6 Because of the many lawsuits, the [dependent / defendant] company is in great financial danger.

7 There are tips that job [applicants / respondents] should remember to land the jobs of their dreams.

EXERCISE

A 영어는 우리말로, 우리말은 영어로 옮기시오.

1 captive _____

2 patron _____

3 beneficiary _____

4 client _____

5 peer _____

6 critic _____

7 criminal _____

8 보수주의자; 보수적인 _____

9 전도사, 선교사 _____

10 혐의자, 용의자 _____

11 증언, 목격자; 증언[목격]하다 _____

12 애국자 _____

13 우주 비행사 _____

14 난쟁이 _____

B 다음을 우리말로 옮기시오.

1 a drug addict _____

2 a plastic surgeon _____

3 juvenile literature _____

4 a distant relative _____

5 a presidential candidate _____

6 the heir-at-law _____

7 a pirate publisher _____

8 male subjects for the experiment _____

C 다음 [   ] 안에서 적절한 어휘를 고르시오.

1 The sales [representative / detective] usually makes the preliminary contact with customers.

2 We dream of becoming a business [executive / relative] but are unsure of the path to reach the goal.

3 This pamphlet explains how [athlete / prophet] Mohammed used to perform his prayers.

4 The [personal / personnel] division focuses on recruiting and training high quality employees.

5 The insurance [secretary / intermediary] finds the best match for both the customer and the company.

6 Whitney by nature was opposed to war; she was an [associate / advocate] of peace.

7 If you have a passion for cooking, then it's not too late to become an [apprentice / agent] chef.

EXERCISE

A 영어는 우리말로, 우리말은 영어로 옮기시오.

1 whisper   _____
2 wither   _____
3 administer   _____
4 blunder   _____
5 narrative   _____
6 ponder   _____
7 copper   _____

8 빙하   _____
9 부가물, 첨가제   _____
10 (화산의) 분화구   _____
11 키를 잡다, 조종하다   _____
12 도살, 대량 학살   _____
13 동기, 행위의 원인   _____
14 자극, 유인, 장려금   _____

B 다음을 우리말로 옮기시오.

1 register new students

2 a scarf embroidered in red thread

3 a food preservative

4 encounter an old friend

5 linger to say goodbye

6 exchange and barter

7 shiver with cold

8 the steam-powered locomotive

C 다음 [ ] 안에서 적절한 어휘를 고르시오.

1 There are four [timbers / chambers] in the heart and four heart valves to control blood flow among them.

2 Barry was a smart, energetic man, so he took the [initiative / infinitive] to save the company.

3 From a historical [perspective / preservative], the current situation is a product of social developments.

4 I marveled at how one role model could [altar / alter] the future of young people for the better.

5 The conference drafted the United Nations' [Charter / Barter], and it was signed on June 26, 1945.

6 Companies should focus on information management to achieve their [objection / objectives].

7 Tuition will increase by $100, but the total tuition per [semester / easter] will cost $1,600.

EXERCISE

A 영어는 우리말로, 우리말은 영어로 옮기시오.

1 clarify   _____
2 threaten   _____
3 signify   _____
4 intensify   _____
5 specify   _____
6 strengthen   _____
7 worsen   _____

8 단순화하다, 단일화하다   _____
9 짧게 하다   _____
10 응고시키다, 굳히다   _____
11 자격을 주다, 자격을 얻다   _____
12 귀 멀게 하다   _____
13 길게 하다   _____
14 깨끗이 하다, 정화하다   _____

B 다음을 우리말로 옮기시오.

1 classify books by subject   _____
2 diversify its energy sources   _____
3 Fasten your seat belts.   _____
4 identify handwriting   _____
5 magnify an object   _____
6 modify one's direction   _____
7 gratify one's hunger   _____
8 be horrified at the news   _____

C 다음 [　] 안에서 적절한 어휘를 고르시오.

1 What happens if I do not [justify / testify] in court even after I am summoned?

2 To prevent potential risk to others, [notify / modify] the police of the incident.

3 Showtimes are subject to change. Please call to [verify / unify] the schedule.

4 Stress might raise estrogen levels, which may [frighten / heighten] the risk of breast cancer.

5 After making the chocolate cookies, we placed them in the refrigerator to [harden / hasten] them.

6 It requires that the applicants [terrify / certify] the truth of the information.

7 Congress should take quick action to [lessen / lesson] the impact of the decision.

EXERCISE

A 영어는 우리말로, 우리말은 영어로 옮기시오.

1 stabilize _____   8 입원시키다 _____

2 emphasize _____   9 같게 하다 _____

3 necessitate _____   10 중립화하다, 중성화하다 _____

4 industrialize _____   11 마음을 사로잡다 _____

5 coordinate _____   12 오염시키다 _____

6 fascinate _____   13 장식하다 _____

7 hesitate _____   14 계산하다 _____

B 다음을 우리말로 옮기시오.

1 modernize the facility _____

2 colonize these islands _____

3 concentrate fruit juice _____

4 domesticate wolves as pets _____

5 regulate temperature _____

6 be associated with global warming _____

7 illuminate parking lots at night _____

8 designate a successor _____

C 다음 [   ] 안에서 적절한 어휘를 고르시오.

1 The best way to get bigger, fuller plants in your garden is to [fertilize / generalize] the soil.

2 [Civilize / Organize] a meeting and invite everyone who lives in the neighborhood.

3 [Illuminating / Eliminating] waste is the key to maintaining a productive system.

4 Pain and pleasure [alternate / associate] with each other, so one must suffer pain and also enjoy pleasure throughout his/her life.

5 People would listen for the message of the music or [appreciate / depreciate] its originality.

6 We are a company that specializes in helping small businesses [originate / dominate] the local market.

7 Political parties democratically [nominated / animated] candidates for the elections as required.

EXERCISE

A 영어는 우리말로, 우리말은 영어로 옮기시오.

1	brutal	_____	8 우연한	_____
2	essential	_____	9 인종의	_____
3	symbolic	_____	10 체계적인	_____
4	theoretical	_____	11 의학의	_____
5	mechanical	_____	12 주기적인	_____
6	enthusiastic	_____	13 근본적인, 급진적인	_____
7	ironic	_____	14 의심 많은, 회의적인	_____

B 다음을 우리말로 옮기시오.

1 a neutral nation _____

2 literal translation _____

3 his biological father _____

4 correct grammatical errors _____

5 identical twins _____

6 organic farming _____

7 a cynical smile on one's face _____

8 the characteristic taste of our food _____

C 다음 [   ] 안에서 적절한 어휘를 고르시오.

1 The humid [continental / commercial] climate is found over great expanses in regions of the mid-latitudes.

2 The little girl from New Jersey caught an incredibly rare and [fatal / racial] disease.

3 A [logical / typical] Korean breakfast is not that much different from the other meals of the day.

4 This is a victory achieved at great cost to the victor; a triumph that is a [horizontal / virtual] defeat.

5 An [aesthetic / energetic] person would appreciate beauty and observe it in everything around him.

6 When you use an [optimal / optical] instrument, you're usually trying to make things look bigger.

7 This is a list of nations that do not maintain [diplomatic / scientific] relations with the United States.

EXERCISE

A 영어는 우리말로, 우리말은 영어로 옮기시오.

1 hazardous　_____
2 courteous　_____
3 terrible　_____
4 charitable　_____
5 miserable　_____
6 envious　_____
7 ridiculous　_____

8 들리는　_____
9 주목할 만한　_____
10 유독성의, 독을 함유한　_____
11 신경의, 신경질의　_____
12 양심적인　_____
13 한탄스러운, 슬퍼할　_____
14 괴물 같은　_____

B 다음을 우리말로 옮기시오.

1 be desirous of her success
2 an enormous sum of money
3 win a glorious victory
4 his marvelous invention
5 at a furious pace
6 a gorgeous meal
7 a conspicuous road sign
8 an admirable teacher

C 다음 [　] 안에서 적절한 어휘를 고르시오.

1 I think that Lito Atienza is the most [eligible / edible] man running for Manila mayor.

2 As a candidate for this [horrible / honorable] position, I am here to tell you about myself.

3 Remember that there are always a lot of people who are [jealous / courageous] of a winner.

4 We look forward to working together to achieve the objectives of our [ambiguous / ambitious] plan.

5 In this case, virtue is the ability to judge between [virtuous / virtual] and vicious actions.

6 One of the country's most [notorious / marvelous] criminals has been dealing with tons of drugs.

7 An unidentified man wearing a mask was witnessed stealing many [religious / luxurious] jewels.

EXERCISE

DAY 33

A 영어는 우리말로, 우리말은 영어로 옮기시오.

1 countless ＿＿＿＿＿＿＿＿＿ 　8 시기적절한 ＿＿＿＿＿＿＿＿＿

2 affirmative ＿＿＿＿＿＿＿＿＿ 　9 말 많은 ＿＿＿＿＿＿＿＿＿

3 regardless ＿＿＿＿＿＿＿＿＿ 　10 가능성, 있음직한 일 ＿＿＿＿＿＿＿＿＿

4 merciless ＿＿＿＿＿＿＿＿＿ 　11 나이 많은 ＿＿＿＿＿＿＿＿＿

5 cowardly ＿＿＿＿＿＿＿＿＿ 　12 헐떡이는, 숨이 찬 ＿＿＿＿＿＿＿＿＿

6 destructive ＿＿＿＿＿＿＿＿＿ 　13 값 비싼 ＿＿＿＿＿＿＿＿＿

7 inquisitive ＿＿＿＿＿＿＿＿＿ 　14 생산적인 ＿＿＿＿＿＿＿＿＿

B 다음을 우리말로 옮기시오.

1 alternative energy ＿＿＿＿＿＿＿＿＿＿＿＿＿＿＿＿＿＿＿＿＿＿＿＿＿＿＿

2 a free competitive market ＿＿＿＿＿＿＿＿＿＿＿＿＿＿＿＿＿＿＿＿＿＿＿＿＿＿＿

3 look manly and brave ＿＿＿＿＿＿＿＿＿＿＿＿＿＿＿＿＿＿＿＿＿＿＿＿＿＿＿

4 a ruthless tyrant ＿＿＿＿＿＿＿＿＿＿＿＿＿＿＿＿＿＿＿＿＿＿＿＿＿＿＿

5 a total yearly income ＿＿＿＿＿＿＿＿＿＿＿＿＿＿＿＿＿＿＿＿＿＿＿＿＿＿＿

6 ceaseless rain ＿＿＿＿＿＿＿＿＿＿＿＿＿＿＿＿＿＿＿＿＿＿＿＿＿＿＿

7 worldly wisdom ＿＿＿＿＿＿＿＿＿＿＿＿＿＿＿＿＿＿＿＿＿＿＿＿＿＿＿

8 a quarterly magazine ＿＿＿＿＿＿＿＿＿＿＿＿＿＿＿＿＿＿＿＿＿＿＿＿＿＿＿

C 다음 [　] 안에서 적절한 어휘를 고르시오.

1 Because we have an [instructive / instinctive] desire to reproduce, we are willing to care for children.

2 Mark's team was given a three-month period to carry out the [competitive / comparative] analysis of the U.S. and Korean IT industries.

3 The subject of our discussion was the [distinctive / digestive] features of Islam.

4 If your baby has a [restless / ruthless] night, observe unsettling circumstances that may occur during the day.

5 How many [penniless / priceless] treasures are there in those forgotten temples?

6 The Best Actress award was given to Vanni, who played a [helpless / selfless] woman who lost all her children.

7 I'm a very [lively / likely] and adventurous girl who regards all challenges as opportunities.

EXERCISE

A 영어는 우리말로, 우리말은 영어로 옮기시오.

1 elementary _____
2 monetary _____
3 accurate _____
4 stationary _____
5 compassionate _____
6 significant _____
7 excellent _____

8 청각의 _____
9 일시의, 순간의 _____
10 절망적인; 절박한 _____
11 대략적인 _____
12 순종하는 _____
13 신중한, 조심성 있는 _____
14 사려 깊은 _____

B 다음을 우리말로 옮기시오.

1 a voluntary confession _____
2 compulsory education _____
3 complementary relation _____
4 for no apparent reason _____
5 an urgent meeting _____
6 corporate property _____
7 an abundant harvest _____
8 elegant furnishings _____

C 다음 [ ] 안에서 적절한 어휘를 고르시오.

1 Fasting during Ramadan is an [imaginary / obligatory] duty under Islam.

2 Japan is usually associated with its kimonos and [delicate / separate] manners.

3 Efforts should be made to prevent [arbitrary / literary] decision-making by an individual.

4 The weather of the British Isles is an example of a [temperate / temporal] climate.

5 He stood on the river bank and gave a very moving and [fortunate / passionate] speech to the crowd.

6 Canadians are most concerned about having [frequent / sufficient] income and leading a healthy lifestyle.

7 Because of its unpleasant and unique smell, I am [reluctant / ignorant] to eat squid.

(*squid 오징어)

EXERCISE

A 영어는 우리말로, 우리말은 영어로 옮기시오.

1 selfishness _____ 8 용서 _____

2 loneliness _____ 9 부주의 _____

3 eagerness _____ 10 텅 빈 _____

4 fitness _____ 11 대담한 _____

5 awareness _____ 12 불면증 _____

6 thoughtfulness _____ 13 길이 _____

7 friendliness _____ 14 탄생 _____

B 다음을 우리말로 옮기시오.

1 willingness to pay _____

2 the abruptness of action _____

3 the bitterness of beer _____

4 the states of consciousness _____

5 the level of alertness _____

6 do a good action by stealth _____

7 the width of the road _____

8 the depth of the river _____

C 다음 [　] 안에서 적절한 어휘를 고르시오.

1 While they may have the [unwillingness / willingness] to pay, they mostly don't have the ability to do so.

2 Mr. Jackson has to overcome his innate [boldness / shyness] if he wants to socialize with his coworkers.

3 The [abruptness / absoluteness] of the Pope could not be challenged. (*Pope 교황)

4 At midnight on the hill, I heard the thunder fill the [stillness / stir] of the night.

5 An awkward [noise / silence] might occur when nobody has anything to say.

6 You can relax in this lounge while you enjoy the [coldness / warmth] of the sun.

7 Running up hills is one of the most effective ways to build up your [longevity / strength] and stamina.

EXERCISE

A 영어는 우리말로, 우리말은 영어로 옮기시오.

1 allowance _____
2 ignorance _____
3 maintenance _____
4 assurance _____
5 jewelry _____
6 slavery _____
7 disturbance _____

8 모성애 _____
9 거짓말, 허위 _____
10 소유권 _____
11 관계 _____
12 생계, 살림 _____
13 상처, 부상 _____
14 강도 _____

B 다음을 우리말로 옮기시오.

1 a ticket for a performance
2 the severance of diplomatic relations
3 fire insurance and life insurance
4 in all likelihood
5 commit burglary
6 face one's adversary
7 the Royal Greenwich Observatory
8 financial hardship

C 다음 [　] 안에서 적절한 어휘를 고르시오.

1 The new [censorship / citizenship] law seems to be a serious threat to free speech.

2 At age twenty, he received an [inheritance / livelihood] from an aunt whom he had cared for.

3 She readily accepted his proposal after a brief [dictatorship / courtship].

4 Tiki came to the hospital to give birth, but she is not in the [abortion / delivery] room now.

5 Jefferson was found guilty of [bribery /bride] and misuse of government property for personal use.

6 In this course, you will learn how to train for both physical and mental [endurance / insurance].

7 I tried to find his phone number in the telephone [directory / direction], but his number was not listed.

EXERCISE

DAY 37

A 영어는 우리말로, 우리말은 영어로 옮기시오.

1 familiarity _____
2 certainty _____
3 originality _____
4 fragility _____
5 prosperity _____
6 shortage _____
7 criticism _____

8 다양성 _____
9 자유 _____
10 대다수 _____
11 사회주의 (운동) _____
12 유기체, 생물체 _____
13 고아, 부모가 없는 아이 _____
14 수도; 대문자; 자본 _____

B 다음을 우리말로 옮기시오.

1 a child care facility _____
2 hostility toward new neighbors _____
3 novelty of her poetry _____
4 national security _____
5 pay one's public utility bills _____
6 the leakage of confidential information _____
7 the bondage of social convention _____
8 warranty service for the product _____

C 다음 [   ] 안에서 적절한 어휘를 고르시오.

1 I remember her beautiful blonde hair, warm smile and her kind [hospitality / hostility].

2 The child [obesity / absurdity] rate is twice as high as that of adults in the U.S.A.

3 Decisions are adopted by the [majority / minority] of the votes cast in the meeting.

4 The [abolition / warranty] of nuclear weapons is rising on the international agenda.

5 He turned down the job offer because of the high [intensity / fragility] of labor, not the low pay.

6 The population [density / scarcity] increased in all states between 1991 and 2001.

7 Despite the [commercialism / capitalism] of the Olympics, they are considered to bring all the people on earth together.

EXERCISE

A 영어는 우리말로, 우리말은 영어로 옮기시오.

1 equipment _____
2 announcement _____
3 assignment _____
4 fortitude _____
5 magnitude _____
6 armament _____
7 amusement _____

8 정부, 지배 _____
9 투자 _____
10 포옹하다; 수용하다 _____
11 처벌하다 _____
12 명령하다 _____
13 다수, 군중 _____
14 감사(하는 마음) _____

B 다음을 우리말로 옮기시오.

1 one's academic achievement _____
2 a strong attachment to one's family _____
3 his logical argument _____
4 constitutional amendment _____
5 an aptitude for painting _____
6 the northern latitude _____
7 live in solitude _____
8 satisfy many requirements _____

C 다음 [ ] 안에서 적절한 어휘를 고르시오.

1 Her flower [arrangement / disorder] is very sophisticated, artistic and stylish.

2 Dry skin can cause a painful skin [ailment / ointment] if you leave it untreated.

3 The [concealment / exposure] of her true feelings has led to general mistrust.

4 If your arms are significantly different in length, [amend / measure] each arm.

5 The average [altitude / attitude] of this town is 2300 m (7666 feet) above sea level.

6 She had to decline the role in a new thriller owing to her previous [commandment / commitment] to another movie.

7 If you take early [employment / retirement], will you have enough to live on at the standard of living you desire?

EXERCISE

A 영어는 우리말로, 우리말은 영어로 옮기시오.

1 exposure   _____

2 closure   _____

3 creature   _____

4 height   _____

5 complaint   _____

6 emphasis   _____

7 offense   _____

8 지출, 소비   _____

9 압축, 압력   _____

10 문학, 문예   _____

11 건축가   _____

12 농업, 농경   _____

13 증거, 증명   _____

14 생존, 살아남음   _____

B 다음을 우리말로 옮기시오.

1 the erasure of computer files

2 modern architecture

3 put his signature on a petition

4 rights to the pursuit of happiness

5 through military conquest

6 burial in a cemetery

7 dismissal from school

8 an accurate portrayal of the war

C 다음 [　　] 안에서 적절한 어휘를 고르시오.

1 The speech was an attempt to gain public [approval / refusal] and support for their policies.

2 He had been suspected of having commited crime, but evidence of his [guilt / innocence] was found.

3 Carpets can absorb [moisture / posture] and serve as a place for biological pollutants to grow.

4 I suggested we develop a new line of tablet PCs, but they turned down my [portrayal / proposal].

5 Lots of controversy regarding the judges' decision is still going on, even though they say their judgment was based on an objective [appraisal / approval].

6 The World Bank suggests the [preserve / removal] of trade barriers to boost trade among South Asian nations.

7 An erect [exposure / posture] looks very nice, but it is impossible to sit this way for a long time.

EXERCISE

A 영어는 우리말로, 우리말은 영어로 옮기시오.

1 description _____
2 exhibition _____
3 repetition _____
4 restriction _____
5 fluency _____
6 resolution _____
7 aviation _____

8 진화 _____
9 협상 _____
10 사생활 _____
11 시위; 증명 _____
12 비상사태 _____
13 정확, 정밀도 _____
14 대행자, 대리인 _____

B 다음을 우리말로 옮기시오.

1 a strong sugar solution _____
2 an application form _____
3 manual occupation _____
4 the legitimacy of one's claim _____
5 a high literacy rate _____
6 the efficiency of one's work _____
7 intimacy between teachers and students _____
8 the present administration _____

C 다음 [　] 안에서 적절한 어휘를 고르시오.

1 She wants to write a brief note of [assumptions / congratulations] on your promotion.

2 Buddha taught his disciples how to seek peace through [medication / meditation].

3 If we have no [privacy / vacancy], we will help you find another place.

4 In order to stay healthy, it is very important to have good blood [circulation / revolution].

5 No one seemed to know anything about her, nor have any [opposition / recollection] of meeting her.

6 [Negotiation / Opposition] party critics made negative comments on the policies of the government.

7 The fortune-teller's [frequency / prophecy] was different from what really happened.

EXERCISE

A 영어는 우리말로, 우리말은 영어로 옮기시오.

1 foundation _____

2 relaxation _____

3 narration _____

4 fusion _____

5 aggression _____

6 obsession _____

7 commission _____

8 분할 _____

9 유혹 _____

10 중독시키다 _____

11 회전, (지구의) 자전; 교대 _____

12 연속적인 _____

13 직업; 공언, 고백 _____

14 입장, 입학 (허가); 입장료 _____

B 다음을 우리말로 옮기시오.

1 rapid language acquisition _____

2 an operation on one's lungs _____

3 a sanitation worker _____

4 illustrations of the book _____

5 the revelation of the contents _____

6 governmental institutions _____

7 a sense of alienation _____

8 lose one's possessions _____

C 다음 [   ] 안에서 적절한 어휘를 고르시오.

1 The street vendors sell a collection of shoes that are exact [imitations / limitations] of the original.

2 The police officer ordered him to pull over and gave him a ticket for a traffic [imagination / violation].

3 The economic [recess / recession] badly affected many nations worldwide.

4 I believed that my husband would be able to overcome his [addiction / information] to alcohol.

5 The royal family's hereditary rights are controlled by [succession / confession] and marriage laws.

6 We consented to the [vocation / suggestion] that each freshman living in the dormitory should have a senior roommate.

7 Your stomach produces acid to help with the [digestion / explanation] of food and to kill bacteria.

A 영어는 우리말로, 우리말은 영어로 옮기시오.

1 germinate _____

2 metropolis _____

3 masterpiece _____

4 nutrition _____

5 normalize _____

6 practical _____

7 medication _____

8 전문가, 숙달자 _____

9 주인, 거장 _____

10 영양소, 영양제 _____

11 장수; 수명 _____

12 민감한 _____

13 다양한 _____

14 후한, 관대한 _____

B 다음을 우리말로 옮기시오.

1 Memorial Day _____

2 respective owners _____

3 a confidential report _____

4 a momentary impulse _____

5 medicinal plants _____

6 organic foods _____

7 considerate neighbors _____

8 a railway junction _____

C 다음 [   ] 안에서 적절한 어휘를 고르시오.

1 The U.S.-China [economic / economical] relationship is mutually beneficial.

2 A [credible / credulous] person is apt to believe nearly anything even with little evidence.

3 James and Robert always fight over the food. I think it's selfish and [childish / childlike] behavior.

4 The [industrial / industrious] kids at school will become diligent adults at work.

5 Tonight on Channel 3, Uncle Sean will share with you his top 3 [favorable / favorite] recipes for Thanksgiving.

6 Down Syndrome is a kind of [generous / genetic] disorder associated with intellectual disability.

7 She is a truly [imaginable / imaginative] poet, whose poems are viewed as highly inspiring by many critics.

EXERCISE

A 영어는 우리말로, 우리말은 영어로 옮기시오.

1 hydrogen   _____

2 nitrogen   _____

3 homogeneous   _____

4 generation   _____

5 generosity   _____

6 antibiotic   _____

7 suspicion   _____

8 유전(인)자   _____

9 산소   _____

10 견본, 표본   _____

11 국면, 양상, 전망   _____

12 검사   _____

13 생태학   _____

14 자서전   _____

B 다음을 우리말로 옮기시오.

1 generate heat

2 genetic engineering

3 a generous bonus

4 human ingenuity

5 a degree in microbiology

6 biomechanical features

7 the biochemistry of the body

8 genuine leather

C 다음 [ ] 안에서 적절한 어휘를 고르시오.

1 If you [retrospect / suspect] a gas leak in your home, call your local gas company.

2 The technician gave me [suspicious / specific] instructions on how to use the vaccine software.

3 In [perspective / retrospect], the last 20 years have been our company's golden age.

4 Students will be dissecting frogs in the next [biology / biography] class.

5 If it is [generous / genuine] writing by Aristotle, then it is of great significance.

6 One of her sons later became a writer and wrote a [bioecology / biography] of his mother.

7 Almost all of the nouns in Spanish have either masculine or feminine [genetics / gender] for grammatical purposes.

EXERCISE

A 영어는 우리말로, 우리말은 영어로 옮기시오.

1 ferry _____
2 preferable _____
3 conference _____
4 triple _____
5 inference _____
6 implication _____
7 supply _____

8 풍부, 다량, 충분한 양 _____
9 완전히 _____
10 보충하다; 보충물; (문법) 보어 _____
11 이루다, 성취하다, 완성하다 _____
12 벽장, 작은 방, 서재 _____
13 동봉된 것; 포위 _____
14 결론 _____

B 다음을 우리말로 옮기시오.

1 transfer to another school _____
2 refer to the boy as "my son" _____
3 an implicit promise _____
4 complicate matters _____
5 make a compliment on one's success _____
6 disclose a secret _____
7 enclose a check with a letter _____
8 hold a press conference _____

C 다음 [　] 안에서 적절한 어휘를 고르시오.

1 I tried to [defer / infer] departure so as to make sure everything was complete.

2 [Barren / Fertile] soil is a mixture of water, air, minerals, and organic matter.

3 You should be able to [infer / imply] the meaning of a word from the context without using a dictionary.

4 I think that [excluding / including] the elderly is in a sense denying the past.

5 In the Netherlands, taxi fares [conclude / include] tax and tips by law.

6 The council recognized the contribution of Dr. Smith and [conferred / transferred] a medal on her.

7 Earlier this year, the writer signed an [exclusive / secluded] contract with an overseas publisher.

EXERCISE

A 영어는 우리말로, 우리말은 영어로 옮기시오.

1 fluency ＿＿＿＿＿＿＿

2 posture ＿＿＿＿＿＿＿

3 deposit ＿＿＿＿＿＿＿

4 suppose ＿＿＿＿＿＿＿

5 composition ＿＿＿＿＿＿＿

6 production ＿＿＿＿＿＿＿

7 seduction ＿＿＿＿＿＿＿

8 비행, 날기; 항공편 ＿＿＿＿＿＿＿

9 유동체; 유동성의 ＿＿＿＿＿＿＿

10 둥둥 뜨다, 표류하다 ＿＿＿＿＿＿＿

11 긍정적인; 적극적인; 양성인 ＿＿＿＿＿＿＿

12 줄이다, 축소하다 ＿＿＿＿＿＿＿

13 생산하다 ＿＿＿＿＿＿＿

14 자세를 취하다; 자세 ＿＿＿＿＿＿＿

B 다음을 우리말로 옮기시오.

1 fluctuate in numbers

2 an influenza warning

3 flush with anger

4 impose a fine on someone

5 a composer of a musical

6 The medicine induces sleep.

7 an assistant conductor

8 reproduction of new cells

C 다음 [　　] 안에서 적절한 어휘를 고르시오.

1 I'm looking for a [fluent / fluid] speaker of English to correct my essay.

2 After the rebel was defeated, he was forced to [flee / plead] for refuge to the mountains.

3 All the [components / composers] of a machine should be the correct size and weight.

4 Ask the original painters for permission before you [reduce / reproduce] a picture.

5 You cannot [conduct / seduce] a tour in the Niagara Parks without a valid guide license.

6 There are some simple steps to keep in mind when you [dispose / retain] of trash while hiking.

7 The cancer experts are warning that flavored tobacco products might [distract / seduce] the young people.

EXERCISE

A 영어는 우리말로, 우리말은 영어로 옮기시오.

1 emission _____ 8 대륙, 육지, 본토 _____
2 predecessor _____ 9 성공하다; 연속하다 _____
3 transmit _____ 10 진행, 과정 _____
4 mission _____ 11 입장 허가, 입장료 _____
5 excellence _____ 12 포함하다, 담다 _____
6 attain _____ 13 상속자, 후계자 _____
7 maintain _____ 14 나아가다, 전진하다 _____

B 다음을 우리말로 옮기시오.

1 retain nuclear weapons _____
2 commit suicide _____
3 abstain from voting _____
4 precede all others _____
5 submit a term paper _____
6 be content with the result _____
7 download contents on mobile phones _____
8 obtain approval from the government _____

C 다음 [　] 안에서 적절한 어휘를 고르시오.

1 I'm sorry that it is hard to [submit / sustain] a family on a policeman's salary.

2 I was glad that the editor [emitted / omitted] only one sentence from a paragraph in my article.

3 I'm proud that my eldest daughter [excels / recedes] in English and Chinese.

4 [Excessive / Successive] weight gain for pregnant mothers may also cause problems for their babies.

5 We started selling goods over the Internet on [commission / mission].

6 When there is an economic [recession / succession], we expect to see a rising unemployment rate.

7 Please use the [access / excess] road behind the building since the main one is under repair.

EXERCISE

A 영어는 우리말로, 우리말은 영어로 옮기시오.

1 track _____
2 aggression _____
3 venture _____
4 revenue _____
5 trace _____
6 avenue _____
7 regress _____

8 끌어내다, 발췌하다 _____
9 매력 _____
10 추상적인; 요약하다 _____
11 졸업하다; 학사, 졸업생 _____
12 막다, 예방하다 _____
13 발명하다, 고안하다 _____
14 모험 _____

B 다음을 우리말로 옮기시오.

1 an attractive appearance _____
2 a contract worker _____
3 retreat from the border _____
4 the main ingredients of kimchi _____
5 ventilate the work area _____
6 the convention center _____
7 scientific progress _____
8 a summer retreat _____

C 다음 [   ] 안에서 적절한 어휘를 고르시오.

1 It was quite surprising that he had difficulty [multiplying /subtracting] six from thirteen.

2 Through our dog training program, you can stop your dog's [aggressive / negative] behavior.

3 I have a problem with the air [vent / venture] that comes from outside into my kitchen.

4 This article discusses how children adapt to social [conventions / convictions].

5 I expect to get used to my new working environment by [degrees / graduation].

6 All players who stay with the same team over time will get a [gradual / graduate] raise in their salaries.

7 We hope that honesty and clean politics are core values of the [Conventional / Progressive] Party.

EXERCISE

A 영어는 우리말로, 우리말은 영어로 옮기시오.

1 intercourse _____
2 curriculum _____
3 concur _____
4 consensus _____
5 sympathy _____
6 sentiment _____
7 apathy _____

8 반감 _____
9 이심전심 _____
10 민감한 _____
11 분별력 있는 _____
12 발생하다; (머리에) 떠오르다 _____
13 향기, 냄새; 냄새 맡다 _____
14 재발, 반복 _____

B 다음을 우리말로 옮기시오.

1 concur with one's view _____
2 discourse on education _____
3 sentence him to 5 years of imprisonment _____
4 my empathy with the elderly _____
5 compassion for the sick _____
6 passion for learning _____
7 a heart patient _____
8 current news _____

C 다음 [   ] 안에서 적절한 어휘를 고르시오.

1 Electric [intercourse / current] strongly affects the body when it flows through it.

2 He believed that any government would [consent / conserve] to the suggestion.

3 Even though it's a rock song, I listen to it as if it's a [sentimental / sympathetic] song.

4 Teachers should be [patient / passionate] with children who challenge them.

5 Once the executives have given their [assent / sensation] to the proposal, we can begin the project.

6 I advised him to consult a psychiatrist because he has been suffering from [concurring / recurring] nightmares.

7 You can go on an [excursion / execution] to some of the world's most famous sites.

EXERCISE

A 영어는 우리말로, 우리말은 영어로 옮기시오.

1 receipt　　　　＿＿＿＿＿＿＿

2 exception　　　＿＿＿＿＿＿＿

3 deceit　　　　＿＿＿＿＿＿＿

4 conceive　　　＿＿＿＿＿＿＿

5 tactile　　　　＿＿＿＿＿＿＿

6 tackle　　　　＿＿＿＿＿＿＿

7 perception　　＿＿＿＿＿＿＿

8 자부심, 자만　　　　　＿＿＿＿＿＿＿

9 가라앉다, 침전하다　　＿＿＿＿＿＿＿

10 주거, 거주　　　　　＿＿＿＿＿＿＿

11 붙이다, 첨부하다; 달라붙다＿＿＿＿＿＿＿

12 공격하다; 공격　　　＿＿＿＿＿＿＿

13 의장 노릇하다, 사회를 보다＿＿＿＿＿＿＿

14 도중에 가로채다　　　＿＿＿＿＿＿＿

B 다음을 우리말로 옮기시오.

1 conceive a plan　　　　　＿＿＿＿＿＿＿＿＿＿＿＿＿＿＿＿

2 accept a proposal　　　　＿＿＿＿＿＿＿＿＿＿＿＿＿＿＿＿

3 preside at a meeting　　　＿＿＿＿＿＿＿＿＿＿＿＿＿＿＿＿

4 sediment in the deep ocean＿＿＿＿＿＿＿＿＿＿＿＿＿＿＿＿

5 sedentary work　　　　　＿＿＿＿＿＿＿＿＿＿＿＿＿＿＿＿

6 a regular session of the Assembly＿＿＿＿＿＿＿＿＿＿＿＿＿

7 tangible evidence　　　　＿＿＿＿＿＿＿＿＿＿＿＿＿＿＿＿

8 detach a lens from a camera＿＿＿＿＿＿＿＿＿＿＿＿＿＿＿

C 다음 [　　] 안에서 적절한 어휘를 고르시오.

1 My dog is a good watch dog because he can [deceive / perceive] anything by his ears.

2 An archaeologist has accidentally found the [intact / tangible] tomb of an Egyptian.

3 A crisis in one region can spread by [conclusion / contagion] to other regions.

4 The affection one feels for another is an abstract [concept / contact].

5 Children under five accounted for 4.8% of the [resident / rodent] population of the city.

6 Don't be [deceived / discouraged] by appearance; you should know the true essence that lies beneath.

7 The massive oil spill [contaminated / preserved] a river that was a vital water source for many people.

EXERCISE

A 영어는 우리말로, 우리말은 영어로 옮기시오.

1 dose   _____

2 anecdote   _____

3 oppression   _____

4 proclaim   _____

5 repress   _____

6 claim   _____

7 exclamation   _____

8 감동시키다   _____

9 회의, 의회(시의회 등), 위원회   _____

10 기부하다   _____

11 용서하다   _____

12 (약의) 지나친 투여   _____

13 신문 기자   _____

14 인상적인, 감동을 주는   _____

B 다음을 우리말로 옮기시오.

1 gain worldwide acclaim

2 the clamor of the market

3 render me helpless

4 press freedom

5 sink into a deep depression

6 express one's concern

7 disclaim all responsibility

8 exclaim in delight

C 다음 [ ] 안에서 적절한 어휘를 고르시오.

1 Ms. Price has offered to [deprive / endow] the school with computers.

2 Do you know how to [compress / expand] files before sending them via e-mail?

3 It took a long time for me to find the exit on the [expressway / terminal].

4 High blood [depression / pressure] is a serious condition that can lead to heart disease.

5 You can also make a [deprivation / donation] directly to the Red Cross in your country.

6 I would get very excited one minute and sink into a deep [depression / suppression] the next.

7 When one makes a first [expression / impression], body language as well as appearance plays an important role.

EXERCISE

A 영어는 우리말로, 우리말은 영어로 옮기시오.

1 inspire　　　＿＿＿＿＿＿

2 respire　　　＿＿＿＿＿＿

3 perspiration　＿＿＿＿＿＿

4 contradict　　＿＿＿＿＿＿

5 dedication　　＿＿＿＿＿＿

6 expiration　　＿＿＿＿＿＿

7 dictator　　　＿＿＿＿＿＿

8 정신, 영혼　　＿＿＿＿＿＿

9 사전　　　　　＿＿＿＿＿＿

10 예언　　　　　＿＿＿＿＿＿

11 논리적인　　　＿＿＿＿＿＿

12 독백　　　　　＿＿＿＿＿＿

13 사죄, 사과　　＿＿＿＿＿＿

14 대화, 회담, 토론　＿＿＿＿＿＿

B 다음을 우리말로 옮기시오.

1 artificial respiration

2 draw inspiration from a novel

3 a dictation test

4 the benediction at the end of Mass

5 dedicate one's life

6 a colloquial expression

7 an eloquent speaker

8 the epilogue of the book

C 다음 [　] 안에서 적절한 어휘를 고르시오.

1 You should request an extension or it will [expire / retire] at the end of this month.

2 As revealed in the trial, we haven't [conspired / respired] to overthrow the government.

3 Bloggers all over the world tried to [contradict / predict] the outcome of the World Cup beforehand.

4 Your argument is unreasonable as it is based on black-or-white [epilogue / logic].

5 Mass [psychology / physiology] is the study of group behavior.

6 These signs [dedicate / indicate] the direction and distance to the city center.

7 The researcher has taken a drop of [inspiration / perspiration] from the body of each of these men.

EXERCISE

A 영어는 우리말로, 우리말은 영어로 옮기시오.

1 script _____

2 subscription _____

3 prescription _____

4 equalize _____

5 equilibrium _____

6 finale _____

7 equivalence _____

8 (편지의) 추신 _____

9 적도, 주야 평분선 _____

10 정의, 한정, 명확 _____

11 마지막으로, 최종으로 _____

12 어울리는, 적당한 _____

13 묘사, 설명 _____

14 끝내다, 완성하다 _____

B 다음을 우리말로 옮기시오.

1 subscribe to a magazine _____

2 describe a scene _____

3 racial equality _____

4 equivalent to the size of Canada _____

5 an equivocal answer _____

6 infinite universe _____

7 a definite answer _____

8 a close affinity between Italian and Spanish _____

C 다음 [　] 안에서 적절한 어휘를 고르시오.

1 We [inscribed / prescribed] in the monument the names of the men who died in the war.

2 Currently, doctors usually [prescribe / transcribe] medicine to a patient for each disease.

3 The original [manuscript / postscript] of Einstein's theory of relativity has gone on display.

4 A chemical [equality / equation] is a way to describe what goes on in a chemical reaction.

5 We must recognize air, water and land as [finite / infinite] resources and cherish them.

6 It is inhumane to [confine / define] animals in small cages in which they can't even move.

7 When you [define / refine] a word, be concise: the shorter the definition, the easier it is to remember.

EXERCISE

A 영어는 우리말로, 우리말은 영어로 옮기시오.

1 fortify _____
2 reservoir _____
3 preservative _____
4 transformation _____
5 formulate _____
6 conformity _____
7 format _____

8 노력, 수고 _____
9 천문대, 관측소, 전망대 _____
10 보존, 예비, 예약 _____
11 보수적인; 보수주의자 _____
12 형식상의, 정식의 _____
13 일정한 형식, 공식 _____
14 정보 _____

B 다음을 우리말로 옮기시오.

1 a massive fort _____
2 comfort the wounded _____
3 police enforcement _____
4 reinforce the barriers _____
5 observe laws _____
6 environmental preservation _____
7 an educational reform _____
8 conserve natural resources _____

C 다음 [　] 안에서 적절한 어휘를 고르시오.

1 He was awarded a medal for his [reform / fortitude] in the battle.

2 Police announced they would [enforce / force] the law courteously and appropriately.

3 Hotel reservation software helps anyone [reserve / preserve] rooms at a hotel.

4 Have a lovely holiday next week. You [deserve / observe] it!

5 Vitamins assist the body in [transmitting / transforming] food into energy.

6 When I was young, I learned that human beings don't always [conform / inform] to rules.

7 The general gathered an elite army of 400 men and moved constantly in a battle [formation / formula].

EXERCISE

A 영어는 우리말로, 우리말은 영어로 옮기시오.

1 maximum   _____
2 major   _____
3 magnify   _____
4 staff   _____
5 standpoint   _____
6 estate   _____
7 install   _____

8 상, 조각상   _____
9 소수, 소수민족   _____
10 안정, 안정성   _____
11 위치, 정거장; 방송국   _____
12 상태; 국가, 주; 진술하다   _____
13 표준, 기준   _____
14 최소한도   _____

B 다음을 우리말로 옮기시오.

1 diminish in speed   _____
2 a magnificent spectacle   _____
3 the magnitude of a problem   _____
4 the current status   _____
5 under the present circumstances   _____
6 an obstinate personality   _____
7 constitute the majority of the workers   _____
8 amend the Constitution   _____

C 다음 [ ] 안에서 적절한 어휘를 고르시오.

1 The device can detect a [magnificent / minute] amount of water that may exist on the Moon.

2 Unlike current electricity, [dynamic / static] electricity stays in one place.

3 Economists say that [moving / stable] housing prices are crucial to an economic recovery.

4 Usually, the biggest [obstacle / obstinacy] to success does not lie outside, but inside you.

5 Jerry proposed [constituting / establishing] a university to improve schooling in Delaware.

6 We examined several insects under a [microscope / observatory] in biology class.

7 Official [institute / statistics] of population are based on births, deaths, migrations, marriages and divorces.

EXERCISE

A 영어는 우리말로, 우리말은 영어로 옮기시오.

1 median _____
2 mediation _____
3 convert _____
4 reversible _____
5 conversely _____
6 diversity _____
7 corruption _____

8 (자동차가) 접는 포장이 달린 _____
9 담화를 나누다; 정반대의 _____
10 방해 _____
11 중간, 매개(물) _____
12 파산한, 무일푼의 _____
13 중간의, 중간시험 _____
14 중세의 _____

B 다음을 우리말로 옮기시오.

1 mediate a strike _____

2 an intermediate course _____

3 interrupt an electric current _____

4 the film version of a novel _____

5 converse with a queen _____

6 reflect diverse opinions _____

7 vertical stripes _____

8 erupt from a crater _____

C 다음 [　　] 안에서 적절한 어휘를 고르시오.

1 When the northern [antarctic / hemisphere] is in summer, the southern is in winter.

2 Driving in [diverse / reverse] gear does not come naturally to most people.

3 Our coverage aims to reflect [diverse / abrupt] opinions and offer in-depth analysis.
(*coverage 보도, 취재)

4 It is our clear view that cyberthreats can [disrupt / erupt] our society.

5 It is not easy to give a satisfactory answer to this [abrupt / deliberate] question.

6 Can you tolerate a(n) [corrupt / upright] official as long as he did good for the public as a whole?

7 The [Mediterranean / Pacific] Sea is a part of the Atlantic Ocean enclosed almost completely by land.

EXERCISE

A 영어는 우리말로, 우리말은 영어로 옮기시오.

1 thermometer _____

2 immense _____

3 geometry _____

4 compulsion _____

5 impulsive _____

6 counterpart _____

7 apartheid _____

8 맥박, 고동; 맥이 뛰다 _____

9 꾸러미, 소포 _____

10 학과, 분야, 부서 _____

11 극소량, 미립자 _____

12 부분적인, 불공평한 _____

13 참가하다 _____

14 칸막이, 경계벽; 분할, 구획 _____

B 다음을 우리말로 옮기시오.

1 measure a piece of ground

2 a three-dimensional film

3 the barometer of public opinion

4 6 meters in diameter

5 expel an invader

6 compel obedience

7 an impelling force

8 resist the impulse to laugh

C 다음 [   ] 안에서 적절한 어휘를 고르시오.

1 You need to take the [barometer / dimensions] of the room before you paint it.

2 More surgery can improve the [diameter / symmetry] between the two sides of the face.

3 The purpose of the dinner is to [parcel / partake] of a meal with colleagues.

4 Mac proposed that they use lavender oil to [attract / repel] mosquitoes.

5 It is exceptionally hard to [halt / propel] the aircraft forward in such a situation.

6 Children over the age of five and under the age of 16 are required to get [compulsory / voluntary] education.

7 The first class [compartment / department] of a long-distance train is the highest class of comfort offered to the public.

EXERCISE

A 영어는 우리말로, 우리말은 영어로 옮기시오.

1 parasite _____
2 terrain _____
3 terrace _____
4 labor-saving _____
5 collaborate _____
6 manipulation _____
7 manual _____

8 나란히 가다; 평행하는; 평행선 _____
9 매장하다 _____
10 지리학자 _____
11 지질학자 _____
12 노동 _____
13 실험실 _____
14 제조하다 _____

B 다음을 우리말로 옮기시오.

1 paraphrase one's speech _____
2 a parachute descent _____
3 plane geometry _____
4 terrestrial heat _____
5 manual worker _____
6 manifest errors _____
7 manipulate public opinion _____
8 bimanual activities, such as playing the piano _____

C 다음 [　] 안에서 적절한 어휘를 고르시오.

1 You may move or delete this [paradox / paragraph], but the whole content cannot be changed.

2 Around 400 BC, the Persians were powerful and ruled an immense [terrace / territory].

3 "More haste, less speed" is a well-known [paradise / paradox].

4 Keeping the garden tidy all year round can be a [effortless / laborious] job.

5 In some cases, strong electric current can [heal / paralyze] the nerves and stop the beating of the heart.

6 This book is the result of the [collaboration / conflict] of four authors, including a university president.

7 The Korean peninsula is surrounded by 3 oceans, and the [geography / geology] of Korea looks like a shape of a tiger.

EXERCISE

A 영어는 우리말로, 우리말은 영어로 옮기시오.

1 prejudice _____
2 justification _____
3 privilege _____
4 legislate _____
5 terminator _____
6 extermination _____
7 revive _____

8 정의; 사법, 재판 _____
9 판단하다; 재판관, 판사 _____
10 만료일, 기간, 학기 _____
11 결단력 있는 _____
12 살충제 _____
13 생명 유지에 필요한, 필수적인 _____
14 부상, 상처, 상해 _____

B 다음을 우리말로 옮기시오.

1 a just price _____
2 the legal profession _____
3 a determinate answer _____
4 justify one's actions _____
5 herbicide-resistant weeds _____
6 vivid description _____
7 invigorate the debate _____
8 Rock, Scissors, Paper _____

C 다음 [　] 안에서 적절한 어휘를 고르시오.

1 She had to morally [accuse / justify] her actions to others, and to herself as well.

2 All these lung cancer symptoms occur in the [terminate / terminal] stage of cancer.

3 I still can't [determine / vivify] what to do with my life.

4 There are many ways to [determine / exterminate] pests but the best one is to keep your home clean.

5 Do not spray [insecticide / suicide] directly on plants or flowers.

6 His physical disability did not lessen the [barrier / vigor] of his mind.

7 What happened when anti-immigration [legislation / privilege] stopped Asian workers from coming to the U.S.?

EXERCISE

A 영어는 우리말로, 우리말은 영어로 옮기시오.

1 decapod _____
2 centipede _____
3 priority _____
4 import _____
5 support _____
6 biped _____
7 pedicure _____

8 문어, 낙지 _____
9 영장류 _____
10 최초의, 주요한 _____
11 제1의, 주요한; 교장 _____
12 수출하다 _____
13 원리, 원칙 _____
14 문지기, 수위; 짐꾼, (호텔의) 포터 _____

B 다음을 우리말로 옮기시오.

1 use tripod and zoom lens _____
2 a bridge for bikes and pedestrians _____
3 prime minister _____
4 stem cell experiments on primates _____
5 primitive society _____
6 stick to one's principles _____
7 transport goods _____
8 portfolio income _____

C 다음 [　] 안에서 적절한 어휘를 고르시오.

1 Normally, we feel it difficult to [pedal / pebble] bicycles uphill.

2 She is absent today because she has a [prior / posterior] engagement.

3 I'm looking for a(n) [edible / portable] TV that I can connect to my mini DVD player.

4 It is widely believed that smoking is the [principal / principle] cause of lung cancer.

5 We offer the Caribbean Sea [expedition / exploitation] with scuba diving, whale watching and kayaking.

6 People in [primary / primitive] society did not distinguish between medicine, magic, and religion.

7 Students without cars have to walk about a mile to get to the nearest public [transplant / transportation].

EXERCISE

A 영어는 우리말로, 우리말은 영어로 옮기시오.

1 reflection _____

2 deflection _____

3 flexibility _____

4 reflector _____

5 temporal _____

6 synchronize _____

7 torrent _____

8 빠르기, 박자, 속도 _____

9 돌풍; 폭발 _____

10 공간의 _____

11 미풍, 산들바람 _____

12 폭풍우 _____

13 태풍 _____

14 (육상·민물 종류의) 거북 _____

B 다음을 우리말로 옮기시오.

1 reflex reaction _____

2 flexible working hours _____

3 the contemporary novel _____

4 a historical anachronism _____

5 reflect on the past _____

6 endure horrible torture _____

7 suffer mental torment _____

8 a tornado warning _____

C 다음 [   ] 안에서 적절한 어휘를 고르시오.

1 Malala Yousafzai, a Pakistani social activist, is one of our [temporary / contemporary] heroes who are trying to make a better world.

2 A [chronicle / chronic] disease can be stressful and may change the way a person lives.

3 Jerry flushed with anger and started to make a sharp [retort / retreat] to his boss.

4 A citizen claimed that the documentaries [distorted / distracted] the truth.

5 Companies are offering employees chances to work at home through "[flex / rigid] time."

6 I believe that the media should [deflect / reflect] public opinion, rather than manipulate it.

7 [Permanent / Temporary] workers may work full-time or part-time, depending on the individual case.

299

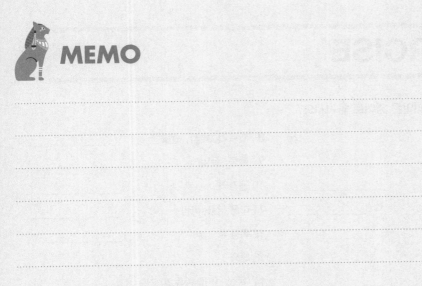

MEMO

Answers

P.240

A

1 (물, 공기 등의) 흡입, 섭취 2 간격, 틈 3 포함
4 거주민 5 침입하다, 침해하다 6 상호 의존 7 해석
8 instinct 9 infection 10 involve
11 inclination 12 internal 13 intercept
14 intuition

B

1 나의 사생활을 침해하다 2 예리한 통찰력 3 타고난
천재성[소질] 4 범죄를 조사하다 5 기억을 방해하다
6 입회금, 가입금 7 선거에 개입하다 8 자물쇠에 열쇠
를 꽂다

C

1 interpretation 2 innovate 3 involved
4 input 5 intuition 6 interpret 7 instinctive

해석

1 우리는 영어로 진행되는 토론의 프랑스어 동시통역을
제공할 것입니다.
*interval n. 간격, 거리

2 회사는 성장하고 발전하려면 신상품을 도입해야 한다.
*incubate v. (알을) 품다, 부화하다

3 Cathy가 자신의 아기 유괴 사건에 관련되어 있다는
소문이 떠돈다.
*revolve v. 회전하다,

4 자판과 마우스는 컴퓨터에 자료를 입력하는 데 사용된다.
*intake n. 섭취

5 우리가 마음에 귀를 기울이면, 사랑이 담긴 행동은 행
복을 가져온다는 사실을 직관적으로 안다.
*infection n. 전염, 감염

6 상징을 해석하는 방법만 알면 심지어 어린이도 꿈을
해몽할 수 있다.
*intercept v. 도중에서 가로채다

7 음악은 사람들이 그 소리에 맞춰 자연스럽게 춤을 추
게 되는 본능적인 소리이다.
*inactive a. 활동하지 않는

P.241

A

1 제외, 독점 2 폭발하다 3 팽창, 확장 4 초과
5 (남을) 능가하다, ~보다 낫다 6 (불이) 꺼진; 멸종한
7 대단한, 보통 아닌 8 external 9 exclude
10 express 11 exploit 12 exhale
13 extensive 14 explosive

B

1 예외 없이, 모두 2 영역을 확장하다 3 이국적인 장소
4 계약 만기 5 크기를 과장하다 6 자원을 다 써 버리다
7 별난 옷 8 웃음을 자아내다

C

1 emerges 2 extend 3 evade 4 explore
5 extract 6 Extinguish 7 evaporate

해석

1 도로는 산허리를 통과하는 터널을 통과해 나온다.
* submerge v. 물속에 잠그다

2 그들이 기한을 연장하면 너는 그 연장된 기한에 맞춰
서 그 일을 어떻게 마칠지 새로운 계획을 세워라.
* expand v 넓어지다, 팽창하다

3 사업주들은 사업장의 안전에 대한 책임을 회피할 수
없었다.
* invade v. 침입하다

4 동굴은 위험하므로 누구도 혼자 동굴을 탐험해서는
안 된다.
* exploit v 개척하다, 이용하다, 착취하다

5 왜 치과의사는 치아를 살리려고 하지 않고 뽑으려고
하는가?
* exhaust v 다 써 버리다, 지치게 하다

6 불길이 너무 높거나 반복해서 깜박이면 촛불을 꺼야
한다.
* distinguish v. 구별하다

7 두 컵의 물이 100도에서 증발하는 데 얼마나 걸리나
요?
* evoke v. (기억, 감정을) 불러일으키다, 환기하다

P.242

A

1 ~보다 멀리 가다, 능가하다 2 표면, 외부 3 솔직
한, 거리낌 없는 4 부가세 5 ~보다 빨리 달려 앞지르
다 6 교외, 변두리 7 ~보다 낫다, 앞지르다
8 superstition 9 outgoing 10 outdate
11 outstanding 12 outdo 13 surplus
14 outlook

B

1 전쟁의 발발 2 자라서 자신의 옷을 못 입다 3 대법
원 4 자신의 아들보다 오래 살다 5 경제적 이득보다
더 중요하다 6 조사하다 7 여성들보다 더 많다
8 농업 생산량

C

1 outburst 2 superior 3 outcome
4 outperform 5 surrender 6 outspeak

7 outlandish

해석

1 그 질문은 배심원 중 한 사람에게 폭소를 자아내게 했다.
 * output n. 1.생산 산출, 산출량 2.(컴퓨터)출력

2 신병 한 명이 상관에게 무례하게 행동했기 때문에 체포되었다.
 * superficial a. 표면(상)의, 피상적인

3 결국 100명의 표가 선거의 결과를 결정했다.
 * income n. 수입, 소득

4 효과적으로 경영하면 제조업자들은 경쟁자들을 엄청나게 앞지를 수 있다.
 * outthrow v. 내던지다, ~보다 멀리 던지다

5 우리는 조국이 힘을 보여주지도 못하고 적에게 항복하는 모습을 보았다.
 * surmount v. (산에) 오르다; 이겨내다

6 분명히 Flack 씨는 그 쟁점에 대해 토론을 아주 잘 할 것이며, 상대보다 말을 더 잘할 것이다.
 * outreach v. ~보다 멀리 미치다

7 그녀는 그의 특이한 생각을 비웃고는 고개를 끄덕이면서 "놀라운 생각이었어."라고 말했다.
 * outdoor a. 집밖의

P.243

A

1 하락세, 하향세 2 구경꾼, 방관자 3 자식, 자녀; 자손, 후예 4 축소하다, 소형화하다 5 (스위치가) 온오프식 동작의 6 분주한, 도주 중인 7 무대 뒤의
8 downhearted 9 ongoing 10 downstairs
11 off-duty 12 off-the-job 13 onshore
14 off-center

B

1 계절적 호우[장맛비] 2 적의 공격 3 비공식 논평
4 다음 세대를 짊어질 사람들[차세대] 5 현장 검증
6 경제의 하강기 7 화물을 하역하다 8 출퇴근 시간이 지난 시간에

C

1 downtown 2 downturn 3 oncoming
4 off-brand 5 onboard 6 onrushing
7 offshore

해석

1 대부분의 경우 도심 지역 안에서는 버스 운행 체계가 자동차 출근보다 낫다.
 *downfall n. 낙하, 호우, 몰락

2 한국에서 와인 판매는 경제적 어려움 때문에 급격한 침체 현상을 겪고 있다.

*downpour n. 억수, 호우

3 나는 또한 다가오는 차에게 경고하기 위해 불빛을 비추기 시작했다.
 *ongoing a. 전진하는, 진행하는

4 안전 전문가들은 할인점에서 파는 싸구려 브랜드 장난감에 대한 불만스러워 한다.
 *off-peak a. 절정을 지난, 출퇴근 시간이 지난

5 승선을 환영합니다. 공간이 넓은 우리 배는 여러분이 편안하게 여행하도록 편의를 제공합니다.
 *onshore a. 육지의, 육상의

6 성벽은 밀려오는 조류를 막기 위해 두껍게 지어졌다.
 *onlooking a. 방관하는

7 한국의 연안과 근해 어업은 어획량이 감소했다.
 *offstage a. 무대 뒤의

P.244

A

1 자손, 후예 2 부정; 거절 3 경멸하다, 멸시하다
4 하위로 낮추다 5 늦추다, 연기하다 6 탐정, 형사
7 묘사 8 destruction 9 desolate 10 depression
11 despite 12 decomposition 13 detergent
14 dejection

B

1 거짓말 탐지기 2 그의 충치 3 급여의 지급을 연기하다
4 결론을 이끌어 내다 5 독립을 선포하다 6 돈을 은행에 맡기다[예금하다] 7 착각하다, 망상하다 8 소포를 배달하다

C

1 detest 2 denounce 3 deny 4 decline
5 depreciate 6 deterred 7 deficient

해석

1 그들이 내게 어떤 혜택을 준다 해도 나는 부정직한 사람은 몹시 싫다.
 *detect v. 발견하다, 간파하다

2 항의하는 행진 대열은 테러리스트를 비난하기 위해 시내로 모여들었다.
 *degrade v. 하위로 낮추다

3 관리자들은 업무적인 이유로 재택근무 요청을 거부할 수 있다. (*telework: 재택근무)
 *depress v. 우울하게 하다, 불경기로 만들다

4 하와이 관광청 직원들은 일본인 방문객의 수가 꾸준히 감소한 것에 대해 걱정한다.
 *deject v. 기를 꺾다, 낙담시키다

5 나는 그의 작문 실력을 과소평가하지도 얕보지도 않는다.
 *destroy v. 파괴하다

6 갑작스러운 호우로 우리는 골프를 칠 수 없었다.

*depict v. 그리다; (말로) 묘사하다

7 심지어 가장 건강한 사람도 겨울철에는 비타민 D가
부족하다.
*desolate a. 황폐한, 쓸쓸한

P.245

A

1 전체의, 종합적인 2 과소평가하다 3 반란, 봉기
4 따라잡다, 만회하다 5 저개발 6 높이다, 향상시키다
7 압도적인 8 overdose 9 upper 10 overlook
11 overestimate 12 undergraduate 13 uproot
14 underbelly

B

1 수술을 받다 2 정부를 전복하다 3 상자를 뒤집다
4 연체 이자를 물다 5 실험에 착수하다 6 경제를 지탱
하다 7 박봉의 종업원 8 균형을 깨다

C

1 underrate 2 overwhelmed
3 underdeveloped 4 upright 5 overcharge
6 overlapping 7 upbringing

해석

1 연구에 따르면 사람들은 흑인 청소년들의 능력을 일반
적으로 낮게 평가하는 것으로 나타났다.
*underlie v. …의 밑에 있다, 기초가 되다

2 나는 너무 부끄러워서 내 얼굴을 보여주기가 두려웠
다.
*overestimate v. 과대평가하다

3 그는 현대적인 기술의 도입이 저개발 지역에 해로운지
여부를 물어 보았다.
*underpaid a. 박봉의

4 네가 책을 읽으려면 앉아서 똑바른 자세를 유지하는
것이 가장 좋다.
*uphill a. 오르막의

5 그는 거짓말하거나, 손님에게 바가지를 씌우거나, 또
는 비도덕적이고 비윤리적인 짓은 하지 않을 것이다.
*undercharge v. 제값보다 싸게 청구하다

6 입체 영화(3D)에서 3D용 안경이 없다면 두 개의 화면
이 겹쳐 보일 수 있다.
*overlook v. 내려다보다, 간과하다

7 가정교육을 잘한다는 것은 아이를 좋은 시민이 되고,
사회에 자산이 되라고 훈련시키는 것을 말한다.
*upkeep n. 유지

P.246

A

1 주관적인, 사적인 2 매달기; 일시 중지 3 최전방,
선봉 4 대체 5 예언자 6 잠수함; 바다 속의
7 선조 8 subscription 9 subsequent
10 forehead 11 unconscious 12 succession
13 foresighted 14 subtraction

B

1 실질적인 승리 2 3일간 연속으로 3 우선 업무
4 일시 중지된 게임 5 정부 보조금, 국가 보조금
6 경제 전망 7 구멍 속으로 가라앉다 8 필수 과목

C

1 subconscious 2 substituted 3 subject
4 forewarned 5 submerge 6 suspended
7 substances

해석

1 거울은 당신의 성격을 반영할 뿐만 아니라 당신의 잠
재적 욕망을 드러나게 한다.
*successive a. 연속적인, 상속의

2 더 이상 병에 들어 있는 와인이 없었기 때문에, 우리는
그 대신 생수를 사용했다.
*subscribe v. 기부하다, 정기 구독하다

3 약한 사람은 감기에 걸리기 쉬운데, 그러한 감기는 재
발하기 쉽고 치료하기 어렵다.
*subsequent a. 차후의, 연속적인

4 의사는 그 환자의 생존 가능성이 10%가 채 되지 않는
다고 우리에게 미리 경고했다.
*forearm v 미리 무장하다, 대비하다

5 차량이 호수에 잠기기 시작했을 때, Jenny
Thompson은 안전벨트를 매고 있었다.
*subtract v. 빼다

6 아르헨티나는 외부 부채와 내부 부채에 대한 지불을
중지했다.
*suspect v. ~이 아닌가 의심하다, 짐작하다

7 포플러 나무가 토양의 독성 물질을 제거하는 데 긴요
한 수단이 될 수 있다.
*subsequence n. 연속, 이어서 일어나는 것

P.247

A

1 미취학 아동 2 더 바람직한, 더 나은 3 기대
4 조심, 예방책 5 예비 검사, (영화 등의) 시사(試寫)
6 보존 7 [문법] 접두사 8 prejudice
9 prehistoric 10 preparation 11 presumption
12 prestige 13 prevalent 14 postponement

B

1 책의 서문   2 필수적인 선행 조건   3 성급한 결론
4 예선전   5 골동품점   6 공연을 연기하다   7 무죄라고
가정하다   8 대학원 학생

C

1 preserve   2 prescription   3 pretend
4 Ancestor   5 posterior   6 prestigious
7 preoccupied

해석

1 환경을 보호하기 위해 이러한 현장 학습에는 보통 대
  중교통을 이용한다.
  *persevere v. 참다, 견디다

2 현재 콜레스테롤을 낮추는 모든 약은 의사의 처방전이
  필요하다.
  *preference n. 선호

3 이런 부류의 사람은 아마도 관심을 끌기 위해 꾀병을
  부릴 수 있다.
  *prevail v. 1. 우세하다 2. 널리 보급되다, 유행하다

4 조상 숭배는 중국의 종교 문화에서 중요한 부분이다.
  *antique a. 고대의, 골동품의 n. 골동품

5 그 책은 2002년 이후, 즉 21세기에 쓰였다.
  *prehistoric a. 선사 시대의

6 그녀가 2002년에 수상한 가장 권위 있는 상이 또한
  가장 논란의 여지가 있다.
  *preliminary a. 예비의, 시초의

7 우리는 가끔 생각 속에 빠져 있는 자신의 모습을 발견
  한다.
  *premature a. 1. 너무 이른, 때 아닌 2. 시기상조의

P.248

A

1 확인   2 경쟁적인   3 통근자   4 양보, 인정   5 직업
상의 동료, 동업자   6 충돌   7 협동   8 coherence
9 coeducation   10 coincidence   11 contribution
12 commercial   13 correspondent   14 coexist

B

1 아파트 단지   2 신문에 기고하다   3 서로 일관성이 있
다   4 서울과 대전 간 출퇴근하다   5 예약을 확인하다
6 합성물, 혼합물   7 패배를 인정하다   8 경제적 붕괴

C

1 composition   2 compromise   3 combat
4 concord   5 correct   6 correspond
7 correlation

해석

1 토양의 구성은 주로 그 위치에 따라 결정된다.
  *community n. 지역사회, 공동사회

2 그는 채권자들과 타협할 방법을 찾기 위해 새로운 제
  안을 살펴보았다.
  *conflict v. 충돌하다, 다투다 n. 갈등

3 정부는 테러와의 싸움에 더 많은 자원을 썼다.
  *compete v. 경쟁하다

4 국가들은 국제적인 문제를 서로 화합하여 해결할 수
  있다.
  *compound a. 복잡한, 복합의 n. 합성물, 혼합물 v. 합성
  하다

5 영어 선생님인 Helen은 작문 실력을 향상시키고 문법
  적으로 틀린 것을 수정하는 데 도움을 주셨다.
  *collect v. 모으다, 수집하다

6 제가 이라크에 있는 병사들과 어떻게 하면 서신을 교
  환할 수 있습니까?
  *collide v. 충돌하다

7 지역별로 기후와 농작물 성장의 상관관계를 알아낼 수
  있다.
  *cooperation n. 협동, 협력, 제휴

DAY 10

P.249

A

1 후회하다   2 다시 시작하다; 되찾다   3 저항하는, 반항
하는, 견디는   4 용서, 사면, 감형   5 퇴거, 후퇴   6 회
상   7 억제   8 reproduction   9 recommendation
10 refund   11 rejection   12 reconciliation
13 register   14 release

B

1 거울 속에 비친 그의 모습   2 독감에 잘 듣는 약   3 고
통을 완화시키다   4 자원봉사자를 모집하다   5 학교 점
심시간   6 소매상   7 절교하다   8 잡았던 손을 놓다

C

1 renovate   2 revoke   3 restrain   4 regress
5 reprimand   6 responded   7 repulse

해석

1 집을 짓거나 낡은 집을 개조하는 데 비용은 얼마나 들
  까요?
  *reproduce v. 재생하다, 번식하다

2 만약 Grace가 유언을 취소하지 않고 죽는다면, 누구
  도 사후에 그녀의 유언을 취소할 수 없을 것이다.
  *rebuke v. 비난하다, 꾸짖다

3 재채기를 참는 것은 건강에 나쁜가요? (*sneeze
  [sni:z] 재채기하다)
  *reject v. 거절하다, 사절하다

4 코치들은 옛 방식으로 되돌아가지 않기 위한 방법과
  전략들을 논의하고 있다.
  *remit v. (돈, 화물을) 우송하다; ~을 면제해 주다; 원상태로
  돌이키다
5 고용주는 근로자가 안전하지 않은 일을 거절할 권리를
  행사한다고 해서 그들을 비난할 수는 없다.
  *reconcile v. 조정하다, 화해시키다
6 사람들은 제2차 세계 대전에 관한 뉴스에 다양하게 반
  응했다.
  *reflect v. 반사하다, 반영하다
7 Mary는 외계인과 같은 생명체의 공격을 물리칠 준비
  가 되어 있다.
  *recede v. 물러나다, 퇴각하다, 철회하다

P.250

A

1 상징하다, 나타내다 2 동정적인 3 계몽적인 4 등록
5 직유 6 통합, 합성물 7 강화하다, 보강하다
8 similarity 9 endangered 10 symmetry
11 enforcement 12 engagement
13 enhancement 14 simulation

B

1 동시에 방송되다 2 이주민을 동화시키다 3 상승효과
4 아이를 학교에 등록하다 5 시차로 인해 일시적으로
멍해지는 현상 6 합성 섬유 7 효율성을 높이다
8 감기의 징후

C

1 sympathy 2 simulate 3 synchronize
4 synonym 5 ensure 6 entitled 7 engage

해석

1 David는 그녀 아버지의 사망에 대해 조의를 표하기
  위해 대리인을 보냈다.
  *symphony n. 교향곡, 음의 조화
2 세계적으로 실제 전투의 모의실험 훈련에서 레이저 무
  기 시스템이 사용된다.
  *stimulate v. 자극하다, 격려하다
3 그는 시합 중 음악과 동작을 일치시킨다는 것이 거의
  불가능함을 알았다.
  *synthesize v. 합성하다
4 '엄마'가 '어머니'의 동의어이듯이, '아빠'는 영어로 '아
  버지'의 동의어이다.
  *antonym n. 반의어
5 훌륭한 교육의 궁극적 목표는 좋은 직업을 확보하는
  것이다.
  *enroll v. 등록하다, 입회시키다

6 성인 남성의 6%만이 투표할 자격이 있는 것으로 추정
  된다.
  *entail v. 일으키다, 수반하다
7 낮 동안에 피로함을 느낀다면 잠을 자지 말고 운동에
  빠져 보도록 노력해라.
  *enforce v. 실시하다, 강요하다

P.251

A

1 항체, 면역체 2 복사, 글로 옮김 3 대서양을 횡단하
는 4 송달, 전달 5 반감 6 변형, 변화 7 위반
8 anti-pollution 9 anti-nuclear 10 translation
11 transfusion 12 transship 13 antonym
14 transportation

B

1 항생제를 과용하다 2 심장 이식 3 대량 수송 수단
[대중교통] 4 전기를 전도하다 5 투명한 창문 6 제
한을 어기다, 한계를 넘다 7 항독소를 개발하다 8 덧
없는 인생

C

1 antisocial 2 transcend 3 transcribed
4 Antarctic 5 transfuse 6 transfigured
7 transposed

해석

1 환자들은 가게 물건 훔치기, 폭력, 싸움 같은 반사회
  적 행동을 할 수도 있다.
  *antibiotic a. 항생 물질의 n. 항생제, 항생 물질
2 인간은 자연환경의 한계를 뛰어넘을 힘을 갖고 있다.
  *translate v. 번역하다, 해석하다
3 그들은 그 책의 모든 단어를 알고 있었다. 왜냐하면
  그들은 그 책을 읽었을 뿐만 아니라 베꼈기 때문이다.
  *transact v. 거래하다, 집행하다
4 그들의 남극 탐험 후에 남극에 미국 국기가 세워졌다.
  *Arctic a. 북극의
5 그의 정맥이 손상되었기 때문에 의사들은 그에게 수혈
  을 할 수 없었다. (*vein 정맥)
  *transform v. 변형시키다, 변압하다
6 우리는 도시의 모양을 완전히 바꾸어 버리는 엄청나게
  큰 공사를 겪어야 했다.
  *transplant v. 1. (식물·피부를) 이식하다 2. 이주시키다
  n. 이식
7 나는 Susie에게 전화를 걸려고 하다가 실수로 번호
  순서를 바꿔서 눌렀다.
  *transport v. 수송하다, 운반하다

P.252

A

1 고백 2 반박하다 3 능숙 4 반격, 역습 5 지연, 지체 6 성나게 함 7 대조 8 propaganda
9 process 10 counteraction 11 controversial
12 pronunciation 13 counterpart 14 prophet

B

1 비행 금지 구역 2 소송 절차 3 논쟁의 여지없이
4 깊은 밑바닥 5 비상사태를 선포하다 6 대조적으로
7 즉답 8 이에 반하여, 그와는 반대로

C

1 provoke 2 prophesy 3 prominent
4 counterfeit 5 prolonged 6 proficient
7 procrastinate

해석

1 그 풍자적인 제목은 독자를 재미있게 하고 웃음을 불러오려는 의도였다.
   *provide v. 공급하다, 대비하다

2 그는 미래를 정확하게 예언할 수 있는 초자연적 능력을 갖고 있었다.
   *profess v. 공언하다, 고백하다

3 30년 동안 Bill Simpson은 자신의 모국에서 의심할 여지없이 탁월한 예술가였다.
   *prompt a. 신속한, 즉석의

4 그는 범인들의 위폐 유통을 도와주었다는 혐의로 체포되었다.
   *controversial a. 논쟁의 여지가 있는

5 현대 의학의 발달은 인간의 수명을 여러 해 연장시켜 주었다. (*span 길이, 지름)
   *propel v. 추진하다, 몰아내다

6 나는 중국에 있으며, 중국 표준어를 유창하게 말하며, 현재 영어 또한 능숙합니다.
   *profound a. 깊은, 심오한

7 네가 시간을 너무 오래 끌면 비행기는 너 없이 떠나게 되고, 그러면 너의 비행기 표는 무용지물이 될 것이다.
   *proceed v. 전진하다, 진행하다

P.253

A

1 지각하다, 감지하다 2 선발 3 격리, 은퇴
4 가장, ~인 체함 5 분리 6 인정 7 격리
8 perseverance 9 persecution 10 adhesive
11 security 12 accuser 13 arrangement
14 adoption

B

1 영구치 2 결정을 고수하다 3 공공 부문 4 목말라 죽다 5 B에 대해 A를 고발하다 6 남자아이와 여자아이를 갈라놓다 7 재산을 모으다 8 선을 2등분하다

C

1 permeated 2 adapt 3 persist 4 segment
5 affect 6 secluded 7 accompanied

해석

1 나는 병을 떨어뜨렸고, 우리가 마시려던 물은 모래로 빠르게 스며들었다.
   *persecute v. 박해하다, 귀찮게 굴다

2 다른 모든 산업처럼, 장미 산업도 변화하는 시장 조건에 적응해야 한다.
   *adopt v. 채택하다, 채용하다, 양자 삼다

3 자신의 신념을 밀고 나가기는 쉽지 않다. 그렇게 하기 위해서는 때때로 고통을 당하기 때문이다.
   *persevere v. 참다, 견디다

4 오렌지 한 조각을 쪼개면 액체가 가득한 과육 섬유 조직을 보게 될 것이다.
   *section n. 1. 단면 2. 구획, 구간

5 한 연구에 따르면, 느린 홈페이지는 사업에 부정적인 영향을 미친다.
   *arrange v. 배열하다, 정돈하다

6 우리 식당은 조지안 만 남쪽의 외진 곳에 위치하고 있습니다.
   *segmental a. 단편의, 조각의

7 여러분은 청문회 동안에 통역을 동반할 권리가 있습니다.
   *approve v. 시인하다, 인정하다

P.254

A

1 재결합, 재회 2 하찮음, 평범 3 통일 4 문어, 낙지
5 단조로움 6 다중 매체 7 증가, 곱셈
8 monologue 9 decade 10 monopolize
11 unity 12 multilingual 13 triple
14 universal

B

1 일산화탄소 2 격월로 발행되는 잡지 3 다목적 댐
4 복제하지 마시오. 5 100주년 기념의 해 6 단조로운 목소리로 말하다 7 다수의 소녀들 8 다국적 기업

C

1 monopoly 2 dual 3 homogeneous
4 polygamy 5 multiplying 6 unique
7 multiple

해석

1 그 산업은 정부 독점으로 규모와 효율성 면에서 유리한 점이 많다.
   *monorail n. 모노레일

2 Sky 비행 학교의 학생들은 22시간의 2인 비행 훈련을 받아야 한다.
   *duel n. 결투

3 한국은 언어적으로 단일 언어를 사용하는 국가이다.
   *monotonous a. 단조로운

4 세계적으로 어떤 나라들은 일부다처제 금지법이 없는데, 이것은 그들의 권리이기도 하다.
   *monogamy n. 일부일처제

5 그 아이는 4에 0을 곱하면 0이 된다는 것을 이해하는 데 시간이 걸렸다.
   *unify v. 하나로 통일하다

6 오페라 하우스는 돛을 닮았는데, 호주는 그 독특한 디자인에 자부심을 갖고 있다.
   *trivial a. 하찮은, 시시한

7 바람직하지는 않지만, 객관식 문제는 벼락치기가 가능하다. (*cram: 벼락치기하다)
   *unite v. 하나로 하다, 결합하다

P.255

A

1 틀림없이 2 끊임없는 3 알아차리지 못한 4 비영리적인 5 내키지 않는, 마지못해 하는 6 불공정한, 부당한 7 결석, 불참 8 unemployment 9 unlock 10 unavoidable 11 unconsciousness 12 nonfiction 13 non-addictive 14 unintentional

B

1 가구가 비치되지 않은 아파트 2 비공식 회담 3 트럭에서 짐을 내리다 4 전환 불가능한 화폐 5 비폭력 운동 6 지도를 펴다 7 권력의 부당한 행사 8 이용할 수 없는 자원

C

1 non-resistance 2 Non-commercial 3 unreasonable 4 unfit 5 unidentified 6 uneven 7 unusual

해석

1 마하트마 간디는 인도에서 영국에 대항하여 무저항 운동을 이끌었다.
   *non-attendance n. 결석, 불참

2 비상업적 광고는 시민 단체나 종교적 또는 정치적 기구에 의해 후원되고 있다.
   *non-essential n. 하찮은 것 a. 비본질적인, 하찮은

3 나는 고객들의 부당한 요구에도 대처할 수 있도록 매니저에게 훈련받았다.
   *unconvertible a. 바꿀 수 없는

4 이 호수의 물은 너무 짜서 사람이 마시기에는 부적합하다.
   *unfair a 부당한, 불공정한

5 UFO는 외계인 우주선이라고 믿어지고 있는 미확인 비행 물체이다.
   *unconscious a. 의식이 없는, 무의식의

6 울퉁불퉁한 도로 표면 때문에 다친 여자가 보상을 받을 방법을 찾고 있다.
   *untidy a. 단정치 못한

7 그는 바위에 난 공룡 발자국을 관찰하는 유별난 취미를 갖고 있던 적이 있다.
   *unlikely a. 있음직하지 않은

P.256

A

1 사라지다 2 누출하다, 공개하다 3 짐을 내리다 4 방전하다, 면제하다, 해고하다 5 구별 6 인가하지 않다, 찬성하지 않다 7 불이익, 이익에 반함 8 disarm 9 disabled 10 disorder 11 distribution 12 distraction 13 disagree 14 disgusting

B

1 1회용 기저귀 2 싫증이 나서, 역겨워서 3 우편물을 분류하다 4 파병하다 5 소금을 물에 녹이다 6 불쾌지수 7 외국인을 차별 대우하다 8 뚜렷한 차이

C

1 disgrace 2 discord 3 Dispense 4 disperse 5 dismay 6 distract 7 distinguish

해석

1 공무원인 Randy는 뇌물을 받은 것을 인정한 후 불명예스럽게 사임했다. (*bribe: 뇌물)
   *distress v. 괴롭히다, 고민하게 하다 n. 1. 고민, 걱정 2. 고통

2 새로 온 상사와 직원들 사이에 끊임없는 불화가 있다.
   *discard v. (습관·신앙 따위를) 버리다, (쓸데없는 패를) 버리다 n. 버리기

3 차를 처분해 버리고 비용, 관리, 그리고 유지의 걱정을 덜어라.
   *disagree v. 의견이 다르다

4 군중을 해산시키기 위해 백 명도 넘는 경찰관이 그곳에 있었다.
   *distrust v. 믿지 않다, 의심하다 n. 불신

5 그는 전쟁에 대한 신문의 주요 기사를 훑어보면서 당황하여 머리를 흔들었다.
   *dishonor n. 불명예

6 정부는 자신들이 숨기고 싶어 하는 사건으로부터 국민의 관심을 돌리기 위해 전쟁을 이용한다.
  *distribute v. 분배하다, 배포하다
7 아이들은 자라면서 선악을 구별할 수 있게 된다.
  *disapprove v. 인가하지 않다, 찬성하지 않다 (of)

P.257

A

1 오판하다, 오인하다 2 도덕과 관계없는 3 재난, 불운 4 불발되다 5 잘못된 행동, 비행 6 (물건을 어딘가에) 두고 잊다 7 그르치기 쉬운 8 mispronounce 9 mischievous 10 misinterpret 11 abort 12 anarchy 13 abolish 14 anonym

B

1 순간적인 비행 2 규칙의 오용 3 산아제한으로서의 낙태를 인정하다 4 계속된 불행으로 인해 5 무성 생식 6 비행을 저지르다, 직권을 남용하다 7 무신론에 대한 논쟁 8 그가 장난치지 않도록 하다

C

1 misplaced 2 anonymous 3 misconception 4 apathy 5 misled 6 anarchism 7 mistreat

해석

1 나는 공항에 도착해서 항공사가 내 가방을 잘못 둔 것을 발견하고는 너무나 화가 났다.
  *misbehave v. 나쁜 짓을 하다
2 익명의 컴퓨터 사용자는 IP주소를 통해 신원이 밝혀질 수 있다.
  *atonal a. 〖음악〗 무(음)조의
3 여름보다 겨울에 지구가 태양으로부터 더 멀다는 것은 일반적으로 잘못된 생각이다.
  *misfortune n. 불행, 역경, 불우함
4 정치적 무관심은 대중이나 개인이 정치적 사건이나 운동에 무관심한 것이다.
  *abolition n. (법률, 습관) 폐지
5 그 쌍둥이는 똑같아 보인다. 그들을 만나는 사람들은 그들의 외모에 속는다.
  *misconduct v. 잘못하다, 오도하다 n. 잘못된 행동, 비행; 직권 남용
6 나는 무정부주의에 반대한다. 나는 무정부가 아니라 제한적 정부를 지지한다.
  *atheism n. 무신론
7 어떤 사람들은 국가가 운영하는 시설의 간호사와 의사들은 환자를 함부로 대한다고 불평한다.
  *mislay v. (물건을 어딘가에) 두고 잊다

P.258

A

1 적의, 악의 2 불결한, 부도덕한 3 부적당한, 타당치 않은 4 무례한, 버릇없는 5 경솔한, 무분별한 6 무례한; 거리낌 없는 7 참지 못하는, 조급한 8 malfunction 9 malnutrition 10 imperfect 11 malodor 12 immemorial 13 immortal 14 immature

B

1 공정한 판단 2 무절제한 음주 3 영양실조에 걸린 아기 4 아주 옛날부터 5 헤아릴 수 없는 손해를 일으키다 6 물이 스며들지 않는 바위 층 7 학대받는 아동 8 비인격적 대우

C

1 maltreatment 2 immense 3 imperceptible 4 immovable 5 maladjusted 6 immoral 7 impracticable

해석

1 그 가난한 아이들은 부모에게 학대를 받았다.
  *malediction n. 저주, 악담
2 육천만 년 전, 이 지역 전체는 광대한 사막이었다.
  *imminent a. 임박한, 일촉즉발의
3 그것은 느리며 거의 느껴지지 않을 정도로만 땅이 움직인 것이어서, 우리는 모두 지진을 느낄 수 없었다.
  *imperfect a. 불완전한
4 Mary와 나는 앉아서 가벼운 식사를 할 만한 움직이지 않는 바위를 찾았다.
  *immodest a. 무례한, 거리낌 없는
5 사회 부적응 학생들은 규율을 어기는 것을 정상적이며 용인되는 것으로 생각한다.
  *malicious a. 악의 있는
6 텔레비전에서 폭력적인 소재를 사용하는 것은 아이들의 비도덕적 행동의 원인이 될 수 있다.
  *immortal a. 죽지 않는
7 의회는 노동 임금을 낮추는 불가능한 계획을 시도했다.
  *impermeable a. 스며들지 않는

P.259

A

1 불안전, 불안정 2 무력, 무능 3 불편, 성가심 4 불완전한 5 참을 수 없는 6 비인간적인 7 이해할 수 없는, 이해하기 어려운 8 inexpert 9 indifference 10 ineffective 11 inequality 12 innocence 13 inaccessible 14 insane

B

1 독립기념일 2 무고한 희생자 3 끊임없는 소음
4 필수 영양소 5 결정을 내릴 능력이 없음 6 일관성
없는 행동 7 믿을 수 없는 이야기 8 무능한 직원

C

1 injustice 2 incredible 3 inevitable
4 infamous 5 insufficient 6 indefinite
7 inanimate

해석

1 목숨을 걸고 불의와 맞서 싸운 용감한 언론인들이 있다.
　*inaction n. 활동하지 않음, 게으름, 정지
2 우리 회사를 시골에서 수도로 옮기는 것은 엄청난 비
　용을 필요로 할 것이다.
　*innocent a. 무죄의, 순진한
3 많은 사람들은 기억력 손실이 나이를 먹어감에 따른
　당연한 결과라고 믿게 되었다.
　*invaluable a. 값을 헤아릴 수 없는, 매우 귀중한
4 Smith 씨의 악명 높은 행동 때문에 아무도 그가 영업
　부 과장으로 고용될 것이라고 기대하지 않았다.
　*infinite a. 무한한, 무수한
5 세계 기아 문제는 식량 공급이 부족해서가 아니라, 다
　른 경제적인 요인들 때문이다.
　*innumerable a. 셀 수 없는, 무수한
6 이 서비스는 무기한 무료로 제공될 것입니다.
　*incorrect a. 틀린, 부정확한
7 무생물체는 곰 인형과 같이 생명이 느껴지는 부분이
　없는 물체를 말한다.
　*inexact a. 정확하지 않은, 부정확한

DAY 21

P.260

A

1 인식할 수 없는 2 남용하다, 학대하다, 욕을 하다
3 뒤집을 수 없는, 거꾸로 할 수 없는 4 회복할 수 없는
5 화해할 수 없는, 융화하기 어려운 6 보류하다, 억제
하다 7 돌연한, 갑작스러운
8 irregular 9 abnormal 10 irreplaceable
11 illogical 12 irrelevant 13 irresolute
14 irresponsible

B

1 문맹의 농장 근로자 2 유혹에 저항하다 3 불법 판매
4 제의를 철회하다 5 돌이킬 수 없는 청춘 6 반자유적
이고 반민주적인 정책 7 추상적 개념 8 비정상적인 상태

C

1 illegible 2 irrespective 3 abstract
4 illegitimate 5 irresistible 6 withdraw
7 irrational

해석

1 Kohler 씨는 읽기 어려운 필체와 조용한 목소리에도
　불구하고 훌륭한 교사이다.
　*illegal a. 불법의
2 수영은 나이에 상관없이 누구나 할 수 있는 운동이다.
　*irresponsible a. 책임이 없는, 무책임한
3 교수님은 내게 열 쪽의 과학 보고서를 한 쪽으로 요약
　하라고 요청했다.
　*abstain v. 끊다, 삼가다
4 지적 재산법이나 형사법 둘 다 무역 자체가 아닌, 불법
　무역에만 국한되어 있다.
　*illogical a. 비논리적인
5 그녀가 불가항력적인 힘을 가지고 있기라도 한 것처럼
　나는 그녀에게 매료되었다.
　*irritable a. 성미 급한, 흥분하기 쉬운
6 비밀번호를 잊어버렸는데, 제 은행 계좌에서 돈을 인
　출할 수 있습니까? (PIN: 은행 카드의 비밀번호)
　*withhold v. 보류하다, 억제하다
7 아이가 숲 속에 버려진다면, 그 아이는 이성이 없는 동
　물과 다를 바 없게 된다.
　*irrevocable a. 돌이킬 수 없는, 취소 할 수 없는

DAY 22

P.261

A

1 독재 정치, 전제 정치 2 (물 위에) 떠서, 떠 있는
3 가능하게 하다 4 강렬한, 열띤
5 불쾌 6 운 나쁘게도, 불행히도 7 불편한 8 detail
9 immerse 10 miscount 11 ashore
12 awake 13 uncountable 14 aboard

B

1 사인회 2 인생의 황혼기 3 도로 표지 4 지방 자치법
5 지출을 줄이다 6 상륙하다 7 게시판 8 강 하류로
떠내려가다

C

1 assign 2 enact 3 abreast 4 alone
5 merge 6 abroad 7 like

해석

1 지도자의 기본적인 책임 중 하나는 팀원들에게 일을
　적절히 할당하는 것이다.
　*resign v. 사임하다, 그만두다
2 우리는 우리나라를 안전하게 지키기 위해 새로운 법을
　제정해야 할 것이다.
　*react v. 반작용하다, 반응을 나타내다
3 넷이서 나란히 걸어갈 때는 네 명 사이에 간격을 두어라.
　*breast n. 가슴

4 지난 13년간 금붕어를 길렀는데, 그 금붕어는 수조 안에 외롭게 있다.
*aboard ad. 배에, 배를 타고

5 빚이 많은 회사와 합병은 하지 않아야 한다.
*emerge v. (물속, 어둠 속에서) 나타나다

6 해외에서 살려고 계획하고 있다면, 너는 그 나라의 언어를 배워야 한다.
*broad a. 폭이 넓은

7 이 쌍둥이들은 꼭 닮았지만, Mike보다 Chuck이 훨씬 더 착하다.
*alike a. 서로 같은

P.262

A

1 얼굴을 숙이고, 엎드려   2 작업 정지, 공장 폐쇄   3 부서진, 파산한   4 뻥하고 튀어 오르는   5 혼란, 혼동, 혼전   6 급료 지불, 보상   7 턱걸이   8 slowdown   9 grown-up   10 cut-off   11 lay-off   12 take-off   13 backup   14 day off

B

1 송유관 폐쇄   2 군사력 증강   3 신경 쇠약   4 7초 카운트다운(7부터 0까지 숫자를 거꾸로 셈)   5 결혼의 파경   6 철봉   7 땅 위에 흐르는 빗물   8 질과 양 사이의 절충

C

1 Standdown   2 set-up   3 drop-off   4 cast-off   5 pick-up   6 make-up   7 letdown

해석

1 '중지 명령'을 내릴 수 있는 유일한 사람은 최고위의 사령관이다. (*Commander-in-Chief 최고 사령관)
*standout n. 뛰어난 사람

2 설치 프로그램에서 설치 후 윈도우를 재부팅하라고 하면 그렇게 해야 한다. (*installation 설치)
*sit-up n. 윗몸 일으키기

3 앨라배마 해변 도시는 이미 관광 수입이 급격히 하락했다.
*dropout n. 탈락, 탈락자

4 Jerry와 그들은 같은 체격이어서 Jerry가 입지 않는 옷이 그들에게 맞는다.
*run-off n. 땅 위를 흐르는 빗물

5 픽업트럭은 덮개가 없고 뒤에 화물을 싣는 공간이 있는 가벼운 차량이다.
*push-up n. 팔 굽혀 펴기

6 올해에는 위원회 구성에 큰 변화가 없었다.
*thumbs-up n. 승인, 찬성, 격려

7 가게 주인들은 더운 날씨로 인해 우리 회사의 판매량이 감소할 것으로 추정한다.
*knockdown n. 때려 눕힘, 압도적인 것

P.263

A

1 증정품, (은연 중에) 진실을 드러내는 것   2 지불(금)   3 (집회의) 출석자, 투표(자) 수; 생산액, 산출고   4 검토, 대충 훑어 봄   5 퇴실 절차; 점검; 계산대   6 도망; 출발   7 사 가지고 가는 요리   8 runway   9 castaway   10 flyaway   11 lookout   12 workout   13 fadeaway   14 stopover

B

1 적대적 인수   2 유인물을 받다   3 그 회사의 높은 이직률   4 주차금지 지대   5 고교 중퇴자   6 에너지 효율적인 조명으로의 전환   7 스웨터를 입다   8 엔진의 연료 소진

C

1 faraway   2 runaway   3 blackout   4 rollover   5 layout   6 leftover   7 Throwaway

해석

1 그 아이들은 먼 친척인 Count Olaf에게 맡겨졌다.
*flyaway a. 바람에 날리기 쉬운

2 많은 경우에, 가출 청소년들은 그들의 가족의 규제로부터 벗어나고 싶어 한다.
*runway n. 통로; 활주로

3 특히 약한 사람들은 술을 마실 때마다 의식을 잃을 수 있다. (*vulnerable: 취약한)
*checkout n. (호텔의) 퇴실 절차; (기계의) 점검; 계산대

4 그 차를 수리한 기능공이 그 전복 사고에 책임이 있다.
*pullover n. 풀오버(단추가 없어서 머리부터 입는 스웨터)

5 그 절의 배치는 불교의 몇 가지 절 건축 원칙에 따른다.
*takeout n. 1. 지출(持出), 꺼냄 2. 사 가지고 가는 요리

6 그녀는 식당에서 남은 음식을 먹었고 그녀가 안전하다고 생각하는 아무 곳에서나 잤다.
*crossover n. 크로스오버(활동이나 양식이 두 개 이상의 영역에서 결합된 것)

7 일회용 기저귀는 쓰레기 매립 공간에서 세 번째로 흔한 것이다. (*landfill: 매립 쓰레기)
*takeaway n. 사 가지고 가는 요리

P.264

A

1 몰래 추적하는 사람   2 흡수하는 물건, 흡수 장치

3 배관공 4 살인자, 살인범 5 보는 사람, 구경꾼
6 (땅 위로) 끄는 것, 트레일러; 추적자 7 유모차
8 bricklayer 9 presider 10 intruder
11 scrubber 12 editor 13 bomber 14 purifier

B

1 산림 감시원 2 왕위 계승자 3 검찰청 4 진공청소
기 5 인터넷 검색자 6 북극 탐험가 7 구두 광택제
8 컴퓨터 사이버 범죄자

C

1 inspector 2 briber 3 director 4 predictor
5 bumper 6 booster 7 sneakers

해석

1 검표원은 표가 없는 몇몇 승객들과 몸싸움을 했다.
   *instructor n. 교사, 교관
2 우리는 뇌물을 주는 사람에게 벌을 주는 엄한 법률을
   제정하라고 정부에게 호소해야 한다.
   *bride n. 신부, 새색시
3 음악 감독이 피아노에 대해 완벽한 지식이 있으면 상
   당히 도움이 된다.
   *employer n. 고용주, 사용자
4 훌륭한 모국어 구사 능력이 외국어 유창성을 예측할
   수 있는 지표가 될 수 있는지 궁금하다.
   *predator n. 약탈자, 육식 동물
5 자동차 범퍼는 승용차의 앞과 뒷부분에 대한 손상을
   줄이도록 고안되었다.
   *bomber n. 폭격기
6 이 장비는 우주 왕복선을 궤도 속으로 발사하기 위한
   단순한 보조 로켓에 불과하다.
   *beholder n. 보는 사람, 구경꾼
7 너는 발목 위로 올라오는 농구화가 필요하다.
   *scrubber n. 솔, 수세미

P.265

A

1 수험자, 검사를 받는 사람 2 (경기·논쟁 따위의) 적,
상대 3 피임명자, 피지명인 4 보호자, 수호자 5 거
주자; 전문의(醫) 수련자 6 자손, 후예 7 제대한 사
람, (의무에서) 해방된 사람 8 assistant 9 trainee
10 magician 11 plaintiff 12 humanitarian
13 surgeon 14 tyrant

B

1 신장을 기증받는 사람 2 비행기 승무원 3 난민 수용
소 4 종군 기자 5 원주민 6 의사의 진찰을 받다
7 평복, 민간인 복장 8 가정 교사와 배우는 학생

C

1 emigrants 2 vegetarian 3 absentee
4 accountant 5 nominee 6 defendant
7 applicants

해석

1 일본 오키나와에서 많은 이민자들이 하와이와 남아메
   리카로 떠났다.
   *immigrant n. (타국에서 오는) 이주자, 이민자
2 많은 사람들이 저희의 구운 쇠고기 요리를 선호하지
   만, 채식주의자들이 선택할 수 있는 식사도 많이 있습
   니다.
   *veterinarian n. 수의사
3 제 이름을 영구적 부재자 투표인 명단에 올리고 싶습
   니다.
   *employee n. 종업원
4 공인회계사는 정부가 주관하는 시험을 통과한 전문 회
   계사이다. (*CPA: Certified Public Accountant
   공인회계사)
   *pediatrician n. 소아과 의사
5 그 경찰서장 지명자는 가족력에 대해서 이야기를 할
   때 매우 감정적으로 변했다.
   *adoptee n. 양자, 채용·선정된 것
6 많은 소송 때문에 피고인 회사는 재정적인 어려움에
   빠져 있다.
   *dependent a. 의지하고 있는, 의존하는
7 꿈속에 그리던 직업을 가지려면 구직자들이 기억해야
   할 충고 사항이 있다.
   *respondent n. 응답자

P.266

A

1 사로잡힌 사람, 포로; 노예 2 후원자; 고객, 단골손님
3 수익자, (연금·보험금의) 수령인 4 의뢰인, 고객
5 동료, 동등한 사람 6 비평가, 평론가, 감정가 7 범
인, 범죄자 8 conservative 9 missionary
10 suspect 11 witness 12 patriot
13 astronaut 14 dwarf

B

1 마약[약물] 중독자 2 성형외과 의사 3 아동 문학
4 먼 친척 5 대통령 후보 6 법정 상속인 7 해적판
출판자 8 실험에 참여한 남성 대상자들

C

1 representative 2 executive 3 prophet
4 personnel 5 intermediary 6 advocate
7 apprentice

해석

1 판매 직원은 보통 고객과 사전에 연락을 취한다.
   *detective n. 탐정, 형사

2 우리는 회사의 간부가 되는 꿈을 꾸지만, 그 목표에 도달하는 길에 대해서는 확신이 없다.
   *relative n. 친척 a. 상대적인, 관련 있는

3 이 소책자는 예언자 모하메드가 어떻게 기도를 행하는지 설명해 준다.
   *athlete n. 운동선수, 경기자

4 인사부는 뛰어난 직원을 모집하고 훈련하는 데에 초점을 두고 있다.
   *personal a. 개인의, 인격적인

5 보험 중개사는 고객과 회사 양쪽에 가장 잘 맞는 내용을 찾아낸다.
   *secretary n. 비서

6 Whitney는 천성적으로 전쟁을 반대했다. 그녀는 평화주의자였다.
   *associate n. 동료, 한패

7 요리에 대한 열정이 있다면 여러분은 지금이라도 견습 요리사가 될 수 있습니다.
   *agent n. 대행자, 대리인

P.267

A

1 속삭이다 2 시들다, 말라 죽다, 쇠퇴하다 3 관리하다, 지배하다 4 큰 실수; 실수를 범하다 5 이야기의; 이야기, 화술 6 숙고하다, 깊이 생각하다 7 구리, 동(銅), 동전 8 glacier 9 additive 10 crater 11 steer 12 slaughter 13 motive 14 incentive

B

1 신입생을 학적에 올리다 2 붉은 실로 수놓은 스카프 3 식품 방부제 4 옛 친구를 우연히 만나다 5 작별 인사 하느라 떠나지 못하다 6 물물 교환 7 추위로 덜덜 떨다 8 증기 기관차

C

1 chambers 2 initiative 3 perspective 4 alter 5 Charter 6 objectives 7 semester

해석

1 심장 안에는 네 개의 방이 있고 그들 사이에는 혈액의 흐름을 조절하는 네 개의 심장 밸브가 있다.
   *timber n. 목재

2 Barry는 똑똑하고, 열정적인 사람이라서, 회사를 구하는 데 앞장섰다.
   *infinitive n. 부정사(不定詞)

3 역사적인 관점에서, 현재의 상황은 사회적 발전의 산물이다.
   *preservative n. 방부제

4 나는 한 명의 롤모델이 젊은이들의 미래를 좋아지게 만들었다는 것이 놀라웠다.
   *altar n. 제단; 제대(祭臺)

5 그 회의에서 유엔 헌장 초안이 쓰여 졌고, 그것은 1945년 6월 26일에 서명되었다. (*draft 초안 잡다)
   *barter v. 물물교환하다, 교역하다 n. 바터, 물물 교환

6 기업들이 목표를 성취하기 위해서는 정보 관리에 중점을 두어야 한다.
   *objection n. 반대, 반론

7 수업료가 100달러 오를 것이지만, 한 학기당 총 수업료는 1,600달러일 것입니다.
   *Easter n. 부활절

P.268

A

1 (의미, 견해를) 분명하게 하다 2 협박하다, 위협하다 3 나타내다, 알리다 4 강화하다 5 일일이 열거하다, 자세히 쓰다 6 강하게 하다 7 악화시키다 8 simplify 9 shorten 10 solidify 11 qualify 12 deafen 13 lengthen 14 purify

B

1 책을 주제별로 분류하다 2 에너지원을 다변화하다 3 안전벨트를 착용하시오. 4 필적을 감정하다 5 물체를 확대하다 6 방향을 바꾸다 7 배고픔을 채우다 8 소식을 듣고 두려워하다

C

1 testify 2 notify 3 verify 4 heighten 5 harden 6 certify 7 lessen

해석

1 소환을 받은 뒤에도 법정에서 증언하지 않으면 어떻게 됩니까?
   *justify v. 정당화 하다

2 다른 사람들에 대한 잠재적인 위험을 방지하기 위해서 경찰에 그 사건을 알리시오.
   *modify v. 수정하다

3 공연 시간은 변경될 수 있습니다. 일정을 확인하려면 전화하시기 바랍니다.
   *unify v. 통합하다

4 스트레스는 에스트로겐 수치를 증가시킬 수 있는데, 그것이 유방암의 위험을 증가시킬 수 있다.
   *frighten v. 두려워하다

5 초콜릿 쿠키를 만든 후, 우리는 그것을 단단하게 하기 위해 냉장고에 넣었다.
   *hasten v. 서두르다

6 지원자는 그 정보가 사실인지를 증명해 보여야 한다.
 *terrify v. 놀라게 하다

7 국회는 그 결정의 충격을 줄이기 위해 발 빠르게 대처해야 한다.
 *lesson n. 학과, 수업

P.269

A

1 안정화하다 2 강조하다 3 필요로 하다 4 산업화하다 5 통합하다, 조정하다 6 매혹시키다 7 주저하다, 망설이다 8 hospitalize 9 equalize
10 neutralize 11 captivate 12 contaminate
13 decorate 14 calculate

B

1 시설을 현대화하다 2 이 섬들을 식민지화하다 3 과즙을 농축하다 4 늑대를 애완동물로 길들이다 5 온도를 조절하다 6 지구 온난화와 연관이 있다 7 밤에 주차장을 밝게 비추다 8 후계자를 지명하다

C

1 fertilize 2 Organize 3 Eliminating
4 alternate 5 appreciate 6 dominate
7 nominated

해석

1 정원의 식물을 더 크고 풍성하게 하는 최상의 방법은 땅을 비옥하게 하는 것이다.
 *generalize v. 일반화하다

2 회의를 조직하고 인근 지역에 사는 사람들을 모두 초대하라.
 *civilize v. 문명화하다

3 불순물을 제거하는 것이 생산적인 체계를 유지하는 비결이다.
 *illuminate v. 조명하다

4 고통과 기쁨은 서로 번갈아 일어나는 일이므로 사람은 삶을 통해 고통과 즐거움을 경험해야 한다.
 *associate v. 관련시키다, 연상시키다

5 사람들은 음악이 전하는 메시지를 들으려 하거나, 음악의 독창성을 감상하곤 한다.
 *depreciate v. 평가 절하하다, 가치를 떨어뜨리다

6 우리는 소상인들이 지역 시장을 장악할 수 있도록 돕는 것을 전문으로 하는 회사이다.
 *originate v. 시작하다, 유래하다

7 정당들은 요청대로, 민주적으로 선거에 출마할 후보를 지명했다.
 *animate v. 생기를 주다

P.270

A

1 잔인한, 야만적인 2 본질적인 3 상징하는, 기호의 4 이론상의 5 기계적인 6 열광적인 7 반어적인
8 accidental 9 racial 10 systematic
11 medical 12 periodical 13 radical
14 skeptical

B

1 중립국 2 직역 3 그의 친아버지 4 문법적인 실수를 정정하다 5 일란성 쌍둥이 6 유기 농업 7 얼굴에 비치는 냉소 8 우리 음식 특유의 맛

C

1 continental 2 fatal 3 typical 4 virtual
5 aesthetic 6 optical 7 diplomatic

해석

1 습한 대륙성 기후는 중위도의 넓게 트인 지역에서 관찰된다. (*expanse: 넓게 트인 지역)
 *commercial a. 상업의

2 뉴저지에서 온 어린 소녀는 극히 드물고 치명적인 질병에 걸렸다.
 *racial a. 인종의

3 전형적인 한국의 아침 식사는 다른 식사(점심, 저녁)와 크게 다르지 않다.
 *logical a. 논리적인

4 이 승리는 승리자가 엄청난 대가를 치르고 얻은, 사실상 패배인 승리이다.
 *horizontal a. 수평적인

5 미적 감각이 있는 사람은 아름다움을 감상하고 자신 주변의 모든 것에서 아름다움을 관찰할 것이다.
 *energetic a. 활동적인

6 광학 기계를 사용할 때는 주로 물체를 더 크게 보려고 할 때이다.
 *optimal a. 최적의, 최선의

7 이것은 미국과 외교 관계를 맺고 있지 않은 나라의 목록이다.
 *scientific a. 과학적인

P.271

A

1 위험한; 모험적인 2 예의 바른, 정중한 3 무서운
4 자선의, 자비로운 5 불쌍한, 비참한 6 부러워하는, 질투심이 강한 7 터무니없는, 우스꽝스러운
8 audible 9 remarkable 10 poisonous
11 nervous 12 conscientious 13 lamentable
14 monstrous

B

1 그녀의 성공을 바라다 2 거액의 돈 3 영광스러운 승리를 차지하다 4 그의 놀라운 발명품 5 맹렬한 속도로 6 훌륭한 음식 7 눈에 띄는 도로 표지판 8 훌륭한 선생님

C

1 eligible 2 honorable 3 jealous
4 ambitious 5 virtuous 6 notorious
7 luxurious

해석

1 나는 Lito Atienza가 마닐라 시장으로 출마하기에 가장 적합한 사람이라고 생각한다.
*edible a. 식용의

2 저는 이 영예로운 자리의 지원자로서 저 자신에 대해 말씀 드리기 위해 이 자리에 섰습니다.
*horrible a. 무서운

3 항상 우승자를 시기하는 많은 사람들이 있다는 것을 기억하라.
*courageous a. 용기 있는

4 야심 차게 계획한 목표를 이루기 위해 함께 일하게 될 것을 기대합니다.
*ambiguous a. 애매한, 분명치 않은

5 이 경우에 미덕은 도덕적인 행동과 사악한 행동을 판단하는 능력이다.
*virtual a. 1. 실제상의, 실질적인 2. 가상의

6 국내에서 가장 악명 높은 범죄자 중 한 명이 많은 양의 마약을 거래해왔다.
*marvelous a. 놀라운, 멋진; 즐거운

7 마스크를 한 신원 미상의 한 남성이 많은 고가의 보석을 훔치고 있는 것이 목격되었다.
*religious a. 종교(상)의, 종교적인

P.272

A

1 무수한 2 확정의, 긍정적인, 찬성의 3 무관심한, 부주의한 4 무자비한, 무정한 5 겁쟁이의, 용기 없는, 비겁한 6 파괴적인 7 호기심이 강한, 알고 싶어 하는
8 timely 9 talkative 10 likelihood 11 elderly
12 breathless 13 costly 14 productive

B

1 대체 에너지 2 자유 경쟁 시장 3 남성답고 용감해 보이다 4 무자비한 폭군 5 연간 총 수입 6 끊임없이 내리는 비 7 세상의 지혜 8 계간지(계절에 한 번, 연 4회 발행하는 잡지)

C

1 instinctive 2 comparative 3 distinctive
4 restless 5 priceless 6 helpless 7 lively

해석

1 우리는 본능적인 번식 욕구가 있기 때문에 아이들을 기꺼이 보호하려고 한다.
*instructive a. 교훈적인

2 Mark의 팀에게 미국과 한국의 IT 산업을 비교 분석하는 데 3개월의 시간이 주어졌다.
*competitive a. 경쟁의, 경쟁적인

3 우리 토론의 주제는 이슬람교의 독특한 특징이었다.
*digestive a. 소화의, n. 소화제

4 아기가 밤에 잠을 못 이룬다면, 낮에 일어날 수 있는 불안한 상황을 관찰하라.
*ruthless a. 무정한, 무자비한

5 저 잊혀진 사원들에 귀중한 보물이 얼마나 많이 있습니까?
*penniless a. 무일푼의, 몹시 가난한

6 여우 주연상은 Vanni가 받았는데 그녀는 아이를 모두 잃고 어찌할 바를 몰라하는 여성을 연기했다.
*selfless a. 사심 없는, 무욕의, 헌신적인

7 나는 모든 도전을 기회로 받아들이는, 매우 발랄하고 모험적인 여자이다.
*likely a. 할 것 같은, 있음직한

P.273

A

1 기본의, 초보의, 최소 단위를 이루는 2 화폐의, 금전(상)의, 금융의 3 정확한 4 움직이지 않는, 정지된 5 인정 많은, 동정심 있는 6 중대한, 중요한 7 우수한
8 auditory 9 temporary 10 desperate
11 approximate 12 obedient 13 prudent
14 considerate

B

1 자백 2 의무 교육 3 보완적인 관계 4 명백한 이유도 없이 5 긴급회의 6 법인 재산 7 풍작 8 우아한 가구

C

1 obligatory 2 delicate 3 arbitrary
4 temperate 5 passionate 6 sufficient
7 reluctant

해석

1 이슬람교에서 라마단 동안에 단식을 하는 것은 의무이다.
*imaginary a. 상상의, 가상의

2 일본은 일반적으로 기모노와 품위 있는 예절이 연상된다.
*separate a. 분리된

3 한 개인에 의해 임의적인 의사 결정이 이루어지는 것을 방지하기 위한 노력이 필요하다.
*literary a. 문학의

4 영국의 섬 날씨는 온화한 기후의 한 예이다.
*temporal a. 시간의, 한 때의

5 그는 강둑 위에 서서 군중에게 매우 감동적이고 열정적인 연설을 했다.
*fortunate a. 행운의

6 캐나다 사람들은 충분한 수입과 건강한 삶을 유지하는 것에 가장 관심이 있다.
*frequent a. 빈번한

7 불쾌하고 독특한 냄새 때문에 나는 오징어 먹기를 꺼린다.
*ignorant a. 무식한, 모르는

6 여기 휴게실에서 태양의 따스함을 즐기면서 휴식을 취할 수 있다.
*coldness n. 추위; 냉담, 냉정

7 언덕을 뛰어 올라가는 것은 힘과 체력을 기르기 위한 가장 효과적인 방법 중 하나이다.
*longevity n. 장수; 수명

 P.274

A

1 이기주의, 자기 본위 2 외로움, 고독함 3 열심, 열의, 열망 4 적당; 건강 5 인식, 알고 있음 6 사려 깊음 7 우정, 친절, 호의 8 forgiveness
9 carelessness 10 empty 11 bold
12 sleeplessness(=insomnia) 13 length
14 birth

B

1 지불 의사 2 갑작스러운 행동 3 맥주의 쓴맛
4 의식이 있는 상태 5 경계의 수준 6 남몰래 선행하다
7 길의 폭 8 강의 깊이

C

1 willingness 2 shyness 3 absoluteness
4 stillness 5 silence 6 warmth 7 strength

해석

1 그들은 돈을 지불할 의사는 있지만, 대부분 갚을 능력은 없다.
*unwillingness n. 내키지 않음

2 Jackson 씨는 직장 동료와 친하게 지내기 위해서 타고난 부끄러움을 극복해야 한다.
*boldness n. 대담, 배짱

3 교황의 절대성은 감히 도전받을 수 없었다.
*abruptness n. 갑작스러움, 돌발성

4 한밤중에 언덕 위에서, 나는 천둥소리가 밤의 고요함을 깨는 것을 들었다.
*stir v. 움직이다 n. 움직임, 휘젓기

5 모두가 아무 할 말이 없을 때 어색한 침묵이 흐를 수 있다.
*noise n. 소음, 시끄러운 소리

 P.275

A

1 승인, 허락 2 무지, 알지 못함 3 유지, 관리
4 보장, 보증, 확신 5 보석류 6 노예 제도, 노예 상태
7 방해, 교란 8 motherhood 9 falsehood
10 ownership 11 relationship 12 livelihood
13 injury 14 burglar

B

1 공연 티켓 2 국교 단절 3 화재 보험과 생명 보험
4 십중팔구 5 강도질을 하다 6 적에게 대항하다
7 왕립 그리니치 천문대 8 재정적 어려움

C

1 censorship 2 inheritance 3 courtship
4 delivery 5 bribery 6 endurance
7 directory

해석

1 새로운 검열법은 언론의 자유에 심각한 위협이 될 것으로 보인다.
*citizenship n. (도시의) 시민, 주민

2 스무 살에, 그는 그가 모셔 왔던 숙모님으로부터 상속을 받았다.
*livelihood n. 생계, 살림

3 그녀는 그의 짧은 구애 끝에 청혼을 흔쾌히 받아들였다.
*dictatorship n. 독재(권)

4 Tiki는 아이를 낳기 위해 병원에 왔지만, 지금은 분만실에 있지는 않다.
*abortion n. 임신 중절, 낙태

5 Jefferson은 뇌물 수수와 정부 재산을 사적인 용도로 악용한 점에 있어서 유죄이다.
*bride n. 신부, 새색시

6 이 수업에서 당신은 육체적·정신적 인내심을 기르기 위한 훈련법을 배울 것입니다.
*insurance n. 보험

7 전화번호부에서 그의 전화번호를 찾아봤는데, 등록되어 있지 않았어요.
*direction n. 감독; 연출

P.276

A

1 친밀, 친숙 2 확실성 3 독창성 4 부서지기 쉬움, 연약함 5 번영, 번창 6 부족, 결핍 7 비평, 비판 8 variety 9 liberty 10 majority 11 socialism 12 organism 13 orphan 14 capital

B

1 아동 보육 시설 2 새로운 이웃에 대한 적대감 3 그녀가 쓴 시의 참신함 4 국가 안보 5 공공 요금을 납부하다 6 기밀 정보 유출 7 사회적 관습의 속박 8 제품에 대한 보증 서비스

C

1 hospitality 2 obesity 3 majority 4 abolition 5 intensity 6 density 7 commercialism

해석

1 나는 그녀의 아름다운 금발과 따뜻한 미소, 친절한 환대를 기억한다.
  *hostility n. 적개심; 적대 행위

2 미국에서 어린이 비만은 성인 비만 비율의 두 배이다.
  *absurdity n. 불합리

3 결정은 회의에서 투표를 통해 다수결로 채택된다.
  *minority n. 소수(임)

4 핵무기 폐지가 전 세계적인 의제로 떠오르고 있다.
  *warranty n. 보증(서)

5 그는 낮은 임금 때문이 아니라 높은 노동 강도 때문에 그 일자리 제안을 거절했다.
  *fragility n. 부서지기 쉬움

6 1991년과 2001년 사이에 인구 밀도가 전국적으로 증가했다.
  *scarcity n. 부족; 결핍

7 올림픽의 상업주의에도 불구하고, 그것은 지구촌 사람들을 화합하도록 만든다고 여겨진다.
  *capitalism n. 자본주의

P.277

A

1 장비, 설비 2 발표 3 할당, 연구 과제, 숙제 4 용기, 불굴의 정신 5 크기, 양 6 군비, 병력 7 즐거움, 재미, 오락 8 government 9 investment 10 embrace 11 punish 12 command 13 multitude 14 gratitude

B

1 학문적인 업적 2 가족에 대한 강한 애착 3 그의 논리적인 주장 4 헌법 개정 5 그림에 대한 재능 6 북위

7 혼자 살다 8 여러 조건을 충족시키다

C

1 arrangement 2 ailment 3 concealment 4 measure 5 altitude 6 commitment 7 retirement

해석

1 그녀의 꽃꽂이는 매우 정교하고 예술적이며 멋지다.
  *disorder n. 무질서; 질환

2 건조한 피부는 관리하지 않고 두면 통증이 심한 피부 질환을 유발할 수 있다.
  *ointment n. 연고

3 그녀가 진짜 감정을 숨기는 행위가 전반적인 불신을 불러왔다.
  *exposure n. 노출; 폭로

4 팔의 길이가 확연하게 다르면 각각의 팔의 길이를 재어 보시오.
  *amend v. 수정하다

5 이 마을의 평균 고도는 해발 2,300미터 (7,666피트)이다.
  *attitude n. 태도, 자세

6 그녀는 다른 영화와 먼저 한 약속 때문에 새 스릴러물에서의 배역을 거절해야 했다.
  *commandment n. 명령(권)

7 당신이 조기 퇴직을 한다면, 당신이 원하는 만큼의 생활 수준을 충족하며 살 수 있을까?
  *employment n. 고용; 직업

P.278

A

1 노출 2 마감, 폐쇄, 폐점 3 (신의) 창조물, 생물 4 높이 5 불평 6 강조 7 위반; 공격; 분노의 원인 8 expenditure 9 pressure 10 literature 11 architect 12 agriculture 13 proof 14 survival

B

1 컴퓨터 파일의 삭제 2 현대 건축 양식 3 청원서에 서명하다 4 행복을 추구할 권리 5 군사적인 정복을 통해 6 공동묘지에 매장 7 퇴학 처분 8 전쟁에 대한 정확한 묘사

C

1 approval 2 innocence 3 moisture 4 proposal 5 appraisal 6 removal 7 posture

해석

1 그 연설은 정책에 대한 대중의 승인과 지지를 얻으려는 시도였다.
*refusal n. 거절; 거부

2 그는 이 사건을 저질렀다고 의심받았지만, 결백하다는 증거가 발견되었다.
*guilt n. (윤리적·법적인) 죄, 유죄

3 양탄자는 습기를 흡수하고 미생물 같은 오염 물질이 자랄 수 있는 환경을 제공할 수 있다. (*pollutant 오염 물질)
*posture n. 자세

4 나는 새로운 태블릿 PC 제품군을 개발해야 한다고 제안했지만, 그들은 나의 제안을 거절했다.
*portrayal n. 그리기; 초상(화)

5 심사위원들은 자신들의 결정이 객관적 평가를 기반으로 했다고 말했지만, 여전히 그들의 결정을 둘러싸고 많은 논란이 일어나고 있다.
*approval n. 승인, 찬성

6 세계 은행은 남아시아 국가 사이의 무역을 장려하기 위하여 무역 장벽을 없앨 것을 제안한다.
*preserve v. 보전하다, 유지하다

7 똑바른 자세는 매우 좋아 보이지만, 이런 자세로 오랫동안 앉아 있는 것은 불가능하다.
*exposure n. 노출; 발각

P.279

A

1 묘사 2 전시 3 반복 4 제한 5 유창 6 결심, 결정 7 비행, 항공 8 evolution 9 negotiation 10 privacy 11 demonstration 12 emergency 13 accuracy 14 agent

B

1 진한 설탕 용액 2 지원서 양식 3 육체노동을 하는 직업 4 주장의 정당성 5 높은 식자율(글을 읽고 쓰는 사람의 비율) 6 일의 능률성 7 스승과 학생 사이의 친분 8 현재의 행정부, 현 정권

C

1 congratulations 2 meditation 3 vacancy 4 circulation 5 recollection 6 Opposition 7 prophecy

해석

1 그녀가 당신의 승진을 축하하기 위해 짧은 카드를 쓰고 싶어 해요.
*assumption n. 가정; 가설

2 부처는 명상을 통해 평안을 얻는 방법을 제자들에게 가르쳤다.
*medication n. 약물 치료

3 우리에게 빈 방이 없다면 다른 곳을 찾도록 도와 드리겠습니다.
*privacy n. 사생활

4 건강을 유지하기 위해서는 원활한 혈액 순환이 매우 중요하다.
*revolution n. 혁명; 변혁

5 아무도 그녀에 대해 아는 것이 없고, 전에 그녀를 만난 기억도 없는 것 같았다.
*opposition n. 반대, 반항

6 야당의 비평가들은 정부의 정책에 대해 부정적인 논평을 했다.
*negotiation n. 협상, 교섭

7 점쟁이의 예언은 실제 발생한 것과는 달랐다.
*frequency n. 빈번; 빈도

P.280

A

1 기초 2 긴장 완화, 이완, 휴식 3 서술, 이야기 4 용해, 융해, 합병 5 공격, 침략 6 강박 관념, 망상 7 임무, 위임; 수수료 8 division 9 temptation 10 addict 11 rotation 12 successive 13 profession 14 admission

B

1 빠른 언어 습득 2 폐 수술 3 환경미화원 4 그 책의 삽화 5 내용의 폭로 6 정부 기관 7 소외감 8 재산을 잃다

C

1 imitations 2 violation 3 recession 4 addiction 5 succession 6 suggestion 7 digestion

해석

1 그 노점상들은 원래 것이랑 완전히 똑같은 모조품 신발을 판다.
*limitation n. 한계, 제한

2 경찰은 남자에게 차를 세우게 하고 교통 법규 위반으로 딱지를 발부했다.
*imagination n. 상상

3 경기 침체는 세계적으로 많은 국가에 부정적인 영향을 미쳤다.
*recess n. 쉼, 휴식

4 나는 내 남편이 알코올 중독을 극복할 수 있으리라고 믿었다.
*information n. 정보, 통지

5 왕가의 세습은 상속권과 결혼법에 의하여 지배된다.
*confession n. 고백, 자백

6 우리는 기숙사에서 사는 신입생은 각각 상급생 한 명
씩을 룸메이트로 두어야 한다는 제안에 동의했다.
*vocation n. 직업, 생업

7 여러분의 위장은 음식의 소화를 돕고 박테리아를 죽이
기 위해 산을 생산한다. (*acid 산, 신 것)
*explanation n. 설명

 P.281

A

1 싹트다, 발아하다   2 중심 도시, 수도, 대도시
3 걸작, 명작   4 영양; 영양 공급   5 정상화하다
6 실용적인   7 약물치료   8 expert   9 master
10 nutrient   11 longevity   12 sensitive
13 various   14 generous

B

1 현충일(전몰장병 추모일)   2 각각의 소유자   3 기밀
보고서   4 순간적인 충동   5 약초   6 유기농 식품
7 사려 깊은 이웃   8 철도 교차지점

C

1 economic   2 credulous   3 childish
4 industrious   5 favorite   6 genetic
7 imaginative

해석

1 미국과 중국의 경제적 관계는 상호 이익이 된다.
*economical a. 절약하는, 검약한

2 귀가 얇은 사람은 증거가 거의 없이도 무엇이든 믿는
경향이 있다.
*credible a. 신뢰할 수 있는

3 James와 Robert는 항상 음식을 가지고 싸운다. 내
생각에 그것은 유치한 행동이다.
*childlike a. 어린애 같은; 귀여운

4 학교에서 부지런한 아이들이 직장에서도 부지런한 성
인이 될 것이다.
*industrial a. 공업의; 산업의

5 오늘밤, 3번 채널에서 Sean 아저씨가 자신이 가장
좋아하는 추수감사절을 위한 세 개의 요리법을 공유할
것입니다.
*favorable a. 호의적인; 찬성의

6 다운증후군은 지적 장애와 관련된 일종의 유전적 질병
이다.
*generous a. 후한, 푸짐한; 관대한

7 그녀는 정말 상상력이 풍부한 시인이다. 그녀의 시는
비평가들에 의해 많은 영감을 준다고 평가받는다.
*imaginable a. 상상할 수 있는

 P.282

A

1 수소   2 질소   3 동질적인   4 세대, 동시대 사람들;
발생   5 관대함   6 항생 물질, 항생제; 항생(작용)의
7 의심   8 gene   9 oxygen   10 specimen
11 aspect   12 inspection   13 ecology
14 autobiography

B

1 열을 발생시키다   2 유전 공학   3 두둑한 보너스
4 인간의 재주   5 미생물학 학위   6 생체 역학적 특징
7 신체의 생화학적 특징   8 진짜 가죽

C

1 suspect   2 specific   3 retrospect
4 biology   5 genuine   6 biography   7 gender

해석

1 집안에 가스 누출이 의심된다면, 인근의 가스회사에
전화를 하시오.
*retrospect n. 회고, 회상

2 그 기술자는 나에게 백신 프로그램 사용법에 대해 상
세히 알려줬다.
*suspicious a. 의심스러운

3 돌이켜보면, 지난 20년은 우리 회사의 황금기였습니
다.
*perspective n. 원근법; 경치, 조망

4 학생들은 다음 생물 수업시간에 개구리를 해부할 예정
이다.
*biography n. 전기(傳記), 일대기

5 그것이 아리스토텔레스의 친필이라면 그것은 매우 중
요한 것이다.
*generous a. 푸짐한; 관대한

6 그녀의 아들 중 한 명은 나중에 작가가 되어 어머니의
전기를 썼다.
*bioecology n. 생물 생태학

7 거의 모든 스페인어의 명사는 문법적 목적으로 남성형
이나 여성형으로 구분된다.
*genetics n. 유전학

 P.283

A

1 연락선   2 더 좋은, 선호하는   3 회의   4 세 배로 하
다; 세 배의 수[양]; 세 배의   5 추론   6 의미, 함축
7 공급하다, 배급하다   8 plenty   9 completely
10 complement   11 accomplish   12 closet
13 enclosure   14 conclusion

B

1 다른 학교로 전학 가다   2 그 소년을 '내 아들'이라고 부르다   3 묵시적인 약속   4 일을 복잡하게 만들다   5 성공을 축하하다   6 비밀을 폭로하다   7 편지에 수표를 동봉하다   8 기자 회견을 열다

C

1 defer   2 Fertile   3 infer   4 excluding   5 include   6 conferred   7 exclusive

해석

1 나는 모든 것이 잘 마무리되는지 확인하기 위해 출발을 연기하려고 했다.
 *infer v. 추리하다, 추론하다
2 비옥한 토양은 물과 공기, 광물, 유기물의 결합물이다.
 *barren a. (땅이) 불모의, 메마른
3 여러분은 사전을 사용하지 않고, 문맥에서 단어의 뜻을 추측할 수 있어야 합니다.
 *imply v. 암시하다
4 내 생각에 노인들을 소외시키는 것은 어떤 의미에서 과거를 부정하는 것이다.
 *include v. 포함하다
5 네덜란드의 택시 요금에는 법적으로 세금과 팁이 포함되어 있다.
 *conclude v. 결말을 짓다, 종결하다
6 위원회는 Smith 박사의 기여를 인정했으며, 그녀에게 메달을 수여했다.
 *transfer v. 옮기다, 이동하다
7 올해 초 그 작가는 해외의 한 출판사와 독점 계약을 체결했다.
 *secluded a. 격리된

P.284

A

1 유창함   2 자세, 마음가짐   3 (돈을) 맡기다, 예금(하다)   4 가정하다; 상상하다, 추측하다   5 작곡, 작문, 구성   6 생산   7 유혹   8 flight   9 fluid   10 float   11 positive   12 reduce   13 produce   14 pose

B

1 수치가 계속 변동하다   2 독감 경보   3 화가 나서 얼굴이 붉어지다   4 ~에게 벌금을 부과하다   5 뮤지컬 작곡가   6 그 약을 먹으면 잠이 온다.   7 부지휘자   8 새로운 세포의 번식

C

1 fluent   2 flee   3 components   4 reproduce   5 conduct   6 dispose   7 seduce

해석

1 나는 내 영어 에세이를 고쳐줄 영어를 유창하게 하는 사람을 찾고 있다.
 *fluid n. 유동체; 액체
2 반란이 실패한 뒤, 그는 산으로 피난할 수밖에 없었다. (*rebel 반역자)
 *plead v. 탄원하다, 간청하다
3 모든 기계 부품들은 크기와 무게가 정확해야 한다.
 *composer n. 작곡가
4 그림을 복제하기 전에 원작자의 허락을 구하라.
 *reduce v. 줄이다; 축소하다
5 유효한 안내 자격증 없이는 나이아가라 공원에서 여행객을 안내할 수 없다.
 *seduce v. 부추기다, 꾀다
6 당신이 등산을 하며 쓰레기를 버릴 때 기억해야 할, 간단한 몇 가지 수칙이 있다.
 *retain v. 보유하다, 유지하다
7 암 전문가들은 맛을 낸 담배 제품이 청소년들을 꾈 수 있다고 경고한다. (*flavored 맛을 낸)
 *distract v. (마음·주의) 산만하게 하다

P.285

A

1 방출   2 전임자   3 (화물 등을) 보내다, 발송하다   4 임무, 선교   5 우수함   6 달성하다, 이루다; 도달하다   7 유지하다   8 continent   9 succeed   10 process   11 admission   12 contain   13 successor   14 proceed

B

1 핵무기를 보유하다   2 자살하다   3 투표를 기권하다   4 다른 모든 것보다 우선하다   5 학기말 보고서를 제출하다   6 결과에 만족하다   7 휴대 전화로 콘텐츠를 내려받다   8 정부로부터 승인을 얻다

C

1 sustain   2 omitted   3 excels   4 Excessive   5 commission   6 recession   7 access

해석

1 경찰의 봉급으로는 가족을 부양하기 어렵다는 점이 유감이다.
 *submit v. 복종하다; 제출하다
2 편집자가 내 기사의 한 단락에서 문장 하나만을 삭제해서 기뻤다.
 *emit v. 발하다, 방출하다
3 나는 큰딸이 영어와 중국어에서 뛰어나다는 점이 자랑스럽다.
 *recede v. 물러나다, 퇴각하다

4 임산부의 과다 체중은 아기에게도 안 좋은 영향을 끼칠 수 있다.
　*successive a. 연속하는

5 우리는 위탁 판매로 인터넷 상에서 상품을 판매하기 시작했다.
　*mission n. 임무, 직무

6 경기가 침체되어 있을 때는 실업률이 높아지게 된다.
　* succession n. 연속; 연속물

7 주 진입로가 수리 중이므로, 건물 뒤의 진입로를 이용해 주십시오.
　*excess n. 과다; 잉여

P.286

A

1 자국, 흔적; 통로　2 공격　3 감히 ~하다; 모험
4 소득, 고정 수입　5 추적하다; 발자국, 바큇자국
6 큰 거리, 대로　7 역행하다; 퇴보하다　8 extract
9 attraction　10 abstract
11 graduate　12 prevent　13 invent　14 adventure

B

1 매력적인 외모　2 계약직 근로자, 비정규직 근로자
3 국경에서 후퇴하다　4 김치의 주재료　5 작업장을 환기하다　6 회의장　7 과학적 진보　8 피서지

C

1 subtracting　2 aggressive　3 vent
4 conventions　5 degrees　6 gradual
7 Progressive

해석

1 그가 13에서 6을 빼는 것을 어려워한다는 것은 놀라운 일이었다.
　*multiply v. 늘리다; 곱하다

2 우리의 개 훈련 프로그램을 통해 당신 개의 공격적인 행동을 막을 수 있습니다.
　*negative a. 부정적인

3 우리 집에 밖에서 부엌으로 통하는 환기구에 문제가 있다.
　*venture n. 모험

4 이 글은 아이들이 어떻게 사회적 관습을 받아들이는지에 대해 논의하고 있다.
　*conviction n. 신념, 확신

5 나는 새로운 업무 환경에 점차 익숙해지기를 바란다.
　*graduation n. 졸업; 등급 매기기

6 동일한 팀에 머무는 모든 선수들은 시간이 지나면서 점차 봉급이 인상될 것이다.
　*graduate n. (대학) 졸업자 a. 졸업생의; 학사학위를 받은

7 우리는 정직과 깨끗한 정치가 진보당의 핵심 가치이기를 바란다.
　*conventional a. 전통적인, 재래식의

P.287

A

1 교제, 교류　2 커리큘럼, 교과 과정　3 동의하다, 동시에 일어나다　4 (의견, 감정의) 일치, 합의
5 동정, 공감　6 감상, 소감　7 냉담, 무감각
8 antipathy　9 telepathy　10 sensitive
11 sensible　12 occur　13 scent　14 recurrence

B

1 ~의 견해와 일치하다　2 교육에 관해 대화하다
3 그에게 5년형을 선고하다　4 노인에 대한 나의 공감
5 아픈 사람에 대한 동정심　6 배움에 대한 열정
7 심장병 환자　8 시사 뉴스

C

1 current　2 consent　3 sentimental
4 patient　5 assent　6 recurring　7 excursion

해석

1 전류는 몸을 통과할 때 몸에 상당히 많은 영향을 미친다.
　*intercourse n. 교제, 교류

2 그는 어떠한 정부도 그 제안에 동의할 것으로 믿었다.
　*conserve v. 보존하다; 보호하다

3 비록 그 노래는 록음악이지만, 나는 마치 감상적인 노래인 것처럼 그 노래를 듣는다.
　*sympathetic a. 동정적인

4 교사들은 자신들에게 도전을 하는 아이들에게 성미 급하게 굴지 말아야 한다.
　*passionate a. 열정적인, 강렬한

5 회사 중역들이 그 제안에 동의하면 우리는 그 프로젝트를 시작할 수 있다.
　*sensation n. 감각, 감동

6 그가 반복되는 악몽으로 고생하고 있어서 나는 그에게 정신과 의사와 상담해 보라고 조언했다.
　*concur v. 일치하다; 동시 발생하다

7 당신은 세계의 가장 유명한 곳 중의 몇몇 장소로 여행을 갈 수 있다.
　*execution n. 실행, 수행

A

1 수령, 영수증 2 제외, 예외 3 속임, 사기 4 (의견 따위를) 마음에 품다; 고안하다, 생각하다 5 촉각의; 입체감의 6 달라붙다, 달려들다; (문제를) 다루다 7 지각, 인식 8 conceit 9 subside 10 residence 11 attach 12 attack 13 preside 14 intercept

B

1 한 가지 계획을 생각해 내다 2 제의를 수락하다, 청혼을 수락하다 3 회의의 사회를 보다 4 깊은 바다 속의 침전물 5 앉아서 하는 일 6 정기 국회 7 물증 8 카메라에서 렌즈를 떼내다

C

1 perceive 2 intact 3 contagion 4 concept 5 resident 6 deceived 7 contaminated

해석

1 나의 개는 어떤 것이든 귀로 감지할 수 있기 때문에 좋은 감시견이다.
*deceive v. 속이다, 기만하다

2 한 고고학자가 손상되지 않고 그대로 남아 있는 이집트인의 무덤을 우연히 발견했다.
*tangible a. 만져서 알 수 있는; 실체적인

3 한 지역의 위기는 전염에 의해서 다른 지역에도 퍼질 수 있다.
*conclusion n. 결말, 종결

4 사람이 다른 사람에게 느끼는 애정은 추상적인 개념이다.
*contact n. 접촉

5 5세 이하의 아이들이 그 도시 주민 인구의 4.8%를 차지한다.
*rodent a. n. 설치류(의)

6 겉모습에 속지 마라. 너는 그 이면에 숨어 있는 진정한 본질을 알아야 한다.
*discourage v. 용기를 잃게 하다(deject), 실망시키다

7 엄청난 양의 기름 유출로 수많은 사람들이 먹는 중요한 식수원인 강이 오염되었다.
*preserve v. 보전하다, 유지하다

A

1 1회 복용량, 한 번에 주는 양 2 일화, 재미있는 사건 3 압박 4 선언하다, 공표하다 5 (감정, 욕망을) 억누르다 6 요구(하다), 주장(하다); 손해 배상을 요구하다 7 외침, 절규 8 impress 9 council 10 donate 11 pardon 12 overdose 13 pressman 14 impressive

B

1 세계적인 찬사를 받다 2 시장의 떠들썩한 소리 3 나를 무력하게 만들다 4 언론(출판, 보도)의 자유 5 깊은 우울감에 빠지다 6 우려를 나타내다 7 모든 책임을 부인하다 8 기뻐서 소리를 지르다

C

1 endow 2 compress 3 expressway 4 pressure 5 donation 6 depression 7 impression

해석

1 Price 씨는 학교에 컴퓨터를 기부하겠다고 제안했다.
*deprive v. 빼앗다, 박탈하다

2 이메일을 보내기 전에 파일을 어떻게 압축하는지 아세요?
*expand v. 넓히다, 확장하다

3 내가 고속도로에서 출구를 찾는 데는 너무나 오랜 시간이 걸렸다.
*terminal n. 끝, 말단; 종점(終點), 터미널

4 고혈압은 심장 질환을 야기할 수 있는 심각한 요소이다.
*depression n. 우울; 불경기, 불황

5 당신은 또한 조국의 적십자에 직접 기부할 수도 있다.
*deprivation n. 박탈; 결핍

6 나는 한 순간 매우 신나 하다가, 다음 순간 깊은 우울감에 빠지기도 한다.
*suppression n. 억압

7 첫인상이 형성될 때, 외모뿐 아니라 신체 언어가 중요한 역할을 한다.
*expression n. (사상·감정의) 표현, 표시

A

1 격려하다, 영감을 주다 2 호흡하다 3 땀, 노력 4 반박하다, 반대하다 5 봉헌, 헌납 6 만기; 숨을 내쉼 7 말하는 사람; 독재자 8 spirit 9 dictionary 10 prediction 11 logical 12 monologue 13 apology 14 dialogue

B

1 인공호흡 2 소설에서 영감을 얻다 3 받아쓰기 시험 4 미사 마지막의 축복 기도 5 일생을 바치다 6 구어적인 표현 7 웅변가, 달변의 연사 8 책의 맺음말

C

1 expire 2 conspired 3 predict 4 logic 5 psychology 6 indicate 7 perspiration

해석

1 너는 연장을 요청해야 한다. 그렇지 않으면 그것은 이번 달 말에 만기가 될 것이다.
*retire v. 은퇴하다, 퇴직하다

2 재판에서 드러났듯이 우리는 정부를 전복할 음모를 꾸민 적이 없다.
*respire v. 호흡하다

3 전 세계의 블로거들은 월드컵의 결과를 예측하려고 노력했다.
*contradict v. 반박하다

4 당신의 주장은 흑백 논리에 근거한 것으로 논리적이지 않다.
*epilogue n. 끝맺음 말; 종막(終幕)

5 군중 심리학은 집단의 행동에 대한 연구이다.
*physiology n. 생리학; 생리 현상

6 이 표시들은 도심까지 방향과 거리를 나타낸다.
*dedicate v. 바치다, 전념하다

7 그 연구원은 각각의 사람들에게서 땀 한 방울씩을 채취했다.
*inspiration n. 영감, 격려

P.291

P.291

A

1 손으로 쓴 글, 원고, 대본 2 기부; 구독 3 처방전
4 같게 하다, 동등하게 하다 5 평형, 균형; 마음의 평정
6 피날레, (음악회의) 마지막 연주곡, (오페라의) 최종 장면
7 같음, 동등 8 postscript 9 equator
10 definition 11 finally 12 adequate
13 description 14 finish

B

1 잡지를 정기 구독하다 2 장면을 묘사하다 3 인종의 평등 4 캐나다 크기와 맞먹는 5 분명치 않은 대답
6 무한한 우주 7 확답 8 이탈리아어와 스페인어 사이의 밀접한 유사성

C

1 inscribed 2 prescribe 3 manuscript
4 equation 5 finite 6 confine 7 define

해석

1 우리는 기념비에 전쟁에서 죽은 사람들의 이름을 새겼다.
*prescribe v. (약을) 처방하다

2 현재 의사들은 일반적으로 각각의 질병에 대해 환자에게 약을 처방한다.
*transcribe v. 베끼다, 복사하다; 기록하다

3 아인슈타인의 상대성이론의 원본 원고가 전시되었다.
*postscript n. (편지의) 추신

4 화학 방정식은 화학 반응에서 어떠한 일이 일어나는지를 표현하는 하나의 방법이다.
*equality n. 같음; 평등

5 우리는 공기와 물, 땅이 유한한 자원이라는 점을 인지해야 하고, 그것들을 소중히 해야 한다.
*infinite a. 무한한

6 동물들을 움직일 수도 없는 작은 우리에 가두는 것은 비인간적이다.
*define v. 규정짓다, 한정하다

7 어떤 단어를 정의할 때 간결해야 한다. 정의가 짧을수록 기억하기는 더 쉽다.
*refine v. 정제하다, 세련되게 하다

P.292

P.292

A

1 견고하게 하다, 요새화하다 2 저장소; 저수지 3 방부제 4 변형 5 공식화하다 6 순응 7 체제, 전체구성; (컴퓨터) 포맷, 초기화 8 effort 9 observatory
10 reservation 11 conservative 12 formal
13 formula 14 information

B

1 거대한 요새 2 부상자들을 위문하다 3 경찰 단속
4 장벽을 보강하다 5 법률을 준수하다 6 환경 보존
7 교육개혁 8 천연자원을 보존하다

C

1 fortitude 2 enforce 3 reserve 4 deserve
5 transforming 6 conform 7 formation

해석

1 그는 전투에서 용감했기 때문에 메달을 수여 받았다.
*reform v. 개혁하다 n. 개혁, 개량

2 경찰은 정중하고 적절하게 법을 집행하겠다고 발표했다.
*force n. 힘, 세력 v. 강제하다

3 호텔 예약 소프트웨어는 누구든지 호텔에 방을 예약하도록 도와줍니다.
*preserve v. 보전하다, 유지하다

4 다음 주에는 멋진 휴가 보내세요. 당신은 그럴 자격이 있어요.
*observe v. 준수하다; 관찰하다

5 비타민은 음식을 에너지로 바꾸는 데 도움을 준다.
*transmit v. (화물 등을) 보내다, 발송하다.

6 나는 어렸을 때 사람이 항상 규칙을 따르는 것은 아니라는 사실을 알아챘다.
*inform v. 알리다

7 그 장군은 400명의 정예군을 모아서 전투 대형으로 계속 이동했다.
*formula n. 식; 공식

P.293

A

1 최대, 최대한도 2 주요한, 중요한; 전공하다 3 확대하다 4 막대기; 참모, 부원 5 입장, 견지, 관점 6 토지, 부동산 7 설치하다, 설비하다 8 statue 9 minority 10 stability 11 station 12 state 13 standard 14 minimum

B

1 속력이 떨어지다 2 장관, 멋진 광경 3 문제의 중요성 4 현재의 상태 5 현 상황 하에서 6 완고한 성격 7 근로자의 다수를 구성하다 8 헌법을 개정하다

C

1 minute 2 static 3 stable 4 obstacle 5 establishing 6 microscope 7 statistics

해석

1 그 장치는 달에 있을 수도 있는 극히 소량의 물을 탐지할 수 있다.
  *magnificent a. 장엄한; 훌륭한

2 흐르는 전류와 달리, 정전기는 한 장소에 머물러 있다.
  *dynamic a. 동력의; 동적인

3 경제학자들은 안정적인 주택 가격이 경제 회복에 필수적이라고 말하고 있다.
  *moving a. 움직이는; 이동하는

4 보통, 성공의 가장 큰 장애물은 밖에 있지 않고, 당신 안에 있다.
  *obstinacy n. 완고; 고집

5 Jerry는 델라웨어의 학교의 교육을 개선하기 위해 대학을 설립하자는 제안을 했다.
  *constitute v. 구성하다

6 우리는 생물 시간에 현미경으로 곤충 몇 마리를 관찰했다.
  *observatory n. 천문대; 관측소

7 공식적인 인구 통계는 출생과 사망, 이민, 결혼, 이혼에 근거한다.
  *institute v. (제도 · 습관을) 설치하다; 설립하다

P.294

A

1 중앙의; (수학) 중간 값의 2 중재, 조정 3 전환하다 4 거꾸로 할 수 있는 5 반대로, 그 역으로 6 다양성 7 타락 8 convertible 9 converse 10 interruption 11 medium 12 bankrupt 13 midterm 14 medieval

B

1 파업을 중재하다 2 중급 과정 3 전류를 (일시적으로) 차단하다 4 소설의 영화판 5 여왕과 담화를 나누다 6 다양한 의견을 반영하다 7 수직선 8 분화구에서 분출하다

C

1 hemisphere 2 reverse 3 diverse 4 disrupt 5 abrupt 6 corrupt 7 Mediterranean

해석

1 북반구가 여름일 때, 남반구는 겨울이다.
  *Antarctic a. 남극의 n. 남극, 남극권

2 대부분의 사람들에게 있어서 후진기어로 운전하는 것은 자연스럽지 않다.
  *diverse a. 다양한, 가지각색의

3 우리 보도의 목표는 여러 의견을 반영하고 깊이 있는 분석을 제공하는 것이다.
  *abrupt a. 느닷없는, 갑작스러운

4 사이버 위협이 우리 사회를 혼란스럽게 할 수 있다는 것이 우리의 분명한 의견이다.
  *erupt v. 분출하다

5 이렇게 갑작스러운 질문에 만족스러운 답변을 한다는 것을 쉽지 않다.
  *deliberate a. 계획적인; 생각이 깊은

6 부패한 관리가 전체적으로는 대중을 위해 좋은 일을 했다면, 당신은 그를 용서하겠습니까?
  *upright a. 똑바로 선; 청렴(강직)한

7 지중해는 거의 완전히 육지로 둘러싸인 대서양의 일부이다.
  *Pacific a. 태평양의

P.295

A

1 온도계 2 막대한, 거대한 3 기하학 4 강요 5 충동적인 6 짝의 한 쪽, 상대물 7 (남아프리카의) 인종 차별 정책; 차별, 배타 8 pulse 9 parcel 10 department 11 particle 12 partial 13 participate, partake 14 partition

B

1 토지를 측량하다 2 입체 영화 3 여론의 척도 4 지름이 6미터 5 침입자를 내쫓다 6 복종을 강요하다 7 추진력 8 웃고 싶은 충동을 참다

C

1 dimensions 2 symmetry 3 partake 4 repel 5 propel 6 compulsory 7 compartment

해석

1 방을 색칠하기 전에 방의 치수를 재야 합니다.
*barometer n. 기압계; 고도계; 표준,

2 수술을 좀 더 하면 얼굴 좌우 양쪽의 균형을 개선할 수 있다.
*diameter n. 직경, 지름

3 이 만찬의 목적은 동료들과 식사를 함께하는 것이다.
*parcel n. 꾸러미, 소포

4 Mac은 그들에게 모기를 퇴치하기 위해 라벤더 오일을 사용하라고 제안했다.
*attract v. 마음을 끌다, 매혹하다

5 그런 상황에서는 비행기를 앞으로 나아가게 하는 것은 매우 힘이 든다.
*halt v. 멈춰서다, 정지하다

6 5세 이상 16세 이하의 아동은 의무 교육을 받아야 한다.
*voluntary a. 자발적인

7 장거리 기차의 일등칸은 일반인에게 제공되는 좌석 중에서 가장 편안한 등급이다.
*department n. 부문, 과(科)

P.296

A

1 기생 동·식물, 기생충, 식객 2 지형, 지대 3 테라스, 계단 모양의 뜰 4 노동 절약이 되는 5 협력하다 6 조작, 교묘히 다루기 7 수동의; 소책자 8 parallel 9 inter 10 geographer 11 geologist 12 labor 13 laboratory 14 manufacture

B

1 말을 바꾸어 설명하다 2 낙하산 강하 3 평면 기하학 4 지열(地熱) 5 육체 근로자 6 명백한 잘못 7 여론을 교묘히 조종하다 8 피아노 연주와 같이 두 손을 쓰는 일

C

1 paragraph 2 territory 3 paradox 4 laborious 5 paralyze 6 collaboration 7 geography

해석

1 너는 이 문단을 이동하거나 삭제할 수는 있지만, 전체 내용을 바꿀 수는 없다.
*paradox n. 역설(틀린 것 같으면서도 옳은 이론)

2 기원전 400년경 페르시아인들은 매우 강대했고 광대한 영토를 지배했다.
*terrace n. 계단 모양의 뜰

3 '급할수록 천천히'는 잘 알려진 역설이다.
*paradise n. 천국, 낙원

4 일 년 내내 정원을 깔끔하게 유지하는 것은 고된 일일 수 있다.
*effortless a. 힘들이지 않은; 쉬운(easy)

5 어떤 경우에는, 강한 전류가 신경을 마비하고 심장 박동을 멈추게 할 수 있다.
*heal v. 고치다, 낫게 하다

6 이 책은 대학 총장을 포함한 작가 네 명의 공저이다.
*conflict n. 싸움; 분쟁

7 한반도는 3면이 바다로 둘러 싸여 있으며, 그 지리가 호랑이의 모습을 닮았다.
*geology n. 지질학

P.297

A

1 편견, 선입관 2 정당화 3 특권을 주다; 특권, 면책 4 법률을 제정하다 5 해결사, 종결시키는 사람 6 근절, 박멸 7 재생하게 하다 8 justice 9 judge 10 term 11 determined 12 insecticide 13 vital 14 injury

B

1 공정 가격 2 법률업, 법조계 3 확답 4 자신의 행동을 정당화하다 5 제초제에 내성이 생긴 잡초 6 생생한 묘사 7 토론에 활력을 불어넣다 8 가위, 바위, 보

C

1 justify 2 terminal 3 determine 4 exterminate 5 insecticide 6 vigor 7 legislation

해석

1 그녀는 다른 사람들에게 자신의 행동을 도덕적으로 정당화시켜야 했고, 또한 그녀 자신에게도 그렇게 해야 했다.
*accuse v. 고발하다; 비난하다

2 이 모든 폐암 증상들은 암의 말기 단계에 나타난다.
*terminate v. 끝내다, 종결시키다

3 나는 내 인생에서 무엇을 해야 할지 아직도 결정을 못하겠다.
*vivify v. 생기를 주다; 활기를 띠게 하다

4 해충을 박멸하기 위한 방법은 많지만, 최고의 방법은 집을 깨끗하게 유지하는 것이다.
*determine v. 결심하다, 결의하다

5 살충제를 나무나 꽃에 직접적으로 뿌리지 마시오.
*suicide n. 자살

6 그는 신체적으로 장애가 있지만, 그렇다고 정신력이 약해지지는 않았다.
*barrier n. 울타리; 장애(물), 방해

7 반이민법으로 아시아 근로자들이 미국에 올 수 없을 때 무슨 일이 일어났는가?
*privilege v. 특권을 주다 n. 특권, 면책

A

1 (다리가 열 개인) 십각류, 오징어류 2 지네 3 우선권
4 수입하다 5 지지하다, 부양하다; 지지, 부양
6 두 발 동물 7 발 치료; 발톱 가꾸기 8 octopus
9 primate 10 primary 11 principal 12 export
13 principle 14 porter

B

1 삼각대와 줌렌즈를 사용하다 2 자전거와 보행자를 위한 다리 3 수상 4 영장류에 대한 줄기세포 실험 5 원시사회 6 원칙을 고수하다 7 화물을 운송하다 8 (증권 등에 의한) 투자 소득

C

1 pedal 2 prior 3 portable 4 principal
5 expedition 6 primitive 7 transportation

해석

1 보통 우리는 오르막길에서 자전거의 페달을 밟는 것이 어렵다고 느낀다.
*pebble n. 조약돌 v. 조약돌을 던지다, 작은 돌로 치다

2 그녀는 선약이 있기 때문에 오늘 불참했다.
*posterior a. (시간·순서가) 뒤의, 다음의

3 나는 내 조그마한 DVD 플레이어에 연결할 수 있는 휴대용 TV를 찾고 있다.
*edible a. 식용에 적합한, 식용의

4 흡연이 폐암의 주요 원인이라고 널리 믿어지고 있다.
*principle n. 원리, 원칙

5 우리는 스쿠버 다이빙, 고래 관측, 카약을 포함한 카리브해 탐험을 제공합니다.
*exploitation n. 이용; 개발

6 원시 사회의 사람들은 의약, 마법, 종교를 구분하지 않았다.
*primary a. 첫째의, 주요한

7 차가 없는 학생들은 대중교통을 이용할 수 있는 가장 가까운 곳까지 약 1마일을 걸어가야 한다.
*transplant n. 이식; 이주

A

1 반사, 반영 2 굴절, 편향, 꺾임 3 구부리기 쉬움, 융통성 4 반사면 5 시간의 6 동시에 발생하다, 시간을 일치시키다 7 급류, 억수 8 tempo 9 blast
10 spatial 11 breeze 12 storm 13 typhoon
14 tortoise

B

1 반사 반응 2 변경 가능한 업무 시간 3 현대 소설
4 역사적 시대착오 5 과거를 회상하다 6 잔인한 고문을 견디다 7 정신적 고통을 겪다 8 토네이도 경보

C

1 contemporary 2 chronic 3 retort
4 distorted 5 flex 6 reflect 7 Temporary

해석

1 파키스탄 사람인 사회 운동가 말랄라 유사프자이는 더 나은 세상을 만들려고 노력하는 동시대 영웅 중 한 명이다.
*temporary a. 일시의, 순간의, 임시의

2 만성병은 스트레스를 많이 줄 수 있고, 한 개인이 살아가는 방식을 바꿔 버릴 수도 있다.
*chronicle n. 연대기, 역사

3 Jerry는 화나서 얼굴을 붉혔고 상사에게 날카롭게 반론하기 시작했다.
*retreat n. 퇴각, 퇴거; 피정(일정 기간 조용한 곳에서 하는 종교적 수련)

4 다큐멘터리가 진실을 왜곡했다고 한 시민이 주장했다.
*distract v. 흩뜨리다, 주의를 산만하게 하다

5 회사들은 근로자들이 '자유 근무 시간제'를 통해 집에서 일할 수 있게 하고 있다.
*rigid a. 굳은, 단단한; 휘어지지 않는

6 나는 매체가 여론을 조작하려 하기보다는 반영을 해야 한다고 생각한다.
*deflect v. 굴절시키다

7 비정규직 근로자들은 개개의 경우에 따라 고용제로 일할 수도 있고 시간제로 일할 수도 있다.
*permanent a. 영구적인

INDEX

Index

MEMO

이것이 THIS IS 시리즈다!

THIS IS GRAMMAR 시리즈

▷ 중·고등 내신에 꼭 등장하는 어법 포인트 분석 및 총정리

THIS IS READING 시리즈

▷ 다양한 소재의 지문으로 내신 및 수능 완벽 대비

THIS IS VOCABULARY 시리즈

▷ 주제별로 분류한 교육부 권장 어휘

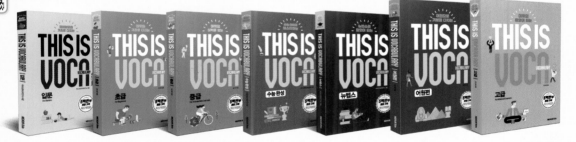

LEVEL CHART

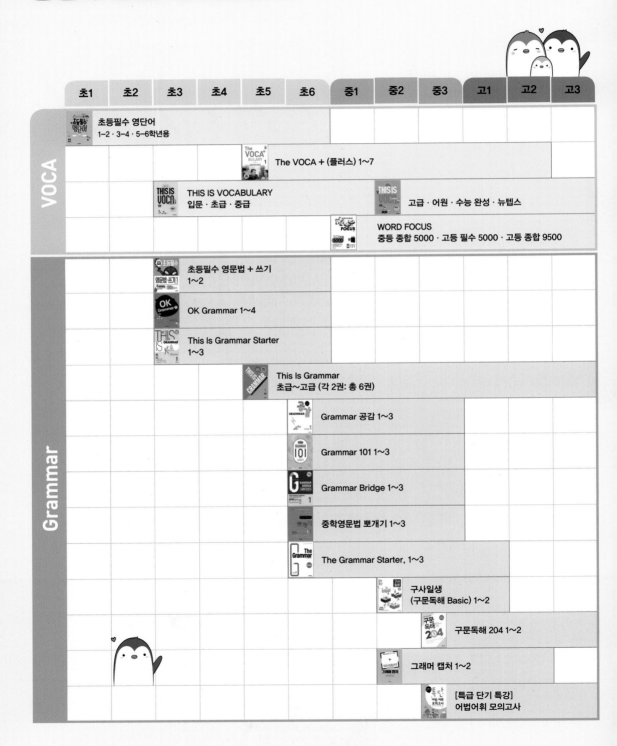

	초1	초2	초3	초4	초5	초6	중1	중2	중3	고1	고2	고3

VOCA

- 초등필수 영단어 1-2 · 3-4 · 5-6학년용
- The VOCA + (플러스) 1~7
- THIS IS VOCABULARY 입문 · 초급 · 중급
- THIS IS VOCA 고급 · 어원 · 수능 완성 · 뉴텝스
- WORD FOCUS 중등 종합 5000 · 고등 필수 5000 · 고등 종합 9500

Grammar

- 초등필수 영문법 + 쓰기 1~2
- OK Grammar 1~4
- This Is Grammar Starter 1~3
- This Is Grammar 초급~고급 (각 2권: 총 6권)
- Grammar 공감 1~3
- Grammar 101 1~3
- Grammar Bridge 1~3
- 중학영문법 뽀개기 1~3
- The Grammar Starter, 1~3
- 구사일생 (구문독해 Basic) 1~2
- 구문독해 204 1~2
- 그래머 캡처 1~2
- [특급 단기 특강] 어법어휘 모의고사

	초1	초2	초3	초4	초5	초6	중1	중2	중3	고1	고2	고3

Writing

- 공감 영문법+쓰기 1~2 (초4~초5)
- 도전만점 중등내신 서술형 1~4 (초6~중3)
- 영어일기 영작패턴 1-A, B · 2-A, B (초4~)
- Smart Writing 1~2 (초4~)

Reading

- Reading 101 1~3 (초4~)
- Reading 공감 1~3 (초4~)
- This Is Reading Starter 1~3 (초4~)
- This Is Reading 전면 개정판 1~4 (초5~중3)
- This Is Reading 1-1 ~ 3-2 (각 2권; 총 6권) (초5~중3)
- 원서 술술 읽는 Smart Reading Basic 1~2 (초5~)
- 원서 술술 읽는 Smart Reading 1~2 (중3~고1)
- [특급 단기 특강] 구문독해 · 독해유형 (중3~)

Listening

- Listening 공감 1~3 (초5~)
- The Listening 1~4 (초5~)
- After School Listening 1~3 (초5~)
- 도전! 만점 중학 영어듣기 모의고사 1~3 (초5~)
- 만점 적중 수능 듣기 모의고사 20회 · 35회 (중3~)

TEPS

- NEW TEPS 입문편 실전 250+ 청해 · 문법 · 독해 (초5~)
- NEW TEPS 기본편 실전 300+ 청해 · 문법 · 독해 (초6~)
- NEW TEPS 실력편 실전 400+ 청해 · 문법 · 독해 (중1~)
- NEW TEPS 마스터편 실전 500+ 청해 · 문법 · 독해 (중3~)